Czesław Miłosz / Ola Watowa

Maćkowi, którego kocham
i będę kochać, mimo
przeciwności losu.

Maja

Warszawa, 29.07.2016

Na okładce:
Michelangelo Caravaggio, *Św. Mateusz z Aniołem*, ok. 1602, zaginiony obraz ze zbiorów Kaiser Friedrich Museum w Berlinie

ISBN 978-83-60046-97-5

Zrealizowano ze środków
Ministra Kultury i Dziedzictwa Narodowego

CZESŁAW MIŁOSZ
OLA WATOWA

Listy o tym, co najważniejsze (I)

Z aneksem
zawierającym wiersze Aleksandra Wata
szkice i wiersze do portretu Oli Watowej
mowę Józefa Czapskiego, *Nad grobem poety*
dokumenty oraz fotografie

Zamiast posłowia:
Czesław Miłosz / Leonard Nathan, *Rozmowa o Aleksandrze Wacie*
Jan Zieliński, *Wspólne zmagania*

zebrała i ułożyła w tom
Barbara Toruńczyk

współpraca: Jan Zieliński, Mikołaj Nowak-Rogoziński

Zeszyty Literackie

Korespondencja

[1. OLA WATOWA]

Paryż, 6 VII 67

Kochany Czesławie,

Kiedy rano 29 lipca weszłam do pokoju Aleksandra — już nie żył. Na tapczanie u Jego nóg leżał zeszyt, a na nim dwie kartki:

NIE RATOWAĆ

Nie mogę już a b s o l u t n i e... przebacz mi moją straszną zbrodnię... chciałem ciągnąć agonię, już absolutnie niemożliwe. To i tak nie do uniknięcia... Przebacz, błagam, nie rozpaczaj. Myśl, że skończyła się moja męczarnia, nawet Ty nie znałaś jej głębi całej. Kochana, żyj. Dobranoc, moje światło, dobranoc, moja kochana, dobranoc, Olu.

Do lekarza domowego (przyjaciela): LAISSEZ MOI MOURIR

Pod kartkami zeszyt, pierwsza kartka z 2 6 m a j a 67 r. Słowa miłości i pożegnania ze mną i z Andrzejem. Listy do rodziny. Wiersz zatytułowany *Wiersz ostatni* (potem jeszcze pisał), który kończy się słowami: „schodzenie / schodzenie / ciągle schodzenie / ciągle w dół / schodzenie / a jutro stwierdzą / to tylko trzy łokcie pod ziemią".

„22 kwietnia. Po obrzydłych percodanach, po obrzydłym zastrzyku, po nocy tortury, po dniach, tygodniach, miesiącach nieprzerwanego wegetowania w Piekle".

Duży szkic prawie cały przekreślony *Coś niecoś o Piecyku*, w gruncie rzeczy szkic autobiograficzny, z boku na 1-ej stronie notka z 22.5: „Z tego brulionu, którego już nie jestem w stanie przejrzeć, może ktoś (Zbyszek kochany? Andrzej?) zrobi tekst zwięzły: «z brulionu opracował...» może anonimowo, lub inicjałami". Z tej autobiografii zdanie: „W istocie, w wierszach moich od 1955 r. ryty jest głęboko i wyraźnie mój los osobisty — i pośrednio — «cierniowego krzaku naszej historii»". Ostatnie słowa w cudzysłowie z recenzji o wierszach Olka Jar. Iwaszkiewicza.

O n a g r a n i a c h. „Do wysłania jeszcze 13 nagrań" (wskazówki dla mnie) i:

„...J e s z c z e r a z w y t ł u m a c z y ć m n i e przed Fundacją New Land (przez p. Benzion), p r z e d G r o s s m a n e m (bezpośrednio mama)*: w tym czasie mogło się wydawać i ja święcie wierzyłem, że wygrzebałem się z najgorszego, że będę w stanie to wszystko zrobić, co obiecywałem, bo wszystko się wyklarowało, po pierwszych próbach ponownego pisania (chaotycznych) wszystko się u mnie wyklarowało i panowałem nad techniką pisania. Tymczasem właśnie w okresie wyjazdu do Ameryki nastąpił krach i kończę jak bankrut, haniebnie, nie spłaciwszy długu.

...Czesław był świadkiem, jak mnie choroba zdruzgotała".

„...Miłosz — słuchacz idealny...".

Nota z 10.6.67 „Ogrom energii, którą muszę wydatkować... aby przebyć dzień cały, 16 czy 18 godzin, ile sekund.

I strach, żeby nie było za późno, żebym się nie obudził rano sparaliżowany, bezradny: nikt mnie przecież nie dobije". (10.6.67)

I kartka znaleziona w papierach, pisana w B e r k e l e y 29.9.63 r. List pożegnalny do mnie, w okresie kiedy tak strasznie cierpiał i zdawało się, że odchodzi.

Dopisek do tego listu:

„Sytuacja Anteusza: nie o matkę ziemię! W moim wypadku: kiedy sięgam dna bólu i depresji, kiedy już ani jedna komórka nie chce dalej żyć (*„ich bin nichts mehr, ich lebe nicht mehr gerne"*) i tylko nakaz kategoryczny, postać Oli i Andrzeja, stoi między moim obolałym ciałem, zgnębioną duszą a śmiercią, słowem, gdy leżę na dnie, na samym dnie, na najczarniejszym dnie, wtedy budzi się raptem wola i energia życia. Jak klarnet po milczeniu klęski".

Kochany, drogi Czesławie — podaję Ci te Jego słowa ostatnie ku T w o j e j serdecznej o Nim pamięci, a wiedząc, że piszesz o Nim

* zrób to przede mną, Czesławie, w tej chwili nie jestem w stanie. [Przypisy oznaczone gwiazdką pochodzą od Autora. Przypisy wydawcy — na końcu książki, s. 207].

— myśl, w jakim cierpieniu tworzył i jak musiał okrutnie cierpieć, żeby zdecydować się na ten gest świadomego rozstania ze mną, z synem i z poezją.

Praca zarejestrowana na magnetofonie, której Ty byłeś „idealnym słuchaczem", n i e m o ż e, n i e p o w i n n a zginąć.

To cel teraz mego życia.

P o m o ż e s z m i, mój Czesławie?

Jak ciężko

Całuję Ciebie i Jankę. Wiem, że jesteście ze mną

Twoja Ola

PS. Wyjeżdżam jutro do Planaise, z Andrzejem do rodziców jego żony. Możesz pisać do mnie aż do 25 (wracam do Paryża między 1 a 4 września) na adres: Mme Wat, *chez* M. Hartmann, PLANAISE, *par* Montmelian, Savoie, France. Potem na adres: 40, rue des Ecoles, Paris 5[e].

[2. CZESŁAW MIŁOSZ]

2 IX 1967

Kochana Olu,

Dostałem właśnie numer wrześniowy „Kultury", który sprawił mi ogromną przykrość. Byłem pewien, że ukaże się tam szereg artykułów o Aleksandrze, i w tej myśli napisałem swój, na prośbę Giedroycia, tymczasem mój artykuł jest jedyny i ukazał się naprzeciwko nekrologu Bregmana, co jest dla mnie zupełnie niepojęte, albo jako nietakt, albo mściwość. Powtarzam, to wykracza poza moje rozumienie.

Dziękuję Ci za list. Wiesz, że tak być musiało, nie mogło być inaczej, to dla niego było wyzwolenie, a nie mógł już unieść tego bólu latem 1966, po tym ataku. Przecie to pamiętam.

Przejmowanie się Slavic Center było zupełnie niepotrzebne.

Jak doprowadzisz do skutku transkrypcję, to porozmawiam (z nowym kierownikiem, Grossman już nie jest) o ich zamiarach wydania. Chciałbym Ci pomóc, ale to trudno opracowywać na odległość. Myślę w każdym razie, że trzeba najpierw zrobić całość

„na surowo", żeby wiedzieć, jakie proporcje cięć i klejeń zastosować w montażu. Nie mam pojęcia, jak Center będzie traktować kwestię swoich praw, gdyby się nie sprzeciwiał, można by było wersję już gotową albo jej części gdzieś wydrukować, np. w „Wiadomościach" londyńskich. Redaguje je teraz Chmielowiec, który robi wrażenie rozsądnego człowieka. Zapraszał mnie do współpracy, odpowiedziałem, że oczywiście nie będę przestrzegał swoich zajadów, za które on nie jest odpowiedzialny, i może coś im poślę.

Pewnie wiesz, że wypadek Toniego skończył się t y l k o pęknięciem kości miednicznej i zniszczeniem samochodu. Piotruś wrócił z północnej Alaski z brodą i wąsami.

Lourie napisał o Aleksandrze wspomnienie po angielsku ś l i c z n e i długo pracował nad przekładem *Japońskiego łucznictwa*. D o s k o n a l e z r o b i ł. W dużym magazynie „Tri-Quarterly" ukazał się m.in. wiersz o młynku do kawy w moim przekładzie. Wspomnienie Louriego postaram się wysłać do „Encounter". Lourie jest Aleksandrowi b. wdzięczny za rozmowy. Lourie jest *teaching assistant* z rosyjskiego, dobrze uczy. (Catherine zrobiła *Masters degree*, przełożyła też moją *Rodzinną Europę* na angielski). Kot Jeleński przysłał mi swój przekład mego artykułu (tego co w „Kulturze") na francuski, właściwie skrót, z opuszczeniem części wierszy — zakomunikowałem mu swoje wątpliwości, ale właściwie dałem mu prawo wykorzystać ten artykuł, jak chce.

No cóż, towarzyszy mi ciągle refleksja o naszej znikomości i bezbronności. Miałem sporo rozmów z Gombrowiczem w Vence i o porządku w jego myśleniu świadczy to, że ból jest dla niego głównym zagadnieniem i kontrolerem wszelkiej filozofii, ból fizyczny, a mnie się też wydaje, że to słuszna hierarchia, że wszystko inne mniej ważne. A jeżeli dla Ciebie jakoś ważne, że ktoś z Tobą czuje razem, to wiedz, że całuję Ciebie teraz serdecznie i do serca przytulam.

Twój Czesław

Pozdrów Andrzeja! Janka prosi, żeby Ci napisać, że całuje Ciebie i że postara się sama napisać, choć mało piśmienna.

[adres nadawcy] Czesław Miłosz
978 Grizzly Peak Blvd.
Berkeley, California 94708

[3. OLA WATOWA]

Środa, 5 IX

Kochany Czesławie,

Z całego serca dziękuję Ci za piękne studium o Aleksandrze.

Wróciłam wczoraj z Andrzejem do Paryża. I ten powrót jest tak ciężki. Cały ten miesiąc byłam jakby pod narkozą. I to przebudzenie do wiecznego rozstania tak strasznie mnie boli. Ciągle łapię się na tym, że jak tylko jestem sama, jak w tej chwili, ni to jęczę, ni to skomlę, jak ciężko zranione zwierzę. Gdybym miała bodaj to pocieszenie, że byłam taką, jaką powinnam była być, że byłam zawsze Jego pocieszeniem: Ale nie. Nie mam tego pocieszenia. I tak już będzie do końca mego życia.

Jestem u Andrzeja, nie mogę mieszkać w tym mieszkaniu, gdzie żył Aleksander i gdzie tak strasznie pusto i nie ma już żadnej nadziei.

Zwiozłam tu wszystkie papiery, zeszyty, notesy, wszystko zapisane drobnym maczkiem, w pośpiechu, w bólu. Rozpaczliwie staram się to odczytać i wszystko, wszystko, najbardziej oderwane tematy, wydają się uderzać przeciwko mnie, bo zawsze jest w nich jego cierpienie i samotność w cierpieniu.

Mówię do niego i w dzień, i w nocy, mówię mu o mojej miłości i proszę, żeby mi wybaczył. Bo jestem przecież tylko zwykłym człowiekiem i często brakło mi sił, żeby z nim ten krzyż ciężki dźwigać.

Czy on mnie słyszy — Czesławie?

Dlaczego Cię tu nie ma teraz — kiedy tak mi jesteś potrzebny.

Twoja Ola

[4. OLA WATOWA]

7 IX 67

Kochany Czesławie,

Przed chwilą dostałam Twój pierwszy list i z całego serca dziękuję Ci za wszystko. Wybacz mi — wstyd mi — za list, który wysłałam Ci wczoraj. Powrót do Paryża i do rzeczywistości załamał mnie. Ale dzisiaj znowu panuję nad sobą i wiem, że nie mój ciężki smutek jest rzeczą najważniejszą. Aleksander miał zaufanie do mnie i nie chcę go zawieść, i dołożę wszelkich moich sił i możliwości, aby to jego życie zawarte w tej masie papierów, którą pozostawił, nie umarło razem z nim. Wiem, że jesteś ze mną, i wierzę w Twoją przyjaźń, i wiem, że zrobisz wszystko, co możesz, aby się spełniło to, co powinno.

Wybacz mi także, że w swoim egoizmie nie pytałam o Toniego. Bardzo — oboje z Aleksandrem — byliśmy przejęci tym, co się stało, i ciągle miałam wiadomości od Janka, Olgi itd., ciągle się o Was dopytywałam i dopytuję. Chwała Bogu, że to „t y l k o pęknięcie kości miedniczej". A z tego otarcia się, spotkania z „Myśliwym" — Tonio wychodzi jeszcze bardziej pogłębiony, dojrzały. Doświadczony.

Mnie w ogóle „Kultury" nie przysłano. Kupił ją Andrzej w Polskiej Księgarni. I ja byłam uderzona tym nekrologiem, ale mój Boże, w ciągu tego czasu, kiedy losy nasze w jakiś tam sposób przeplatywały się z „Kulturą" — doświadczyliśmy niejednego.

Studium Twoje czytałam już trzy razy i coraz to odkrywam nowe rzeczy. Napisałeś pięknie, Czesławie, pięknie i mądrze, i jestem szczęśliwa, że pisząc o Aleksandrze, znasz go tak dobrze, a także z tego, co piszesz w liście swoim o bólu, w związku z rozmowami z Gombrowiczem. Wczoraj wpadłam na kartki z dziennika A. pisanego w Berkeley, gdzie jest duże studium o bólu, o współżyciu z bólem, o pracy twórczej w bólu, o walce, żeby dominować nad nim. Muszę to przepisać, przedtem dobrze odczytać. Tyle tego i o wszystkim, także o Gombrowiczu. Pisane szybko, w Berkeley, na maszynie, słowa bez spółgłosek. W pośpiechu. Prawdopodobnie myślał, że to opracuje. Wyczytałam gdzieś w jakiejś powieści takie zdanie, mniej więcej: „Moją największą zdradą było to, że nie wierzyłam, że się zabijesz". I tak więc, Czesławie kochany, do moich refleksji o „znikomości i bezbronności" dochodzą jeszcze inne, o wiele bardziej bolesne, wynikające z tych murów, które wyrastają między najbliższymi sobie ludźmi, z uświadomienia sobie — jeszcze raz — jak każdy z nas jest samotny, nie tylko w życiu, w chorobie i w obliczu śmierci, ale i w miłości.

Był wczoraj u mnie Zbyszek z Kasią. Był pełen „kurażu", więc „obsztorcował" mnie z miejsca za mój nastrój „żałobny", co mi w jakiś sposób pomogło. W „zeszycie ostatnim" Aleksandra jest także duży szkic (brulion), przedmowa do *Piecyka* z dopiskiem: „Z tego brulionu, którego już nie jestem w stanie przejrzeć, może ktoś (Zbyszek kochany? Andrzej?) zrobi tekst zwięzły. «Z brulionu opracował...» może anonimowo, lub inicjałami". Zbyszek wziął wczoraj ten tekst, w którym jest wprowadzenie do *Piecyka*, ale także dużo autobiografii, wspomnień o domu, o ojcu, o młodości, o... życiu. To już trzeba będzie opracować oddzielnie.

Pokazałam mu wczoraj wiersz, który Aleksander dał mi na nasze czterdziestolecie. Napisany jest w Palmie, tam żeśmy to obchodzili. Nie śmiałam tego wiersza nikomu pokazać, po prostu dlatego, w poczuciu, że nie zasłużyłam sobie. Powiedziałam to zresztą od razu Olkowi, że będę się wstydziła. Ale Ol napisał w „zeszycie ostatnim" do Andrzeja: „Jeżeli Mama się zgodzi, może na zakończenie cyklu moich wierszy dać *Poślubioną*?".

Przepisuję więc Ci ten wiersz z gorącą prośbą, abyś, jako wielbiony przez Aleksandra poeta i przyjaciel, odpisał mi, czy mam ten wiersz dać.

Oto on:

NA NASZE CZTERDZIESTOLECIE

...L'Epousée au front diaphane
Lis pur qu'un rien terni et fane
Sully Prudhomme, *L'Epousée*

Niech nie odkrywa Jej okiem,
Póki nie przemył go w świetle
Ranka, w śniegach góry dalekiej,
Na łagodnych pagórach ziół,
W strumieniu kantat Jana Sebastiana
Bacha.

Niech nie kładzie na Niej ręki,
Póki nie zmył z niej gwałtów. Krwi.
Przelanej. Przyjętej. I nie wytrawił
Czułością, dobrymi uczynkami,
Znojem prac w ziemi rodzicielce,
Grą na klawesynie albo okarynie.

Niech nie zbliża do Niej ust,
Póki nie spłukał kłamstwa,
Póki nie pił z wody źródła żywej,
Póki ich nie wypalił w ogniu żywym,
Póki nie uświęcił w Tabernaculum
Łaski i słodyczy.

Palma de Mallorca, w nocy z 18 na 19 stycznia 1967 r.

Dostałam bardzo serdeczny list od prof. Grossmana. Pisze m.in., że jest konieczne, aby to, co zawarł Aleksander w swoich wypowiedziach na taśmie — zostało przetworzone w książkę. Masz rację, pisząc, że przede wszystkim musimy mieć całość, że wszystko musi być przepisane. Otóż: w Berkeley, w Center mają nagrania:

od 1 do 18 włącznie

od 35 do 39 włącznie

od 27 do 34 włącznie — zostały sfotokopiowane przez Kocika (robiłam je bez kopii na zlecenie Aleksandra, myślał bowiem o pracy nad nimi) — i wysłane do Center 17 sierpnia.

Seanse: 19 i 21 — wysyłam dzisiaj.

20, 22, 26 — te 3 nagrania niezarejestrowane.

Mam do przepisania z magnetofonu — 23, 24, 25. Zrobię to i doślę.

Będę Ci wdzięczna, jak się dowiesz, jak jest z prawami, czy będzie można przedtem drukować fragmenty. Aleksander był w serdecznej korespondencji z Chmielowcem, którego cenił i wdzięczny mu był za jego stosunek do poezji i spraw Aleksandra.

Będę Ci wdzięczna za przesłanie mi tego, co napisał Lourie, pamiętam go dobrze i oboje z Aleksandrem mieliśmy wielką dla niego sympatię i zawsze cieszyliśmy się, jak można było z nim porozmawiać. Pozdrów go ode mnie najserdeczniej i powiedz, że pozostał on we wspomnieniu Aleksandra, w dobrym jego wspomnieniu. Prześlij mi także, mój kochany, i Twoje tłomaczenie, a może i magazyn, w którym się ukazało, jak piszesz „m.in. wiersz o młynku do kawy".

Bardzo serdecznie pozdrawiam Jankę i będę się cieszyła, jak do mnie kilka słów napisze. Bardzo żałuję, że nie udało się nam zobaczyć Was za ostatnim Waszym pobytem w Paryżu.

Ciebie, drogi Czesławie, całuję najserdeczniej i tulę się do Twojego serca

Twoja Ola

[5. CZESŁAW MIŁOSZ]

18 IX 67

Kochana Olu,

Zastałem Twoje listy po powrocie z Montrealu, gdzie wraz z Ważykiem reprezentowaliśmy polską poezję na Rencontre Mondiale de Poésie.

Pytanie Twoje w sprawie wiersza — to jest niezwykle piękny wiersz i moim zdaniem nie może być w książce pominięty. Pozostaje tylko kwestia tytułu. Wiersze Aleksandra są, jak napisałem w artykule, autobiograficzne, dlatego *Na nasze czterdziestolecie* może nie byłoby tytułem zbyt rażącym, choć ja osobiście zbyt wyraźnych tytułów nie lubię. Ponieważ Aleksander mówi o *Poślubionej*, dlaczego nie nazwać tak wiersza i nie umieścić na końcu tomu, jak sugerował? *Poślubiona* — to i trochę enigmatyczne, i autobiograficzne, i grające różnymi znaczeniami, też symbolicznymi. Zresztą cytata z Prudhomme'a zaczyna się od tego słowa.

Co można powiedzieć w pośpiesznie pisanym artykule?

Artur Mandel zwrócił uwagę, że wiersz *Barwy, które ja maluję* jest transpozycją żydowskiej piosenki, której refren (pominięty) jest: „Bo jestem Żyd".

Wydaje mi się, że pisząc o poezji Aleksandra, należałoby poruszyć sprawę żydowskości i chrześcijańskości — co jest dość trudne, rozmawiałem dużo o tym z Aleksandrem, ale nie wiem, czego on właściwie by [sobie] życzył. Wtedy kiedy nagrywałem z nim w Paryżu, jakby bardzo serdecznie zbliżał się raczej do Starego Testamentu.

Nie wiem, czy wstęp do tomu wierszy jest potrzebny, chyba nie. W przypadku nieznanego poety, tak. Ale w kraju był przecie znany.

Czemu niepotrzebnie się trujesz? Robiłaś wszystko, co mogłaś, „a ja tam kończę się, gdzie możliwość moja".

Całuję Ciebie mocno

Czesław

[adres nadawcy: jw.]

[6. OLA WATOWA]

[bez daty]

Kochany Czesławie,

Dowiedziałam się od Kocika, że wysłał Ci tekst Aleksandra „brulion z zeszytu ostatniego". Miałam ogromną pokusę, żeby od razu ten tekst przesłać Tobie, ale nie śmiałam, bo wiem, jak bardzo jesteś zajęty. Ale teraz, kiedy już go czytałeś, będę Ci bardzo wdzięczna za kilka słów. Czy godzisz się z Kocikiem, że ten tekst powinien wejść do tomu poezji*. Jeżeli to możliwe, to odpowiedz mi od razu.

Byłabym bardzo wdzięczna panu Mandlowi za przesłanie mi owej piosenki z refrenem „bo ja jestem Żyd". Ciekawe, że Aleksander nigdy mi o tym nie mówił, jestem pewna, że jest to niezwykła jakaś zbieżność, bobym naprawdę coś o tym wiedziała. Aleksander często wracał wspomnieniem do lat wczesnej młodości, do domu, i znał wiele piosenek i pogaduszek, jak tę na przykład *Opowiem ci kazanie*, której nauczyła go Anusia — służąca.

Mam nadzieję, że u Was wszystko dobrze i że Tony wraca do zdrowia. Widziałam Ważyka, mówił mi o spotkaniu z Tobą. Wczoraj spędziłam kilka godzin z Antonim Słonimskim, czułym dla mnie, i jak zwykle miał w zanadrzu dużo zabawnych dowcipów, ale także gorzkich uwag o polskiej rzeczywistości.

Ja mam dużo kłopotów, bratanica Olka, na którą liczyłam, że mi pomoże — zupełnie mnie zawiodła, w tych dniach muszę zabrać meble z Parc de Sceaux i oddać do *garde-meubles*, a sama zamieszkać gdzieś kątem. Ale nie o tym myślę teraz, o swoich wygodach. Chciałabym zabrać się do papierów Aleksandra, masę tego i wszędzie natrafiam na wartości, które w żadnym wypadku nie powin-

* I ewent.[ualnie] czy byłbyś za usunięciem jakichś fragmentów.

ny zginąć. A potem ta praca berkeleyowska! Co z nią będzie? Poradź mi, mój drogi!

Całuję Cię serdecznie i rodzinę Twoją pozdrawiam

Twoja Ola

[7. CZESŁAW MIŁOSZ]

5 X 67

Kochana Olu,

Piszę to, żeby Ci powiedzieć, że dostałem z Londynu od Łabędzia tekst mego artykułu o Aleksandrze (przekład na angielski z francuskiego) z prośbą o dosłanie cytowanych wierszy, więc siedzieliśmy dość długo z Richardem Louriem, poprawiając przekłady wierszy, jakie zrobiłem. Mój artykuł ukaże się pewnie w „Encounter", Louriego w „Survey". Mam dość dużo wierszy Aleksandra, tak że starczyłoby tego na tomik po angielsku, i myślę, że jeszcze dotłumaczę. Tym bardziej byłoby to ważne, że moja antologia jest już wyczerpana. Jeden wiersz Aleksandra w moim przekładzie (ten wiersz o młynku do kawy) ukazał się w dużym i dość znanym tu piśmie „Tri-Quarterly", wywołując zachwyt czytelników.

Martwi mnie, że nie piszesz. Proszę Ciebie, nie obrażaj się i nie interpretuj moich wątpliwości co do przedmowy moim brakiem czynnego zainteresowania dziełem Aleksandra. Napisz mi o Twoich planach co do manuskryptu pamiętników. Grampp dostała przesyłki. Jestem leniuch, ale wiesz dobrze, że zależy mi na dziele Aleksandra jak najbardziej i wszystko szczerze powinnaś mi opowiedzieć o swoich pracach i kłopotach. Kto wreszcie będzie opracowywał to do druku? W miarę możliwości chcę Ci pomóc. Utrzymuj ze mną kontakt! Musimy to obgadywać, choćby listownie!

Twój

Czesław

[adres nadawcy: jw.]

[8. OLA WATOWA]

Paryż, 7 X 67

Kochany Czesławie,

Przed chwilą dostałam Twój list. Dziękuję Ci za Twoją serdeczną pamięć o Aleksandrze i o mnie. Bardzo mi to potrzebne, żeby trzymać się w tym okresie trudnym pod każdym względem. Wszystko, o czym wspominasz w tym liście, dało mi dużą pociechę. I perspektywa tomiku wierszy po angielsku, i powodzenie *Młynka* itd. Zrobiłeś i robisz dużo dla Aleksandra i z całego serca Ci za to dziękuję.

Pisałam Ci, że widziałam Antoniego Słonimskiego. Mówił m.in. o Tobie, że nie widzi nikogo poza Tobą, kto mógłby patronować pamiętnikom. Nikt tak dużo nie wie o Aleksandrze, nie zna jego myśli, jego intencji. Ja mogę być — to, co się nazywa — *czorno-raboczyj* i mogę robić wszystko, aby przygotować to dla Ciebie. Musiałbyś mną kierować. Nie jesteś „leniuch", Aleksander zawsze podziwiał Twoją pracowitość. Do mnie miał zaufanie, wiedział, że potrafię odróżnić, co było jego zamierzeniem, jaka myśl była wypaczona narkotykami, które brał w tak dużej ilości podczas seansów. Tej pracy, która powinna być zrobiona — nie zrobię bez Twojej pomocy, bez wysokiego lotu Twojej inteligencji, Twojej wiedzy o tym, czego byłeś słuchaczem. Trzeba to robić powoli, szczególnie w tych warunkach, ale przecież któregoś dnia to może być zrobione.

Możesz mną rozporządzać i będę się starała robić wszystko jak najlepiej w miarę moich skromnych możliwości.

Mam jeszcze do przepisania trzy taśmy. Zrobię to, chociaż do tej pory nie mam odwagi otworzyć magnetofonu.

Co do przedmowy wierszy, zostawiam to całkowicie do Twojego uznania. Może masz rację, że przedmowa w gruncie rzeczy jest niepotrzebna. Może Aleksander rzeczywiście jest dostatecznie znany w Polsce (czy na emigracji?). Jak więc zadecydujesz, tak będzie dobrze.

Wysyłam dziś list do prof. Grossmana. Robię coś, czego Aleksander nie życzył sobie, ponieważ uważał się „za bankruta, który nie spłacił długu". Mianowicie zapytuję Grossmana, czy fundusz, który był przeznaczony na przepisanie z taśmy — jeszcze istnieje i czy mogliby mi za to przepisanie (ponad 1000 str.) zapłacić. Mam bardzo trudną sytuację materialną, bratanica Aleksandra jak do tej pory zawodzi. Ale gdyby okazało się, że ten fundusz już nie istnieje, to i tak przecież „jakoś to będzie".

„Tri-Quarterly" dostałam i bardzo dziękuję. Gdybyś podał mi adres Louriego, podziękowałabym mu za jego pracę.

Całuję Cię z całego serca

Twoja Ola

[9. OLA WATOWA]

Paryż, 8 X 67

Kochany, najmilszy Czesławie,

Ten list za listem — obawiam się, że zaczniesz się ich bać...

Przed chwilą rozmawiałam ze Zbyszkiem, radząc się go co do przedmowy do tomu wierszy Aleksandra. Uważa, że przedmowa powinna być, przedmowa informacyjno-wprowadzająca. Z wiadomych względów Zbyszek nie może tego zrobić. A ja już teraz, pisząc te słowa, mam poczucie winy wobec Ciebie, bo przecież poświęciłeś tyle czasu swego i tak drogocennego na to piękne studium o Aleksandrze, a teraz znowu prosić Cię o przedmowę? Tylko, proszę, nie gniewaj się na mnie i odpowiedz, czy to jest możliwe. A jeżeli możliwe, to czy możesz zrobić to prędko, bo drukarz domaga się już całego materiału.

Z całego serca całuję Cię

Twoja Ola

[10. OLA WATOWA]

Paryż, 9 X 67

Kochany Czesławie,

Aleksander, przygotowując wybór wierszy do tomu, który ma się ukazać — wyrzucił wiersze następujące z tomiku *Wiersze*. Proszę Cię — mój najmilszy — jeżeli żal Ci któregoś z tych wierszy, które Aleksander uznał za złe, a także bojąc się, że nie znajdzie się dla nich miejsca w tomie — to napisz o d r a z u, który z nich włączyć.

Oto wiersze wyrzucone:

WIDZENIE	str. 14
Czemu mnie z trumny wyciągasz	str. 19
**** Choć wiem, że to grzech...*	„ 26
	„ 36
	„ 44
	„ 63
	„ 75
	„ 76
	„ 78
	„ 101
	„ 103
	„ 107
	„ 110
	„ 118
	„ 119
	„ 120
	„ 135
	„ 136
	„ 138
	„ 139
	„ 166
	„ 168
	„ 171
	„ 174

Nie piszę więcej, bo muszę list wrzucić — zbliża się szósta. Odpisz od razu — mój drogi. A także odpowiedz w sprawie przedmowy — p. Romanowicz[ow]a o to pytała. Książka będzie się niedługo składać, ale zawsze będzie można jeszcze poczekać.

Całuję Cię mocno i o wybaczenie proszę

Twoja Ola

[11. CZESŁAW MIŁOSZ]

11 X 67

Kochana Olu,

Tekst o *Piecyku* jest śliczny i zgadzam się z Kocikiem, że trzeba go drukować w całości. Odpowiada on zresztą na pytania, które Ci zadawałem — o żydostwie i chrześcijaństwie. Powinien koniecznie ukazać się w tomie i chociaż jest tylko komentarzem do *Piecyka*, wystarcza jako ogólna przedmowa albo posłowie do tomu. Chyba że znalazłabyś jeszcze jeden tekst, który nadawałby się np. we fragmencie do umieszczenia — oprócz tego o *Piecyku*. Ale ten tekst musisz jeszcze przeczytać b. uważnie, bo są tam błędy, ja znalazłem kilka (maszynowe albo cytaty etc.).

Pieniędzy od Grossmana to nie dostaniesz, bo on już nie jest dyrektorem Center, jest ktoś inny, poza tym całej instytucji, o ile wiem, obcięto budżet i zepchnięto do dwóch małych pokoików, tak że nie ma już czytelni czasopism.

Piszesz mi, że mając kłopoty finansowe, chcesz oddać rzeczy na przechowanie. Nie rób tego, jeżeli jest to przechowanie płatne, tu Janka ma rację, bo pamięta doświadczenie naszych wędrówek. Duże należności narastają wtedy stopniowo, ani się spostrzeżesz i rzeczy stracisz. Więc albo sprzedaj, albo daj na przechowanie dokądś, gdzie chwilowo mogą się przydać (np. gościnne pokoje w Maisons-Laffitte?).

Richard Lourie jest *teaching assistant* rosyjskiego na naszym wydziale, więc gdybyś chciała pisać, to jego adres c/o Department of Slavic Languages and Literatures, University of California, Berkeley. Pozdrów serdecznie Antoniego, jeżeli go jeszcze zobaczysz. Co do tekstów nagrań, to napiszę Ci osobno, nie byłem dotychczas nawet w Slavic Center.

Pozdrowienia dla Andrzeja.

Całuję Cię mocno

Czesław

[adres nadawcy: jw.]

[12. CZESŁAW MIŁOSZ]

14 X 67

Kochana Olu,

Odpowiadam Ci natychmiast na Twój list. Aleksander miał skłonności do „antologizowania" i mnie doradzał wyrzucić dużo wierszy z mego tomu, który dotychczas jeszcze smaży się u Bednarczyków. Uwzględniałem dużo z jego rad, ceniąc bardzo jego zdanie, ale z perspektywy widzę, że może niesłusznie — bo jak się napisało, to dlaczego nie brać odpowiedzialności za dzieci mniej udane? Te utwory „mniej doskonałe" są potrzebne jak szum, na tle którego tym dobitniej rysuje się przekaz ważniejszy, wg teorii informacji. Aleksander napisał niezbyt dużo wierszy — po *Piecyku* była długa przerwa, to są jego wiersze zebrane, ci w Polsce są mściwi i pewnie nie tak prędko ukażą się jego wiersze zebrane w Polsce — tam zresztą nie będą się zastanawiać i włączą całość — tj. *Piecyk*, *Wiersze* i *Wiersze śródziemnomorskie*. Pewnie, może należy liczyć się z Aleksandra odrzuceniami, ale sam poeta jest zwykle nieco zbyt skrupulatny. Pozostaje sprawa miejsca w tym tomie. Gdyby miejsca było dosyć, ja na Twoim miejscu traktowałbym to jako wiersze zebrane i nie zawracałbym sobie głowy wyłączeniami. Jeżeli natomiast trzeba ze względów technicznych coś wyrzucić, to podaję co, choć tego niewiele i niewiele to zmieni. Należy pamiętać, że poezja Aleksandra jest autobiograficzna, więc nie należy pastwić się nad wierszami, które mają charakter not autobiografii — nic one nie szkodzą innym, w których te same motywy znalazły pełniejszy wyraz.

str. 14 Nie widzę powodu, żeby to wyrzucać.

str. 19 Możesz wyrzucić (to zależy od ogólnej zasady).

str. 26 Stanowczo nie wyrzucać. Bo uzupełnia część I.

str. 36 Możesz wyrzucić, ale raczej nie trzeba.

str. 44 Aleksander nie lubił tego wiersza. Ale mnie on prześladuje (i przełożyłem go na angielski). Nie wyrzucaj, może kogoś innego też będzie prześladować.

str. 63 Nie wiem, po co to wyrzucać.

str. 75 N i e wyrzucać.

str. 76 Jeżeli A. chciał usunąć wiersze nieco „bluźniercze", to wyrzuć.

str. 78 *Na melodie hebrajskie* — i część 1, i 2 powinny być.
str. 101 To jest notka. Notatki. Chcesz — wyrzuć, ale po co wszystkie?
str. 103 Ładny wiersz.
str. 107 *Powrót do domu.* Nie wyrzucać
str. 110 *Przypomnienie.* Nie wyrzucać
str. 118 Nie wyrzucać.
str. 119 *Perły* — jeden z niezbyt licznych wierszy „tradycjonalnych" i ciekawy przez to.
str. 120 *Żart.* Po co to usuwać?
str. 135 Nie usuwać.
str. 136 Może A. chciał stonować „bluźnierczość" (cierpieć więcej niż Chrystus). Możesz wyrzucić.
str. 138 Raczej zachować.
str. 139 Raczej zachować.
str. 166 Ważny moment autobiograficzny. Data. Zachować.
str. 168 Słabe. Możesz wyrzucić.
str. 171 Nie wyrzucać.
str. 174 Autobiograficzny szczegół. Po co wyrzucać?

[Na marginesie powyższego wykazu gwiazdkami zaznaczono decyzje negatywne: str. 19, 76, 136, 168]

Jak powiadam, to wszystko zależy od ilości stron i ogólnych kryteriów. Daję Ci moje subiektywne wyczucie.

Upały tutaj, od szeregu tygodni żar nieskażonego nieba. Różowiutki Tatarkiewicz wykłada i chodzi po campusie, niesamowite dla mnie. Kott pisze swój odczyt na zjazd teatralny we Florencji, dokąd wkrótce jedzie. Podejmowałem Czaykowskiego z Vancouver. Lednicki wrócił do Europy. Mój artykuł o Aleksandrze podobał się wielu ludziom. Toni zagoniony, ma po 8 godzin zajęć na uniwersytecie, bo oprócz antropologii ma laboratorium z chemii i biologii. Piotruś leń i zainteresowany głównie graniem w szkolnym teatrze. Telegraph Avenue coraz dziwniejsza i coraz bardziej malownicza, większość dziewczyn chodzi boso.

Całuję Cię

Czesław

[dopisek Janiny Miłoszowej]

Kochana Olu

Wybieram się do Ciebie napisać, ale jestem b. zagoniona i lista moich obowiązków listowych coraz bardziej się wydłuża. Ale może jednak — chciałam Ci napisać o moim wspomnieniu ostatnim i Aleksandrze — i postaram się. Niepokoją mnie Twoje kłopoty — co znaczy, że mieszkasz „kątem", u kogo? Ściskam Cię i całuję serdecznie, wiedz, że myślę o Tobie często i czule.

Janka

[adres nadawcy: jw.]

[13. OLA WATOWA]

Launey, 14 X 67

Kochany Czesławie,

Wczoraj był piątek, trzynasty i padał deszcz. Wyprowadzałam się z Parc de Sceaux. Winda nagle popsuła się. Tragarze staszczali z piątego piętra nasze stare meble, książki itd. Zdawało mi się, że wynoszą trumny.

W ostatniej chwili, żeby uniknąć *garde-meubles* — wynajęłam mieszkanie. Drogie! 720 fr. miesięcznie. Teraz na gwałt szukam lokatora do pokoju. Ja zmieszczę się doskonale w jednym. Dzielnica dobra (5^{e}), blisko do Andrzeja.

Halusia Sterlingowa przyszła z chlebem i solą. I zabrała mnie na kilka dni do siebie na wieś.

Bardzo tu pięknie i jest ruda młoda Żydówka z Polski, która świetnie gotuje. Właśnie jestem teraz po tym obiedzie obfitym. A dzisiaj to właśnie żydowski Sądny Dzień i należy pościć.

Andrzej odczytał mi Twój list przez telefon. Piszesz o błędach i mylnych cytatach w manuskrypcie Olka *Coś niecoś o Piecyku.* Gdybyś mógł o d r a z u odesłać mi manuskrypt z Twoimi uwagami, a przede wszystkim poprawkami! Zrób to, mój Czesławie Kochany. Cieszę się, że to Ci się podoba, że nie popełniamy błędu, dając to do druku. A także napisz, jaki wiersz zostawić z tych wyrzuconych przez Aleksandra. To na pewno bardzo źle, że Cię tak męczę i dużo czasu zabieram.

Wybacz Wybacz Wybacz.

Tak się stało, takie miejsce Twoje w naszym życiu, że do tego miejsca biegnę — bardzo w tej chwili trudnej — oczekująca od Ciebie pomocy.

Więc wybacz i odpowiedz.

Całuję Cię z całego serca

Twoja Ola

Pisz jeszcze na 40, r. des Ecoles.

[14. OLA WATOWA]

11 XI 67

Kochany Czesławie,

Ciężko mi, jak pomyślę, że zabieram Ci czas i energię dla moich spraw. Ale mimo to — sprawy te są tak dla mnie ważne, że bezwstydnie wyzbywam się skrupułów i zamęczam naszych przyjaciół. Wybacz!

Już dość dawno wysłałam Ci tekst Aleksandra — „brulion" z „ostatniego zeszytu" z gorącą prośbą o uwagi, napisałeś mi bowiem, że znalazłeś tam sporo błędów. Nie dostałam jeszcze od Ciebie odpowiedzi, a czas nagli — już robią drugą korektę. Romanowiczowie bardzo się starają, aby wszystko jak najlepiej zrobić, gotowi są więc czekać, aby tylko czegoś nie przeoczyć. Bądź więc tak dobry i prześlij mi od razu ewent.[ualne] Twoje uwagi i poprawki.

Od kilku dni mieszkam w nowym mieszkaniu i jestem prawie już urządzona, dzięki synowi i synowej, którzy bardzo mi w tym pomogli. Jest to mieszkanie miłe, zaraz koło pięknego Jardin de Plantes, dzielnica wesoła, metro Austerlitz. Dużo kawiarenek i restauracyjek. No i drzewa. Zajmuję jeden pokój — duży. Drugi, bardzo ładny z balkonem — wynajmuję. W tej chwili mam śliczną młodą Angielkę, ale tylko na 2 miesiące. Muszę się więc rozglądać za nowym lokatorem, bo nie jestem w stanie opłacać sama tego mieszkania, które jak na moją kieszeń jest o wiele za drogie. Ale dzieląc z lokatorem, nie mogłabym znaleźć nic tańszego i przyjemniejszego.

Dopiero tutaj, po okresie 3-miesięcznym prawie ciągłego przebywania z ludźmi (mieszkałam u Andrzeja, a potem u przyjaciół) dopiero tutaj usłyszałam ciszę. Prawdziwą ciszę śmierci. I w tej ciszy jesteśmy znowu razem.

Jance dziękuję za miłe słowa. Za serdeczność. Zasmuciła mnie szczerze śmierć Lednickiego. Podziwiałam Jego aktywność, pracowitość. Mógłby zapewne niejedno jeszcze zrobić. W ostatnim liście, który napisał do mnie, po śmierci Aleksandra, liście bardzo czułym i serdecznym — żalił się na coraz większą samotność. Nie wiedziałam, że samotność jest rzeczą aż tak trudną. Teraz wiem. Ale będę walczyć i pracować. Może coś wywalczę?

Całuję Was oboje najserdeczniej

Wasza Ola

Mój nowy adres:
1 bis, rue Nicolas Houel, Villa Austerlitz
Paris 5

[15. CZESŁAW MIŁOSZ]

2 XII 1967

Moja Kochana, Droga Olu,

Chcę zacząć od tego, że pocałuję Ciebie mocno i przytulę do serca. Milczenie moje tym się tłumaczy, że koniecznie chciałaś mieć moje uwagi o tekście Aleksandra o *Piecyku* — ale tekst był nie tu, tylko na Hawajach, dokąd po przysłaniu posłałem go Arturowi Mandlowi, jako odpowiedź na jego liczne pytania dotyczące żydowskości i chrześcijańskości Aleksandra. Artur wykłada tam w tym roku na uniwersytecie, mus finansowy, powoduje to rozłąkę z Rózią, która jest tu. Tekst od Artura właśnie dostałem. Tekst jest w s p a n i a ł y i nie byłbym za usuwaniem fragmentów, z jednym wyjątkiem, na końcu str. 2, co może jeszcze wzmocni poprzedzające zdanie. W przypisach nie dawałbym Ałma Ata, bo to zbyt oczywiste, ani Krasnyj Skotowod, może Ili, jeżeli chcesz. Czy cytatę łacińską tłumaczyć, to zostawiam Tobie, sprawdź z jakimś łacinistą moje tłumaczenie.

Ja wiem, że chcesz, żebym napisał przedmowę do tomu, pisał mi o tym też Kocik. Zrozum moje opory. Ja nie Wyka i nie Pigoń, ale też jako poeta i kolega Olka, choć młodszy, postawiony jestem w pozycji szczególnej, nie mogę wierszy Olka „zalecać", bo to śmieszne, nie mogę „podziwiać", choćbym prywatnie podziwiał, bo to w takich pisaniach nie wychodzi. A w ogóle to nie znoszę pisać o poezji i co napisałem do „Kultury", było niejako wymuszone przez okoliczności. Zupełnie co innego mnie w Olku przejmuje, nie „literatura", to jest ta problematyka religijna, metafizyczna, to jego żydostwo i chrześcijaństwo — i na to w naszych nagraniach byłem najbardziej może czuły. (I to mnie u Olka „brało"!). Więc mógłbym i chciałbym napisać tylko o tym. Ale jak? Miałem różne skomplikowane przeżycia, z tym rezultatem, że pisanie prozą przychodzi mi z ogromną trudnością i że tej jesieni wszystko u mnie przekształca się w wiersze, przeważnie dziwaczne — gnomiczne i licho wie, co warte. Ale ja naprawdę nie mogłem zgodzić się na to, żeby pisać jakiś polonistyczny wstęp, to ohyda, a ten inny to nie wiem, czy potrafię, ale chciałbym. Ty nie wbijaj sobie do głowy, że wchodzą w grę jakieś inne motywy, np. obojętność.

Lourie dostał od Łabędzia korektę swego artykułu o Aleksandrze plus przekład *Japońskiego łucznictwa*. Więc to ukaże się wkrótce w „Survey". To b. ładnie napisane i mądrze. Angielski przekład mego artykułu w „Kulturze" poprawiłem i dodałem angielskie przekłady wierszy, miało to iść w „Encounter" równocześnie z artykułem Louriego w „Survey", ale jakoś na razie nic, są b. powolni.

Ten kwartał dobiega końca, trudno mi zawsze wdrożyć się do wykładów na początku roku, ale miałem seminarium o Gombrowiczu, to był wielki ubaw dla mnie i studentów, poza tym miałem odczyt o Gombrowiczu, który był wielkim sukcesem. W Polsce krążą głupawe plotki o moich walkach z Kottem, podczas gdy nasze stosunki są b. kordialne i w ogóle nie wchodzimy sobie w paradę, bo on nie jest nawet wcale w Department of Slavic Languages i nic z tym nie ma do czynienia, tylko w Department of Drama. Mieszkają tu blisko i często zajeżdżam samochodem, żeby któreś z nich wziąć na dół do miasta albo pogadać.

Mam sporo napisanej prozy, ale te miesiące to były „tylko" wiersze i terminy — *Rodzinna Europa* w przekładzie Katarzyny, która już drukuje się w Doubleday, i teraz 900 stron *Historii literatury polskiej*, poprawianie całego skryptu na 1 I 68.

Lednicki wrócił z podróży do Polski i Francji *diminué*, miał w Paryżu atak *angina pectoris*. Dr Owen z Kaiser zalecił mu ścisłą dietę, któregoś wieczora Lednicki poczuł się źle i zatelefonował po ambulans, ale u Kaisera zrobił straszliwą awanturę, że każą mu czekać — był ostatnio coraz bardziej porywczy. To spowodowało czy pogłębiło atak, przez tydzień był na sali wypadków krytycznych, wydał dyspozycje asystentowi co do manuskryptów i umarł we śnie.

Olu, ja wiem, jak jest Ci ciężko, przecie to mijanie i śmierć są ciągle ze mną. Była tutaj przez 2 dni Kathryn Feuer, która uważa mnie za coś w rodzaju postaci biblijnej, jeżeli chodzi o odporność, ale my przecie wiemy, jak te zewnętrzne pozory są zawodne. Wobec upływu lat, który jest czymś *inexorable*.

PRZEPRASZAM CIEBIE ZA CAŁE PISANIE PRAWDOPODOBNIE NIECZYTELNE. JAKBYM STUKAŁ NA MASZYNIE, TO JUŻ BYŁOBY NIE TO. UWAŻAJ MNIE ZA PRZYJACIELA. JA TEŻ POTRZEBUJĘ PRZYJAŹNI.

Manuskryptami Olka będę mógł zająć się po 1 I 68. Pewnie już wszystkie będą tutaj.

Całuję Cię

Czesław

[adres nadawcy: jw.]

[16. OLA WATOWA]

8 XII 67

Kochany Czesławie,

Cała jestem czułością i wdzięcznością dla Ciebie — po Twoim liście ostatnim. Obdarowałeś mnie po królewsku Twoją przyjaźnią i ofiarnością. Twoją dobrocią. Dziękuję Ci, mój drogi, kochany Czesławie, za tę „gwiazdkę" — pierwszą bez Aleksandra.

Ja Ci napiszę obszerniej o moich sprawach i życiu. Tymczasem n i e m y ś l j u ż o p r z e d m o w i e, przekonałeś mnie już dawno, że nie jest ona konieczna. To Romanowiczom zależy (blask Twego nazwiska!). Rozmawiałam z Kocikiem, jest Twego i mego zdania.

Jeżeli myślisz, że kilka zdań wprowadzających (w jakich okolicznościach książka się ukazuje? po śmierci autora?) może się przydać? Ale to już zostawiam Tobie.

Trzy seanse, które jeszcze są u mnie do przepisania — wyślę w ciągu miesiąca.

Ręce Twoje całuję i moją biedną głowę do Twego serca przytulam

Twoja Ola

[17. OLA WATOWA]

13 I 68

Kochany Czesławie,

Przesyłam dzisiaj (nareszcie!) resztę przepisanych taśm. Seanse: 23, 24, 25 i 26 na ręce p. Grampp.

27 seans przesyłam Tobie. W wysłanym już poprzednio maszynopisie brakowało kilku stron, stwierdziłam to teraz po przesłuchaniu taśmy. Przesyłam więc to Tobie — mój drogi — bo trudno będzie p. Grampp zrozumieć i wycofać z archiwum ten 27 niepełny i zastąpić tym, który teraz przesyłam.

Jestem w tej chwili b. zbulwersowana, bo seanse (szczęśliwie już przepisane) 23 i 24 — w tajemniczy sposób starły się. Gdyby można je było d l a m n i e skopiować, byłabym Ci n i e w y m o w n i e w d z i ę c z n a.

18 stycznia, a więc już za kilka dni — przeprowadzamy Aleksandra do Montmorency. I ten drugi pogrzeb jest dla mnie bardzo ciężki.

Odnalazłam w ostatnich papierach kilka wierszy, jeszcze niewykończonych. Kocik radził dodać do tomu, ale już za późno. Poślę chyba — do „Wiadomości". Były pisane w lipcu...

Mam nadzieję, że jesteście wszyscy zdrowi i że Ty piszesz — mój kochany.

Całuję Cię z całego serca

Twoja Ola

[18. CZESŁAW MIŁOSZ]

9 II 68

Kochana Olu,

Piszę, żeby Ci donieść, że włożyłem 27. sesję na miejsce tamtej niekompletnej w zbiorach Slavic Center i że Grampp obiecała zrobić kopię nagrań 23. i 24. Wszystko jest ponumerowane i w jak największym porządku. Grampp nie dostała żadnego potwierdzenia od Ciebie po wysłaniu czeku i jest niespokojna, czy czek otrzymałaś. Slavic Center schudł, wypchnęli go z pięknego lokalu na 3 piętro. Grossman nie jest już jego dyrektorem.

Obiecałem Ci, że sięgnę do rozmów z Aleksandrem po 1 stycznia. Niestety, pełno było zamętu, mieliśmy wizytę Jerzego Sity z Warszawy, który przez tydzień u nas mieszkał itd., więc dopiero teraz zabrałem się do przeglądania tego olbrzymiego materiału. O moich konkluzjach napiszę obszernie, cierpliwości, teraz tylko te parę słów o stronie technicznej. Tzn. że wszystko odbywa się planowo.

Jestem na ogół w podłym nastroju, dręczą mnie przypływy depresji, przeciwko której walczę codzienną dyscypliną, wykłady mam co dzień, ale czasem mam wrażenie, że jestem nakręconą lalką, która gada za pociśnięciem guzika, ale guzik muszę sam nacisnąć i jest to dziwny przeskok, na pięć minut przed wykładem sznuruję swój ludowy gorset. Jest teraz tu prof. Tatarkiewicz z żoną, do kwietnia, jest w Drama Department Jan Kott, mieszkają niedaleko nas, w Davis są Najderowie, którzy dość często tu przyjeżdżają, do Drama Department w Stanford University przyjechał właśnie Andrzej Wirth.

Piotruś skończył szkołę, wałkoni się i przygotowuje się do egzaminu na uniwersytet. Latem pewnie znów pojedzie na Alaskę, na daleką północ.

Toni przepracowany, bo robi stopień z antropologii, ale równocześnie laboratorium chemiczne, i zdaje się, że odkrył już jako swoje powołanie tzw. nauki ścisłe, chemię, medycynę itd.

Aura polityczna tu przygnębiająca i złowroga, bardziej niż we Francji podczas wojny w Algierze. Nikt do mnie nie pisze, z wyjątkiem Olgi Scherer, która od czasu do czasu podaje wieści. Nie wiem, co się dzieje z Kocikiem, pewnie ma swoje zmartwienia. Pewnie dostałaś od Łabędzia numer „Survey" z b. ładnym wspomnieniem o Aleksandrze Richarda Louriego. Lourie mi teraz powiedział, że 2 lata temu nie rozumiał, co miałem na myśli, zarzucając mu brak „wymiaru historycznego", ale że teraz zrozumiał i zaczął pasjonować się historią intelektualną Rosji i Polski. Zdaje się, że dobrze się rozwija. Nie wiem, czy Ci pisałem, że była tu Kathryn Feuer, a ja byłem u nich w Toronto we wrześniu. Bob Hughes żonaty z Olgą Rajewską i oboje wykładają na naszym uniwersytecie. A Frank Whitfield ciągle ciężko chory, na nogi, choć przychodzi na uniwersytet.

Ściskam Cię i całuję mocno

Twój Czesław

[adres nadawcy: jw.]

[19. OLA WATOWA]

28 II 68

Kochany, najmilszy Czesławie,

Nie odpisałam od razu na Twój list i dopiero jutro pójdzie potwierdzenie odbioru czeku dla p. Grampp. Wszystko to moja wielka wina — to zwlekanie, to przeciekanie czasu, to czekanie na głos, który przerwie tę ciężką ciszę. A jednak żyłam w ogromnym napięciu przez tych ostatnich kilka miesięcy. Tekst Aleksandra, znaleziony w ostatnim zeszycie, tak entuzjastycznie przyjęty przez Kocika, przez Czapskiego i uznany przez Ciebie, nie dawał mi spokoju i mimo to, że był już wydrukowany, że książka miała iść do łamania — ja ten tekst wycofałam i dałam tylko część, ściśle dotyczącą okresu futurystycznego, i trochę z tym okresem związanych zagadnień. Stało się ze mną coś, dla mnie, niewytłumaczalnego, że mogłam zapomnieć o notce Aleksandra „n i e d a ć t e g o" i zaleceniu, żeby wybrać tylko kilka zdań dotyczących *Piecyka*. Entuzjazm Kocika, a potem Twój list — był tą siłą, na którą nie znalazłam w sobie oporu. Ale dręczyło mnie nie tylko nieposłuszeństwo wobec woli Aleksandra. Nie chciałam, aby ten tekst promieniował na wiersze, nie chciałam tego wielkiego komentarza, chcę, żeby *Ciemne świecidło* zaświeciło swoim własnym światłem. Potem — myśl, że wyznania Aleksandra, ten przegląd życia robiony w przededniu śmierci, w cierpieniu już nie do zniesienia, to pisanie pod ochroną tych strasznych przeciwbólowych środków — w którym daje siebie tak zupełnie i tak pięknie prawdziwie — oddać to ludziom obcym, obojętnym. Na marginesie tej książki w związku z tym tekstem zaczęłyby się dyskusje, obrazy, wybuchy. „To dobrze, to dobre dla książki" — powiedział miły Kazio Romanowicz. Ale ja nie chcę takiego rozgłosu ani sensacji, chcę tylko, aby to, czym żył, co wypełniało mu do końca życie, żeby te wiersze były świadectwem jego prawdy i jego widzenia. Nie wiem — może źle zrobiłam, zawiodłam Kocika, ale inaczej nie mogłam.

Ja nie chcę schować tego tekstu, chcę go wydrukować razem z tą wielką biografią, jaką będzie kiedyś książka berkeleyowska, dzięki Tobie, mój kochany Czesławie.

Nie mogę Ci powiedzieć, jak mi żal, że jesteś tak daleko. Wiem, że mogłabym wiele zrobić pod Twoim kierunkiem. I gdybyś uważał, że moja obecność mogłaby się przydać, odjąć Ci ciężarów z tą pracą związanych — to zrobię wszystko, co w mojej mocy, żeby do Ciebie przyjechać.

Dziękuję Ci ogromnie za wszystkie szczegóły o życiu w Berkeley, a przede wszystkim o Tobie. Tak trudno bronić się przed depresjami w tym okrutnym, bezsensownym świecie. Pomyśl więc o tym, co dajesz każdego dnia tym wszystkim Twoim studentom — na trudną drogę życia. Jak im pomagasz, może niejednego uratowałeś od ciemnej rozpaczy istnienia? Może okaże się, że Kathryn Feuer miała rację i jeżeli jeszcze nie jesteś świętym — to nim będziesz!!

Czesławie kochany — ja Cię bardzo całuję i bardzo jestem z Tobą

Twoja Ola

PS. Wspomnienie Louriego b. piękne. Podziękuję mu w tych dniach.

29 II

Kocik może dlatego nie pisze, że b. zapracowany i martwi się ogromnie stanem swojej matki. Jest to osoba ciągle urocza i jej roztargnienia są roztargnieniami podlotka. Jest ciągle bardzo żywa, ale coraz bardziej zapada się w starość, w zniszczenie, w bezpamięć. Jej wieczór u mnie był zabawny. Przyszła z wielkim opóźnieniem, przyniosła mi tomik wierszy Rimbauda i zaraz zaczęła coś bardzo żywo opowiadać o różnych ludziach i pić wino czerwone. Miała na sobie piękny sweter Leonor Fini, brązy i czernie, i jej rysy, tak cienkie, pięknie się rysowały na tle szerokiego, okalającego szyję kołnierza. Aż tu nagle bladość, usta szukają powietrza. Szczęśliwie miałam u siebie miłą Polkę i wzięłyśmy się razem do ratowania. Położyłyśmy p. Renę na tapczanie, zdjęłyśmy piękny sweter i ciało tej starej kobiety, tak zniszczone, jeszcze świadczyło o urodzie, która zniknęła. I zaraz potem chciała dokądś pójść, napić się wina, coś zobaczyć. A była druga w nocy. I to było ładne.

Oglądałam film *Portrait — Poéme pour Leonor Fini*. Piękne kolorowe zdjęcia z Korsyki, klasztor, w którym mieszka latem, i ona na tym cudownym tle. W niezwykłych ubraniach skomponowanych przez nią samą, w szatach właściwie — na tle rozhukanego morza i skał, i starego klasztoru, bierze w posiadanie świat, rzuca wyzwanie światu, nie licząc się z tym, co o niej powiedzą. Jest w tym filmie wolność stworzenia sobie świata dla siebie, na przekór wszystkim innym światom. Są w nim także jej obrazy, jej dziewczęta tak skłonne do kochania pięknych dziewczęcych ciał, te nachylenia — pełne zmysłowości — to wszystko pełne urody. Odejścia od „naturalnych", zaaprobowanych przez społeczeństwo rytów, które tutaj przez swoją urodę nie powinny chyba obrazić niczyich „zasad". Ale oczywiście — tak nie będzie. Były w tym filmie też śliczne wspomnienia z dzieciństwa. Także opowiadanie o dziewczynie, która namiętnie kochała kozła — „ale społeczeństwo zawsze niszczy wielkie pasje", zabili jej tego kozła. Itd. Byli też w tym filmie piękni chłopcy. A w pierwszym rzędzie siedział Jarosław koło Kocika i widać było, że wszystko to bardzo mu się podobało. Mnie — także.

Jasio choruje, ale dużo pracuje i jest w dobrym nastroju. Oczywiście według Olgi skłonnej do czarnego pesymizmu, niemniej po swojemu mądrej i cienkiej — Jasio jest „już inwalidą", już „dno", już „nędza" itd. Nie widuję ich często. Jasia bardzo kocham, jest w nim jakieś czyste źródło, uczciwość zasadnicza, no i wielki talent. Olga ma skłonności do rozszczepiania włosa na czworo i do — jak na mój gust — nadmiernego wsłuchiwania się w siebie. Jej książka ostatnia obudziła we mnie sprzeciw. Ma się pełne prawo do krytyki, pogardy etc., kiedy czytelnik czuje, wie, że autor jednocześnie lituje się po chrześcijańsku (nic wspólnego z wiarą) nad biednym, wplątanym w piekielną maszynę człowiekiem. Tego u niej nie ma, w tej książce wszystko jest jakby na zasadzie snobizmu. No i ta rura (dobra rura), ale za bardzo trącająca o Gombrowicza. Kotłuje się bardzo w tym kółku, te wszystkie neurastenie, szamotanie się w sieciach „stalowych". Biedni my wszyscy. I pewno Leonor z tą swoją wyzywającą swobodą. Więc trzeba dbać już tylko o czyste sumienie, starać się być chrześcijaninem w życiu codziennym (jakie to trudne!), chyba to jedyne, co nie daje nam poczucia zmarnowanego czasu i — chyba — życia.

Lourie pięknie napisał wspomnienie o Aleksandrze. Dla Aleksandra te rzadkie kontakty z nim i z Cath.[erine] Leach — były też chwilami, które dawały mu zapomnienie wielu ran. Widziałeś, jak się ożywiał, wydawało się, że jest prawie szczęśliwy, bo miał, w jakimś sensie, poczucie aktywności.

Znalazłam trochę wierszy nieopracowanych do końca. Przedłużają one jakby nić autobiograficzną widoczną w zbiorze *Ciemne świecidło*, a także są obrazami wierszy, które nosił w sobie do ostatniej chwili. Wysłałam je do „Wiadomości" z notką także znalezioną: „Wiersze mojej starości to przecież — nade wszystko — *choses vues et vécues*, dziennik intymny tego, co mi się działo w długim i nadto bardzo wydłużonym życiu".

Czy dobrze zrobiłam? Czy dobrze robię? Co mam robić? Takich pytań zadaję sobie masę, strasznie — co tu wiele gadać — nieporadna, zagubiona w tym świecie decyzji ostatecznych. Czułam się tak silna przy Aleksandrze, prawie pewna swoich poglądów, skora do dyskusji. Teraz dialog się urwał i — cisza, milczenie.

Bardzo Ciebie całuję — mój kochany Czesławie i Twoich bliskich serdecznie pozdrawiam

Twoja Ola

[20. CZESŁAW MIŁOSZ]

May 13, 1968

Kochana Olu,

Miałem dużo roboty, która odwlekała moje zajęcie się skryptem Aleksandra, ale teraz zabrałem się do tego i mam nadzieję pracować nad tym systematycznie. Nie może to być szybko gotowe do druku, bo są następujące stadia:

1. Poprawianie tekstu. Nie ma mowy o wyrzucaniu czy cenzurowaniu tego, co mówił Olek, chodzi o czytelność, tzn. pewien porządek gramatyczny zdań, tak żeby zachować charakter rozmowy, usuwając powtarzane słowa-odruchy („prawda", „proszę Ciebie" etc.). Ale to żmudne zadanie, bo prawie w każdym zdaniu coś trzeba wykreślić albo zdanie tak poprawić, żeby było zrozumiałe.

2. Tak poprawiony tekst musi następnie być przepisany na czysto, bo inaczej będzie nieczytelny. Tu jest problem opłacenia maszynistki dobrze znającej polski i inteligentnej, która by zarazem była studentką, bo tylko na takie mogę dostać pieniądze. Ale myślę, że uda mi się jakoś ten problem rozwiązać, choć dopiero po wakacjach (ale przedtem i tak nie zdołam się z tą robotą uporać).

Slavic Center nie ma nic przeciwko temu, żeby książka ukazała się po polsku. Nie robię żadnych sondowań, jeżeli chodzi o wydawców, uważając, że raz, na to jeszcze za wcześnie, dwa, że Ty masz tutaj dużo do powiedzenia i nic bym nie robił bez porozumienia się z Tobą.

Mnie się wydaje, że jakkolwiek pozostały Ci pewne przykre wspomnienia w związku z „Kulturą", za „Kulturą" przemawiałaby ich *efficiency*. O ile mogłem obserwować, inni polscy wydawcy są b. powolni i ślamazarni. Jeżeli mnie upoważnisz, napiszę do Giedroycia, robiąc mu na tę książkę oskomę. Ale, jak powtarzam, nie zrobię nic bez porozumienia z Tobą.

Tego lata żadnych jazd do Europy. Z naszej rodziny tylko Toni miał jechać, ale mu się odechciało. Toni potwornie haruje w laboratorium chemicznym i wygląda na to, że będzie *scientis*. Piotruś skończył szkołę, zdał egzamin na uniwersytet i szczęśliwie się wałkoni. Obaj są już w Berkeley + San Francisco zakorzenieni i na Europę wzruszają ramionami. My z Janką siedzieliśmy tydzień w San Diego, gdzie znakomite plaże i gorąco, a teraz pewnie pojedziemy do Vancouver, też autem. W końcu czerwca jest Festiwal Poetycki w New Yorku, gdzie my ze Zbyszkiem Herbertem reprezentujemy polską poezję.

Muszę Ci też donieść, że w wiosennym, tym semestrze na seminarium przekładowym tłumaczymy ze studentami wiersze Aleksandra — *Pieśni wędrowca* — powoli to idzie, bo powoli, ale ku ich i mojemu zadowoleniu. Czyli ilość wierszy Aleksandra po angielsku z wolna się zwiększa.

Całuję Cię mocno

Czesław

[21. CZESŁAW MIŁOSZ]

5 VII 68

Kochana Olu,

Nie odpowiedziałem Ci zaraz na list, bo czas miałem dość gorączkowy. Najpierw podróż samochodem do Kanady, do Vancouver, powrót na egzaminy i zaraz wyjazd do New Yorku na festiwal poetycki, gdzie ze Zbyszkiem Herbertem reprezentowaliśmy poezję europejską na wschód od Elby. Z Francji był jak zawsze miły Guillevic, któremu w drodze wyjątku dano wizę na 10 dni, choć jest członkiem Francuskiej Partii Komunistycznej. Fascynujący to był pobyt, zwłaszcza w Stony Brook pod New Yorkiem, gdzie zjechało się ok. 80 amerykańskich poetów i gdzie publiczność była więc wyborowa, reagująca znakomicie. Mieliśmy ze Zbyszkiem wielki sukces, a wszystko to zbiegło się z ukazaniem się w księgarniach jego tomu wierszy w wydaniu Penguina w moim i Petera Scotta przekładzie i z wyjściem mojej *Rodzinnej*

Europy po angielsku, w przekładzie, jak twierdzi mój wydawca, znakomitym, pióra Catherine S. Leach. Więc widzisz, że nosiło mnie po świecie, a teraz pokazuję Zbyszkowi Kalifornię.

Co do Twojej propozycji, żeby mi pomagać w przygotowaniu książki Aleksandra, to wydaje mi się, że jest to robota tylko dla jednego człowieka, ponieważ decyzje są stylistyczne, a nie sięgające w meritum, a to niestety tylko jedna ręka może rozstrzygnąć. Oczywiście staram się utrzymać nurt prozy mówionej, nawet liczne powtórzenia, tak żeby głos był słyszalny, i Zbyszek, któremu czytałem parę rozdziałów, twierdzi, że słyszy się głos Aleksandra. Plan Twój, żeby przyjechać do Ameryki po to, żeby razem pracować nad tą książką, nie wydaje się realny, lepiej już zostaw to mnie. Jak zresztą Ci napisałem, nie mogę z góry określić czasu, jaki ta praca zabierze, mogę ją tylko ciągnąć równolegle z innymi zajęciami, starając się jak najwięcej godzin na nią urwać. Ale to jest na ogół żmudna i powolna robota, której tylko zaszkodziłoby stawianie bliskich terminów.

Dziękuję Ci za *Ciemne świecidło*. Książka prezentuje się b. ładnie, okładka Jasia jest dobra. Niestety, muszę Ci szczerze powiedzieć, że podziękowanie mnie, Emmanuelowi i Kotowi nieco mnie razi. Należało, jeżeli chciałaś, podziękować przyjaciołom ogólnie, bez wymieniania nazwisk, albo, jeżeli już wymieniać, to wszystkich, którzy Wam byli życzliwi i pomocni. Przy czym na pierwszym miejscu musiałby być Zygmunt Hertz. Bo przecie Zygmunt był aniołem opiekuńczym Aleksandra, działającym z ukrycia. Jakie są fakty?

1) Praca u Silvy i pobyt w Nervi to było dzieło Zygmunta. Silva zwrócił się do „Kultury" ze swoim planem serii słowiańskiej. Zygmunt napuścił mnie na Silvę, żeby Aleksandra wziął jako kierownika.

2) Stypendium New Land Foundation było dziełem Zygmunta. Ja jestem może człowiekiem dobrej woli, ale różne rzeczy nie przychodzą mi do głowy, potrzebuję kogoś, kto by mnie nukał, i rolę Zygmunta w moim życiu oceniam jako boskiego chyba wysłannika, przy czym zasługi jego są, a nie moje. Listy Zygmunta zaklinające mnie, żebym zrobił coś dla Was, przyszły we właściwym momencie, kiedy zrzekałem się swego stypendium, i wtedy wpadło mi do głowy, że mógłbym Aleksandra zaproponować zamiast siebie.

3) Wyjazd do Berkeley w znacznym stopniu trzeba przypisać nukaniom Zygmunta, w każdym razie jeżeli chodzi o mój udział, bo tutaj za sprowadzeniem Was był też Struve.

Czyli że, czytając te słowa wdzięczności, czuję się głupio, bo zbieram to, co należy się w pierwszym rzędzie innemu człowiekowi. I to imienne podziękowanie na wstępie książki jest krzywdą człowieka, dobrego człowieka, który zrobił dla Was więcej niż Kot, Emmanuel i ja razem wzięci. No tak, Zygmunt nie jest pisarzem, nie ma „nazwiska". Ale czyż wartość ludzi „nazwiskiem" się mierzy?

Wybacz, musiałem Ci to powiedzieć. A czy wymienianie nazwisk nie krzywdzi też trochę tak Wam przyjaznych Józia i Maryni Czapskich?

Ściskam Cię

Czesław

[adres nadawcy: jw.]

[22. OLA WATOWA]

Paryż, 8 VII

Kochany Czesławie,

Twój list, w związku z tym, co myślisz o dedykacji — bardzo mnie zasmucił. Moją intencją było podziękować przyjaciołom, nie zastanawiając się nad „nazwiskami". Podziękowanie jest napisane przez Kocika, o co go prosiłam, tak jak o wiele innych rad i przysług, których mi nigdy nie odmawia.

Jak Ci wiadomo, to Kot z Pierre'em Emmanuelem zdobyli pieniądze na wydanie tego tomu poezji. Inaczej byłoby to n i e m o ż l i w e*. Dziękując Tobie, myślałam przede wszystkim o tym o g r o m n y m a k c i e przyjaźni, którego dowód dajesz teraz, opracowując nagrania Aleksandra.

* Jest to ostatnie przed śmiercią, wielkie pocieszenie dla Aleksandra. Dar królewski od Kocika.

Co do Zygmunta: są „akty" przyjaźni tak powszednio ludzkie, że robi się je automatycznie, jeżeli jest się zaangażowanym w czynienie dobra ludziom, pomaganie ludziom. Ja wiem, że Zygmunt bardzo wiele dla nas zrobił, chociaż co do Silvy — chyba mylisz się. Do Silvy zaprotegował Aleksandra Józef Zaremba, mąż Ewy Szelburg. Nic nie wiedziałam o innych interwencjach.

Na długo przed śmiercią Aleksandra Zygmunt odszedł od nas, prawdopodobnie z powodu tych historii z „Kulturą" i Zosią. Ja go bardzo lubię i cenię i żal mi, że tak ode mnie oderwany.

Nie potrafię ukryć, że nauczki, które mi dajesz w tym liście, o przyjaźni i o „nazwiskach", bardzo zabolały. Możliwe, że w obecnym moim stanie, kiedy jestem bardziej zdolna do samodzielności — sformułowałabym sama i inaczej to podziękowanie, zawsze myśląc z wdzięcznością i przede wszystkim o tych trzech nazwiskach, które wymieniam.

Wysyłam Ci duży rozdział ułożony i tylko częściowo i bardzo nieostatecznie opracowany przez Aleksandra. Da Ci to może wgląd w jego intencje, które nie były jeszcze zupełnie skrystalizowane. Wahał się, próbowałby i przerabiał wiele razy...

Napisz — mój drogi — do Giedroycia. I jeżeli uważasz za stosowne i pożyteczne, może zasugerujesz mu jakiś fragment do wydrukowania na jesieni w „Kulturze".

Ja na razie siedzę w Paryżu. Czekam na przyjazd Broniszówny do Brukseli, a wtedy i ja tam pojadę.

Ściskam Cię i całuję

Twoja Ola

29 lipca — pierwsza rocznica śmierci Aleksandra.

[23. CZESŁAW MIŁOSZ]

18 IX 68

Kochana Olu,

Piszę Ci, żeby donieść, że *Pieśni wędrowca*, w całości, zostały przełożone na angielski przeze mnie i dwóch moich studentów.

Brali oni udział w moim seminarium przekładowym tej wiosny, ale tak byli tymi wierszami zachwyceni, że prosili mnie o wspólne kontynuowanie pracy latem, poza uniwersyteckim programem. Więc skończyliśmy przekład w lipcu. Załączam kopię listu od redaktora „Prism", pisma poświęconego przekładom poetyckim, wychodzącego w Vancouver (University of British Columbia). Jak widzisz, chcą wydrukować to w całości, choć nie wiedzą kiedy.

Ze *Snów sponad Morza Śródziemnego* mam gotowe: 3, 7 — to wszystko, razem jest 8. Ale za to sporo wierszy z tamtego poprzedniego tomu. Więc to się posuwa powoli.

Chciałbym, żebyś wiedziała, że moja przyjaźń dla Aleksandra nie była gołosłowna. Z pewnością Ty i Olek interpretowaliście moje rady, po tamtym sławnym obiedzie, jako brutalność i okrucieństwo. To nie było tak. To było zderzenie dwóch różnych perspektyw. Nie potrzebujesz nic ukrywać wobec mnie z tego, co czujesz. Ceniłem, że napisałaś mi szczerze, jak było z tą dedykacją.

Autobiografia taśmowa Aleksandra została przeze mnie dotąd przepracowana w 1/4 mniej więcej. To bardzo trudne, bo żaden wydawca nie zgodzi się na taką ilość stronic, tak jak teraz składających się na 3 duże książki. Więc kwestia cięć, przede wszystkim naszych z Aleksandrem dialogów. Tak żeby zostało esencjonalne, to co się mówi. Ale nie wiem, jak to będzie wyglądało, kiedy się przepisze, może jeszcze rozmiary będą za duże, za dużo powtórzeń, i trzeba jeszcze będzie ciąć.

Wkrótce zacznie się u nas rok akademicki, który da zapewne okazję do widowisk, wobec których nic[zym] będzie ten ruch, któryście tutaj widzieli. Celem jest, zdaje się, leninowskie „im gorzej, tym lepiej". Czy nasz uniwersytet i Berkeley przez to przebrnie, nie wiem.

Ściskam Cię, pozdrowienia Andrzejowi

Czesław

[adres nadawcy: jw.]

[24. OLA WATOWA]

26 IX 68

Kochany Czesławie,

Wróciłam z wakacji, które niczego nie załatwiły, jestem znów sam na sam z moją rzeczywistością, tą — już do samego końca. W mieszkaniu, jak to zwykle o tej porze roku, zimno i telefon pomilkuje, bo jak się nie jest „na wesoło", to się automatycznie odpada, jak to kiedyś w rozmowie ze mną skonstatowała Olga Wirska. Siedzę więc przy biurku i staram się pracować, to znaczy przepisywać to wszystko, co Ol zostawił. Jest tego dużo i Aleksander w „ostatnim zeszycie" nakazuje mi, aby tego nie ruszać, że to wszystko, bez Jego opracowania, nadaje się do spalenia. A przecież znajduję tam tyle Jego myśli, przemyśleń, przeżyć, że wydaje mi się, że zostawiając to poniewierce, zabijam Jego duszę. Siedzę więc i przepisuję (a bardzo to trudne i niewyraźnie pisane), i teraz znalazłam takie dwa małe teksty w Jego dzienniku. Jeden *Ewangelia także jako arcydzieło literatury*, bardzo ciekawe i rozdzierająco smutne studium o samotności, o samotności Chrystusa na krzyżu i o samotności, strasznej samotności człowieka. Drugi: *Dlaczego piszę wiersze?* — w którym sięga do wczesnego dzieciństwa, do dwóch, jak pisze, „zdziwień" (drugie już w wieku zupełnie dojrzałym). Znalazłam też duży tekst *Krasiński wciąż jeszcze żywy*, pisany, o ile się nie mylę, na marginesie pracy Weintrauba, Lednickiego i Twojej. Pokazałam to Stefanowi Treuguttowi (z Instytutu Badań Literackich), który był tu u mnie kilka razy za swojej bytności w Paryżu i który bardzo się tym tekstem zainteresował. Powiedział, że żadnemu poloniście nie wpadłyby do głowy tak ciekawe i oryginalne interpretacje, wnioski, ujęcia. Tekst ten wymaga dużej pracy. Czy zdołam to zrobić?

W tę moją ciszę przybył Twój głos w liście, w którym tyle jest pociechy dla mnie w związku z tłumaczeniem wierszy, z reakcją redaktora „Prism", z Twoją pracą nad *Pamiętnikami*. Ale jakże uderzyły mnie dosłownie te Twoje dwa zdania: „Nie potrzebujesz nic ukrywać wobec mnie z tego, co czujesz" (?) i „Ceniłem, że napisałaś szczerze, jak było z tą dedykacją" (?). Piszesz o jakimś pamiętnym obiedzie i o mojej „interpretacji" tego, coś Ty mówił. Jakieś sprawy dalekie, które odpłynęły, które starła śmierć Aleksandra.

Czy mam Ci to powiedzieć i jak mam powiedzieć, że nic nie istnieje z przeszłości berkeleyowskiej poza godzinami dobrymi, godzinami, w których Aleksander był naprawdę szczęśliwy, bo zaczynał wierzyć, że jeszcze coś będzie mógł stworzyć. I te godziny były z Tobą. I książka z tych godzin, jeżeli będzie, to tylko dzięki Tobie, i wiersze tłumaczone i może tomik z nich, w końcu, po angielsku, też dzięki Tobie. To nie jest tylko wdzięczność. Oboje z Aleksandrem mieliśmy i przyjaźń, i podziw dla Ciebie jako człowieka i poety. Jeżeli Aleksander był łatwy do zranienia, to dlatego, że był chory, bardzo chory i bardzo cierpiał i że był pod działaniem narkotyków i dlatego jego reakcje były takie a nie inne. Może bywał nieraz zbyt surowy w osądach i reakcjach, ale nigdy to nie był naprawdę on, to była jego męka, która czyniła go takim. Mieć ludzką przyjaźń to też znaczyło dla niego być jeszcze wśród „żyjących". W tym Berkeley dla Niego okrutnym była tak bardzo potrzebna Twoja przyjaźń, która miała tam, w tamtych warunkach szczególną, zupełnie inną wagę, szczególną wagę, z której Ty może nie od razu zdałeś sobie sprawę. Ja chciałam Ci podziękować za to wszystko najszczerzej w tej dedykacji, która z jakichś niezrozumiałych dla mnie powodów tak Cię zirytowała. Prosiłam Kocika, żeby ją sformułował, byłam niezdolna do wszelkiej samodzielności. Kocik dodał nazwisko P. E., bo dzięki niemu, jego poparciu Kot dostał pieniądze na wydanie tomu wierszy. Czyżbym napisała Ci o tym tak niezręcznie, że nie potrafiłam wyrazić prawdy?

Nie chcę oczywiście, aby Twój stosunek do mnie był tylko dlatego inny, że czuję się tak bardzo nieszczęśliwa, i nie oszczędzaj mnie, i mów to, co chcesz mi powiedzieć, ponieważ wierzę w Twoją przyjaźń, której dajesz tak wielkie i „niegołosłowne" dowody. Bez Ciebie i Kocika byłabym bardzo zagubiona, bezradna i bez nadziei. Nie mam danych, abym samodzielnie mogła zrobić dla Aleksandra to, co Wy robicie. Staliście się dla mnie — poza Andrzejem — ludźmi drogimi, bliskimi i potrzebnymi mi tak do życia jak powietrze. I to jest prawda.

Ola Watowa

[25. CZESŁAW MIŁOSZ]

1 XI 68

Kochana Olu,

Oto upłynął pierwszy miesiąc tego akademickiego roku i mimo awantur nasz sławny uniwersytet jakoś dotychczas przebrnął, co już dużo, skoro się zważy, że zagiął parol na nasz campus gubernator Reagan i że gościnne wykłady ma u nas Cleaver, Murzyn — kandydat na prezydenta Stanów z ramienia Czarnych Panter, wielbiciel Fidela Castro, który rzucił publicznie hasło „*Fuck* Reagan", czyli (przepraszam, że urażę Twoje uszy) „Pierdolcie Reagana", tudzież rozplakatował do tegoż gubernatora odezwę, w której mówi: „możesz mnie pocałować w moją czarną dupę". Więc co kraj, to obyczaj. Był strajk studentów z powodu zamachu na naszą wolność, bo the Regents (czyli nad-nadrzędna władza uniwersytetu) sprzeciwili się zaliczaniu kursu, w ramach którego przemawia Cleaver. No i są wybory w kraju, przy czym robotnicy, owa nadzieja Karola Marksa, są za Wallace'em, a cała inteligentna młodzież burżuazyjnego pochodzenia w czarnej rozpaczy, że nie ma żadnego lewicowego kandydata. Tego dożyliśmy w drugiej połowie stulecia, co na pewno potwierdza różne rozmyślania Ola.

Ja jestem b. zajęty, i to nie najbardziej twórczymi robotami. Muszę przepisać swoją książkę, sam, bo kontroluję i poprawiam, wystukałem już 100 stron. A jak zmora czyhają korekty innej, tej angielskiej historii literatury. A i inne zajęcia, tudzież moja potrzeba uczenia się i czytania. Tak że w tym miesiącu zupełnie nie mogłem ciągnąć dalej pracy nad autobiografią Ola. Niemniej mój plan jest, żeby, z błogosławieństwem Slavic Center, które mam, uporać się z tym w ciągu tego akademickiego roku. Sprawi Ci pewnie przyjemność, co powiem o wierszach Ola. Otóż nie tylko *Pieśni wędrowca* są gotowe po angielsku, ale robię teraz z Louriem *Sny znad Morza Śródziemnego*, tak że mam nadzieję wkrótce mieć c a ł e *Wiersze śródziemnomorskie* po angielsku. Zważywszy, że mam sporo już wierszy Ola z *Wierszy*, powoli zmierza to do tomu. Jestem w korespondencji z wydawcami zarówno co do wierszy Aleksandra, jak moich, ale upłynie jeszcze sporo czasu, zanim wyklaruje się formuła, bo ja zasadniczo dążę do d w u j ę z y c z n y c h edycji, na które wydawcę w Stanach prawdopodobnie znalazłoby się, ale Penguin londyński tego nie chce. Nb. Penguin mi donosi, że zdecydowali się wydać w *paperbacks* moją antologię, w której jest sporo Ola wierszy.

Lourie zdał pisemne egzaminy doktorskie (m.in. b. ładnie zdał z lit.[eratury] polskiej) i w tych dniach ma egzamin ustny, wybiera się do Polski na stypendium, o czym myślę z przestrachem. Rzecz w tym, że ci nieszczęśni młodzi Amerykanie mieli tu do czynienia ze w z g l ę d n i e cywilizowanymi Polakami jak ja, czy z cywilizowanymi, jak Aleksander, i ja osobiście wolałbym im zaoszczędzić szoku, tj. odkrycia p r a w d z i w e j polskości. Moim zdaniem *Apelacja* Jerzego Andrzejewskiego jest o tyle znamienna czy ponuro-genialna, że bohater jej jest narodem polskim, tj. 1. zbiorowością chorą na kompleks niewinności (niewidzącą swego świństwa), 2. tak skołowaną, że wszystko jej się miesza, 3. obłąkaną — mania prześladowcza. Zważ, że ja z Jerzym widywałem się co dzień w Warszawie, kiedy zaczął pisać tę kronikę dziejów narodu polskiego, pierwszym było opowiadanie *Przed sądem*.

Wyjechaliście z Polski w porę. Przynajmniej Ol napisał *Wiersze śródziemnomorskie*, które są prawdopodobnie szczytem jego twórczości, i swoją nagraną autobiografię. Razem jest to pokaźne dzieło. Wybacz, Olu, ja się uśmiechałem, kiedy Ol po przyjeździe do Berkeley chciał czytać całą sowietologiczną literaturę. Bo był dziecinny, a my wszyscy poeci jesteśmy dzieckiem podszyci. Grossman miał rację, kiedy go namawiał do pamiętników, i nic więcej. Nb. podobno Grossman się rozwodzi, zostawia żonę i dzieci. Nie wnikam, jak tam jest. Grampp jak zawsze na pograniczu załamania się i ze zdrowotnymi kłopotami.

Ja mam poczucie zupełnego odklejenia się od Polski i to na zawsze. Z takim domem obłąkanych to nie można myśleć nawet o „późnych wnukach". Będę robić, co do mnie należy, a jeżeli muszę pisać po polsku, to nie ma znaczenia. I tak 90% bieżącej produkcji po angielsku to bzdury. Na szczęście w tym tomie esejów, jaki napisałem, nie ma nic o Polsce. Choć ja nie pisałem tego z myślą o wydaniu po angielsku i nawet nie wiem, czy będę o tym myśleć. Czyli paradoks, bo czytelników, dla jakich piszę po polsku, nie ma, a brak mi tej chęci, jaką ma np. Kott (oby mu się udawało, dobrze mu życzę), żeby zadziałać w aktualności amerykańskiej. Ale

Ameryka, masa, wyzwala z różnych przesadnych ambicji, to tak, jak mówi Lourie: „Pisać takie sztuki jak Beckett? To lepiej iść na ryby". Zresztą całkowicie doceniam mój przywilej mieszkania w Ameryce, kraju, który przeżywa jakąś fantastyczną erupcję poezji, i naturalnie, że było mi przyjemnie triumfować swoimi wierszami i wierszami Herberta w moim przekładzie wobec 80 amerykańskich poetów ubiegłego czerwca pod New Yorkiem.

Z powodu *Liturgii Efraima* ogłoszonej w „Kulturze" ktoś mnie zapytał w liście, czy się nawróciłem. Wyjątkowo głupie i typowo polskie, w duchu XIX wieku, pytanie.

Ściskam Cię

Czesław

PS. Janka ćwiczy crawla, chłopcy się uczą, Peter skończył kurs podmorskiego pływania.

[adres nadawcy: jw.]

[26. CZESŁAW MIŁOSZ]

17 I 69

Kochana Olu,

Bardzo serdecznie dziękuję Ci za cenny i piękny prezent — taśmę z wierszami. Doszła w najlepszym porządku. Ostatnio dałem do przepisywania pierwsze rozdziały nagrań autobiografii. Taki młody człowiek, Zaporowski, który był asystentem Lednickiego, nie widzę nikogo innego, kto by nie tylko znał polski, ale miał jakie takie polityczno-socjologiczne wykształcenie wyniesione z Polski. Ponieważ za kilka miesięcy wyjedzie z Berkeley, praca musi być w ciągu tego czasu ukończona, choć jeszcze nie wiem, jak urządzić jego zapłatę (mam fundusze, ale może za mało) i jak dam radę dostarczać mu w porę dalsze części. Przeprowadziłem też konwersację z Giedroyciem, który jest książką, mimo jej wielkich rozmiarów, zainteresowany i skłonny ją wydać, choć z powodu nawału druku nie wcześniej niż w sezonie 1969 / 1970. Przedtem niektóre rozdziały dałoby się chyba drukować w „Wiadomościach", gdyby była zgoda Twoja oraz brak *veta* ze strony Giedroycia jako przyszłego wydawcy.

Sięgnij do swego egzemplarza nagrań i sprawdź w sesji 3 — brak jest przejścia od strony 4 do 5 — nie wiem, czy to jest stronica opuszczona, czy tylko zdanie.

Dużo zajęć. Toni już w San Francisco Medical School, bardzo szczęśliwy, odnalazł swoje powołanie naukowca. Piotruś na I roku uniwersytetu. Ja wyzwoliłem się od plagi palenia papierosów, palę tylko fajkę, poza tym przestałem używać alkoholu, nawet piwa, i widzę, że tak lepiej. Zima, dużo deszczu, kłody na kominku, ale to nie to co zima u Was ani w New Yorku.

Lourie wrócił ze Wschodniego Brzegu zupełnie obrzydzony i z silnym zamiarem, żeby nie ruszać się z Kalifornii, która jego zdaniem, a chyba i ja się z tym zgadzam, jest najciekawszym miejscem na świecie. Po złożeniu egzaminów doktorskich Lourie szuka pracy, na wiosnę dostanie chyba w Santa Cruz (campus duży naszego uniwersytetu), a ma stypendium, więc pewnie na lato pojedzie do Polski, choć go ostrzegam, że to teraz ponura mordownia.

Wyobrażam sobie pluchy i choroby w Paryżu. My jakoś (odstukać) nie mieliśmy nawet *flu*.

Eileen Grampp choruje na *ulceris* i nawet wczoraj odwiozłem ją do szpitala, do Kaisera, bo chwyciły ją nagle bóle, ale po zrobieniu wielu testów posłali ją do domu.

Ściskam Cię serdecznie, pozdrowienia dla Andrzeja

Twój Czesław

[adres nadawcy: jw.]

[27. OLA WATOWA]

28 I 69

Kochany Czesławie,

Przesyłam Ci brakującą stronicę z sesji trzeciej, o którą prosiłeś w ostatnim liście. Dziękuję Ci za potwierdzenie odbioru taśmy i przy okazji napisz mi, czy otrzymałeś wysłanych przeze mnie sto kilkadziesiąt stron (zdaje się o Kijowie), które Aleksander usiłował opracowywać do ewent.[ualnego] druku, i czy Ci to odpowiada, a także, czy dostałeś korektę autobiografii z moją propozycją ewentualnego umieszczenia w *Pamiętnikach*, która miała być w tomie poezji, czego nie zrobiłam.

O ile sobie przypominasz, był taki projekt, żeby zostawić ten tekst nagrany *Pamiętników* w formie dialogu z Tobą, żeby zachować Twoje pytania, wtręty. Co o tym myślisz? I bardzo Ci będę wdzięczna, jak mi napiszesz, jaką formę nadasz tej książce i jaką ilość stron przewidujesz. Martwię się, że p. Zaporowski tak prędko wyjeżdża. Przede wszystkim dlatego, że zmusza Cię to do pośpiechu, co przy Twojej pracy twórczej i profesorskiej jest ogromnym wysiłkiem dla Ciebie. *Secundo*, boję się, czy z tego pośpiechu — praca nie ucierpi. Gdyby nie udało Ci się skończyć z Zaporowskim, jeszcze raz, proszę pamiętaj, że jestem gotowa pokryć koszta przesyłek *par avion* i przepisywać Ci wszystko, co zostanie do przepisania.

Znajduję w papierach Aleksandra próby szkiców do ewentualnej przedmowy, wszystko niedokończone. Przepiszę to i prześlę Ci. Myślę, że nikt poza Tobą nie może napisać wprowadzenia do tych wyznań, nikt tak jak Ty nie zna tych wszystkich myśli, które nie zostały odnotowane, a które Ty j e d e n   w i e s z   i   r o z u m i e s z — o co Aleksandrowi chodziło, a także o tych wszystkich trudnościach bolesnych, o tym wszystkim niewypowiedzianym. Ponieważ opracowujesz tę książkę, myślę, że zgodzisz się, żeby podkreślić to przy wydaniu i jako redaktor wprowadzisz czytelnika w jej labirynty myślowe i uczuciowe.

Nie bierz mi za złe moich p r ó ś b. Los postawił Cię na drodze Aleksandra, a może Aleksandra na Twojej drodze. Tak widocznie musiało dopełnić się jego życie i tutaj, i w Berkeley, i właśnie może dlatego w Berkeley, że Ty tam byłeś, żeby zrobić dla niego to, co teraz robisz. Żeby to jego świadectwo dane prawdzie, dane w torturze cierpienia — zostało.

Tak zawsze czekam na Twoje listy. I teraz ten ostatni tak był mi miły, bo poza dobrymi wiadomościami związanymi z pracą nad manuskryptami Aleksandra piszesz mi tyle dobrego o sobie. Czuję Cię o tyle spokojniejszym i szczęśliwszym. A także wiadomość o Tonim (podobno ożenił się ze śliczną dziewczyną), to, że jest „bardzo szczęśliwy", że „odszukał swoje powołanie", jakie to szczęście też dla Was obojga. Mój Andrzej (który w dużej mierze żyje też Twoimi listami, wiadomościami o pracy) nie czuje się szczęśliwy. Jego praca w telewizji nie daje mu żadnych satysfakcji moralnych, jest nieciekawa. Ze swoją historią sztuki nic nie może tu zrobić, Francja, jak Ci zresztą wiadomo, jest krajem trudnym i zawsze jest się tu cudzoziemcem. Ciągle mamy nadzieję, że coś się odmieni, ciągle robi o to starania, i że uda mu się znaleźć coś nie tylko dla zarobienia na utrzymanie, ale i dla „ducha".

Mam dwóch wnuków zabawnych, starszy (5 i pół roku) bardzo wrażliwy (może za bardzo), tak zwana natura artystyczna, i już udręczający się tajemnicami: Bóg, świat itd. Drugi młodszy o półtora roku, bardzo Francuz, bez tej żydowsko-słowiańskiej skłonności do dręczenia się, pełen sił żywotnych.

Dużo czasu spędzam na wsi u Sterlingów. Pejzaż polski, równina, zorane pola. Ratuję się naturą, drzewami i niebem z księżycem, o którym chcę ciągle myśleć i widzieć XIX-wiecznie, i pracą nad papierami Aleksandra, i przyjaźnią, którą mi Sterlingowie okazują. Dopytują się zawsze o Was i zawsze przesyłają Ci pozdrowienia i podziw dla Twojej twórczości.

Lourie, do którego w końcu napisałam (wszystkim ogromnie podoba się jego wspomnienie w „Survey"), odpisał mi, że będzie przejazdem w Paryżu i że się zobaczymy. Bardzo bym się z tego cieszyła.

Paryż jest teraz smutny, bardzo szary, ale ja lubię te szarości niebieskawe. I tak byłoby dobrze usiąść z Aleksandrem w Deux Magots i patrzeć na wieżę kościoła St. Germain o zachodzie słońca. I spotkać tam przyjaciół, i siedzieć cicho, i słuchać, jak Ol rozprawia, unosi się, zapala do tematu, i przez chwilę bodaj widzieć jego twarz, jego oczy — bez cierpienia.

Ściskam Cię najserdeczniej i mój Andrzej także

Twoja Ola

Czy zgodzisz się, żebym pomówiła z Giedroyciem, powołując się na Twój list, czy skłonny byłby dać jakiś fragment, a jeżeli nie, czy nie ma nic przeciwko temu, aby drukować w „Wiadomościach".

Pozdrowienia dla Janki. Jakże byłoby miło, gdyby napisała od czasu do czasu — słóweczko.

[28. CZESŁAW MIŁOSZ]

[b.d.]

Kochana Olu,

Dziękuję Ci za kartkę uzupełniającą nagranie 3. Niestety, nie o to mi chodziło. Ty mi przysłałaś stronę 4, którą i tak mam. Przerwa polega na tym, że pomiędzy tą stroną i 6 brak jest przejścia — czyli albo brak jednego czy dwóch zdań i numeracja jest błędna, bo zamiast strony oznaczonej jako szósta powinna być piąta, albo rzeczywiście brak całej strony.

Maszynopis na czysto będzie o wiele większych rozmiarów, niż sądziłem, bo Twoje strony są niesłychanie gęste i mają mały margines, ale przepisując, trzeba trzymać się normalnych, powszechnie przyjętych standardów. Tak że mimo skreśleń nie obejdzie się bez jakichś 1800 stron, co najmniej. Forma dialogu jest zachowana. To znaczy staram się skreślać dużo moich pytań, wszędzie tam, gdzie są zbyt oczywiste, tj. dają się wywnioskować z „monologu" Aleksandra. Ale są i moje pytania, i jest tok „mówiony". Poza nagraniem nr 1, które było słabe i musiałem je pociąć, w innych skreślenia polegają głównie na wyrzucaniu powtarzających się słów, jak „właściwie", „to", „tego", „prawda", „rozumiesz" etc., czyli porządkowaniu składniowym. Wydaje mi się, że forma mówiona nadaje żywość. Zaporowski, który to przepisuje, mówi, że rewelacyjne i fascynujące. Osobny problem, na który za wcześnie jeszcze, to indeks, względnie przypisy. Jest tam tyle osób czy zjawisk, zaledwie mimochodem wspomnianych. Aleksander mówił do mnie i oczywiście liczył się z tym, że wiem, o kogo i o co chodzi — tak, ale trudno zakładać tę wiedzę u czytelnika. Ale nie można wszystkim martwić się równocześnie, to potem.

Rzeczywiście, że nie wiem, jak podołać zbyt wielu pracom. Miałem oprócz wykładów na slawistyce mieć kurs o ruchach millenarystycznych w historii, bo właściwie historia intelektualna

Europy mnie może więcej obchodzić i umiem sporo w zakresie sekt i herezji, poczynając od Bogomiłów bułgarskich. Ale odłożyłem to, może na rok następny, a i tak ledwo zipię między korektami angielskimi, Aleksandrem i swoim pisaniem. Czasem to wilk, koza i kapusta, bo wykorzystuję na Zaporowskiego swoje kredyty na asystenta, tak że dać do przepisania na czysto angielską wersję tomu Aleksandra chyba jemu muszę, ale to przerwałoby mu przepisywanie autobiografii. Tomik, o którym mówię, obejmuje *Wiersze śródziemnomorskie* w całości, z wyjątkiem wiersza dedykowanego Craigowi, który jest niezbyt przetłumaczalny, plus te wiersze, które są w mojej antologii, i parę innych — m.in. wiersz dedykowany Łabędziowi. Jako tytuł proponowałbym *Mediterranean Dreams*, czyli *Sny śródziemnomorskie*, bo dosłownie tłumaczyć *Sny znad Morza Śródziemnego* to wychodzi jakoś niezręcznie po angielsku. W ten sposób tytuł części zbiorku byłby użyty dla całości. Co o tym sądzisz?

Pisałem Ci może, że antologia moja, gdzie są wiersze Ola, wychodzi w *paperback* u Penguina. Herberta Penguin sprzedał już 10 000.

U nas zima wyjątkowo zimowa jak na Kalifornię. Tzn. chmury i leje, b. mało słońca. No i awantury studenckie, w których zresztą jak dotychczas brał udział b. mały procent studentów.

Jeżeli od kilku miesięcy nie tykam alkoholu, być może ma to jakiś związek z moją wzrastającą odrazą do duszy sarmackiej czy słowiańskiej, jaką niewątpliwie się staję, kiedy wypiję. Byłem wiele razy pesymistyczny, jeśli chodzi o „jutro Polski", może niesłusznie, ale tym razem jest to jakieś bagno bełkotliwe i ciemne, tak że czuję się tak, jakbym był poetą piszącym w języku Bożokudów, a więc niekoniecznie w kompanii Dantego.

Ściskam Cię mocno

Czesław

PS. Mam wrażenie, że dzieło Aleksandra jest czymś jedynym, co zostanie z całej lektury „demaskatorskiej", w jakimkolwiek języku, bo wszystkie powieści na ten temat zostaną zapomniane. Tak że uczestniczę w czymś ważnym.

[adres nadawcy: jw.]

[29. OLA WATOWA]

28 II 69

Kochany Czesławie,

Przepisałam i przesyłam Ci o d n o w a seans 3. W ten sposób zorientujesz się najlepiej, czego tam brak. Przepisując teraz, widzę, że ta kopia, z której przepisywałam (oryginał jest w Berkeley), była robiona na starej taśmie i w jakimś miejscu nagle wyskakuje kilka słów angielskich, obcego głosu. Może to właśnie to miejsce, gdzie brakuje Ci tych kilku słów albo zdania do odkrycia sensu myśli mówionej przez Aleksandra, a w tym wypadku musiałbyś przesłuchać taśmę, która jest w Berkeley.

Prosiłabym Cię, abyś odczytał w całości to moje nowe przepisanie. Przepisując taśmy w r. 64–65, wierzyłam, że Aleksander będzie jednak nad nimi pracował i chociaż nie przepuszczałam żadnego słowa, wydaje mi się, że teraz dopiero rozumiem, czym j e s t każde słowo, nawet powtórzone, bo akcentujące — jest więc ważne. Nie stawiałam też żadnych znaków przestankowych. A przecież przestankowanie jest tak ważne dla toku zdania i myśli. Zostawiałam to Olkowi. I w tym był indywidualistą.

Twoje *postscriptum* bardzo nas — mnie i Andrzeja — zbulwersowało i wzruszyło. To, co piszesz o „dziele" Aleksandra, Twoja, jakże w y s o k a o nim ocena. Gdybyż Olek chociaż w s e t n e j części wierzył w to, w co Ty wierzysz, pisząc mi o jego pracy, nie umierałby z poczuciem, że „nic nie zrobił, że umiera jak bankrut". Nie byłby może tak strasznie nieszczęśliwy. Ale, w końcu, jest to chyba los wszystkich ludzi twórczych — to poczucie zmarnowanego życia i czasu. Wiem, że dobrze to czujesz i rozumiesz, że nie jest Ci to obce.

Chciałabym, mając przed sobą Twój list, nawiązać do pewnych problemów. Ale przedtem. Już dość dawno wysłałam Ci sesję 23. poprawioną, opracowaną przez Aleksandra. Oczywiście nie wiem, czy byłoby to ostateczne opracowanie, ale zwróć na t o uwagę. Czy nie należałoby włączyć t e g o p o p r a w i o n e g o t e k s t u, zamiast tego poprzedniego, bezpośrednio przepisanego z taśmy. Na tym tekście poprawionym jest, jako tytuł: *Rozdział piąty*. Prawdopodobnie cz. I. Zaczyna się od słów: „Jestem więc w Kijowie. Na bocznicy ładują mnie do *czornego worona*. Blaszane pudło, szczelnie przegrodzonych celek. Moja przylega do szoferki" itd. itd. Ma ten tekst poprawiony (jest w nim także *Łubianka*) — 118 stron i kończy się słowami:

„Pomału doszedłem do cynicznego poglądu na wrzekomą, jak mniemałem, całość i jedność utworu: jest ona niczym innym jak umiejętnym montażem elementów czy chwytów. Na Łubiance z radością odzyskałem poczucie całości: całości, która jest «przed» częściami, jest ich duszą, odzyskałem pełną zdolność widzenia syntetycznego".

Jest ten cały rozdział, w każdym razie „oczyszczony" i nie myślę, żeby różnił się bardzo od toku prozy-monologu, który zachowujesz, o którym Ol kiedyś z Tobą rozmawiał jako o jednej z idei zrobienia tej książki.

Napisz mi, mój drogi, czy ten tekst masz. Mam nadzieję, że nie zaginął po drodze, wysłałam go pocztą lotniczą. Gdyby to jednak się stało, zrobię kopię i natychmiast Ci wyślę.

Co do wierszy Aleksandra po angielsku. Nie tak ważna sprawa czasu, ale to, że się ukażą. Nie turmantuj się więc tym. Jakże żałujemy oboje z Andrzejem, że nie możemy Ci w niczym pomóc. Tytuł wydaje mi się dobry. Rozmawiałam o nim z Françoise, moją synową, która jest anglistką, i która zastanawia się, czy tytuł *Dreams of the Mediterranean* nie jest bardziej zbliżony do sensu oryginału. Ale Tobie zostawiam z całkowitym zaufaniem decyzję wyboru tytułu.

W jakimś z moich listów pytałam Cię o ostatnie wiersze Aleksandra, między innymi o *Ody* i *Platon kazał nas wyświecić...* — i czy nie uważałbyś, że godne są one włączenia do tomu angielskiego i jako wiersze, i że — ostatnie. Nie odpowiedziałeś mi na to. Proszę — odpowiedz.

Piszesz, że maszynopis będzie miał 1800 stron. Czy sądzisz, Czesławie, że Giedroyc się na to zdecyduje? A uniwersytet? — „Ale nie można wszystkim martwić się jednocześnie, to potem" — jak piszesz. To prawda. Najważniejsze, że to się robi, że Ty to robisz. Mimo tej pracy Twojej, wielorakiej, ogromnej, o której piszesz. I kocham Cię za to — mój drogi.

Bardzo zabawne powody, dla których przestałeś pić — „odraza do duszy sarmackiej czy słowiańskiej", która się w Tobie po wypiciu odzywa. Jakiekolwiek są powody — chyba bardzo dobrze, że nie pijesz i nie palisz. A co do pisania w języku „Bożokudów", to mimo tego języka głos Twój dochodzi, przenika i czeka się na T w o j e s ł o w o. A może mógłbyś już pisać po angielsku? Już w Berkeley mówiono o bogactwie Twojego słownictwa w angielskim. Ale przecież i tak jesteś tłumaczony i będziesz.

Ściskam Cię najserdeczniej i Jankę

Twoja Ola

PS. Dołączam tu jeszcze znaleziony szkic pt.: *Słowo wstępne do 1-go tomu „Rapsodii politycznych"*. Nie jestem pewna, czy było to przeznaczone do pracy berkeleyowskiej, ponieważ Olek zostawił masę rozważań na tematy socjalno-polityczne, niestety, nie zawsze do odcyfrowania. Wydaje mi się jednak, że w tym szkicu jest treść nadająca się do włączenia do przedmowy — wprowadzenia czytelnika, że mógłby ten szkic być włączony do Twojej przedmowy. Co o tym myślisz?

Z czasem doślę Ci inne noty związane z tą pracą. Do Twojej decyzji.

[30. CZESŁAW MIŁOSZ]

12 IV 69

Kochana Olu,

Nie pisałem do Ciebie, bo pełno było zmartwień. Choroba Janki, rentgeny, zapowiedziana operacja sinusa z niewiedzą, co tam znajdą, a dzisiaj przewiduje się zwykle najgorsze. Następnie operacja i ulga, bo to był niewinny polip, ale długa rekonwalescencja i Janka czuje się mocno osłabiona. Tak że mnóstwo spraw i niepokojów było na mojej głowie. Niemniej skrypt książki Aleksandra posuwa się planowo, tak że przed wakacjami powinien być w całości przepisany i gotowy do druku. Co więcej, został też wreszcie przepisany tom jego wierszy, który jutro albo pojutrze wyślę wydawcy — zobaczymy, jak ten pierwszy zareaguje.

Mam tę część poprawioną przez Aleksandra, którą mi swego czasu przysłałaś, więc nie niepokój się, doszła.

Przy pracy nad skryptem moim problemem są powtórzenia — czy skreślać, jeżeli tę samą scenę opowiada, mimo że już poprzednio opowiadał, np. 2 razy rozmowę z Boyem we Lwowie. Na ogół skreślić prawie że nie można, bo za każdym razem występuje to w innym kontekście, służy do zilustrowania czegoś innego. Lepiej może powtarzać, niż rujnować ciągłość narracji. Ale to są problemy.

Zapytałem Giedroycia wręcz, czy jako prawdopodobny wydawca miałby coś przeciwko drukowaniu poszczególnych rozdziałów w „Wiadomościach". I jednak widzę, że mu to nie na rękę. Więc nie będę tego robić. Trudno, jeżeli jedyna jak na teraz szansa wydania tej olbrzymiej w rozmiarach książki to „Kultura", muszę z jego dezyderatami się liczyć. Myślę, że się ze mną zgodzisz.

Co do tytułu, to *Mediterranean Poems* jest uważany za ładny, trudność polega na tym, że Aleksander nazwał tak dwa swoje cykle wydane jako *Wiersze śródziemnomorskie*, a tutaj jest to plus szereg innych wierszy.

Tej zimy sporo czasu zabrało mi przepisywanie mojej książki prozą o Ameryce, którą Giedroyc ma wydać w jesieni. Nie jest to książka bardzo różowa, bo o tragicznym kraju piszę.

Muszę Ci powiedzieć, że wiersz Aleksandra *Japońskie łucznictwo* w przekładzie Ryszarda Louriego ukazał się w „Stony Brook", niesłychanie sofistykowanym kwartalniku, w pierwszym numerze, krojonym na jakąś amerykańską „Chimerę".

Lourie uczy teraz w University of California, campus w Santa Cruz, ale latem pojedzie chyba do Europy.

Toni całkiem pogrążony w swojej Medical School, dobrze mu idzie, już jest samodzielny, bo płacą mu za *research*, jest w takiej grupie, która przeprowadza dość zaawansowane badania chemiczne, mają tam znakomite maszyny. Jego zręczność w elektronice bardzo mu się przydaje. A Sareda (jego żona) studiuje kryminalistykę. Piotruś dobrze zdaje swoje egzaminy na uniwersytecie, skończył kurs *swim-diving*, a teraz zajmuje się żeglarstwem w zatoce.

Jutro przyjeżdża tu na kilka dni, na odczyt, Leszek Kołakowski. Bardzo się cieszę.

Mam sporo studentów i dobry z nimi kontakt. Zawsze ich nawołuję, żeby nie traktowali literatury zbyt poważnie. A dziś właśnie opowiadałem im o Aleksandrze i o wnioskach, do jakich doszedł w więzieniu na Zamarstynowie, jeżeli chodzi o literaturę — że właściwie jest dla starych bab i dzieci. Jak to jednak dobrze, że nie jestem polonistą, bobym moich studentów zanudził.

Dziś dostałem kartkę od Herberta, że wyjeżdża do Polski. Może to i lepiej, bo męczył się zanadto niezdecydowaniem. Choć tam będzie mu okropnie.

O Aleksandrze rozmawiamy tutaj z Wiktą Wittlin, która tu jest, tylko że zdrowie jej słabe.

Ściskam Cię i całuję. Pozdrów serdecznie Andrzeja.

Twój Czesław

[adres nadawcy: jw.]

[31. OLA WATOWA]

Knokke-le-Zoute, 28 VII 69

Kochany Czesławie,

Przesłano mi tutaj wysłane przez Ciebie miesięczniki z tłumaczeniami poezji Aleksandra. Dziękuję Ci serdecznie i ze wzruszeniem myślę o ogromie pracy, jaki musiał pochłonąć poemat śródziemnomorski.

Moja synowa, która spędza tu także 3 tygodnie, a jest świetną anglistką i ma wrażliwość na poezję — uważa, że jest to wspaniałe tłumaczenie. Jakże Aleksander cieszyłby się z tego.

Bardzo pięknie wypadło *Japońskie łucznictwo* w tłumaczeniu Louriego.

Mój kochany i dobry Czesławie. Napisz mi tylko, czyś dostał paczkę fotokopii nagrania Aleksandra wysłaną przeze mnie 2 3 c z e r w c a. I co o tym myślisz.

Tylko nie gniewaj się na mnie. Twoja opieka nad pracą Aleksandra, Twoja praca i Twoja dobroć — są najważniejszymi składnikami mego obecnego życia — czułabym się straszliwie opuszczona, samotna, bezdomna bez Ciebie.

Jankę całuję serdecznie, myślę o jej ciężkim przeżyciu w związku z chorobą i mam nadzieję, że teraz jest już wszystko dobrze.

Całuję Cię mój drogi najczulej

Twoja Ola

Pisz na adres paryski. Wracam już niedługo.

[32. CZESŁAW MIŁOSZ]

Aug. 28, 1969

Kochana Olu,

Przesyłam Ci w załączeniu kopię listu z Indiana University Press. Manuskrypt wierszy Aleksandra tam leży, bo to jest szansa *bilingual* wydania (u innych wydawców nie). Tymczasem tam u nich jakieś buchalteryjno-biurokratyczne *pieriepałki*. No nic, jeszcze poczekam.

Materiały dodatkowe, które mi przysłałaś, uwzględniłem w miarę możliwości, biorąc z nich pewne fragmenty, bo to na ogół powtórzenie tego, co już było tutaj przepisane i wersja bardziej wodnista, pozbawiona tej bezpośredniości, która jest w wersji mówionej. Całość nagrania jest już przepisana. Wyślę to Giedroyciowi partiami, zobaczymy, co powie.

Nie pamiętam, czy dziękowałem Ci za taśmy z wierszami mówionymi przez Aleksandra. Słuchając ich, niektóre wiersze uświadomiłem sobie i zobaczyłem na nowo. Bardzo wzruszające przeżycie, choć moim zdaniem w wierszach Aleksandra jest więcej, niż wydobywa głos bardzo zmęczony i bardzo pesymistyczny. Ja w przekładach staram się wydobywać trochę inne elementy, humoru i pewnej aprobaty życia poprzez humor, choćby makabryczny.

Pamiętniki (czy jak to nazwać) mają 1400 stron. Na wstępie (być może) wstęp do *Rapsodii politycznych*.

Jako wakacje odbyliśmy z Janką podróż w kanadyjskie Góry Skaliste. Aż daleko na północ, gdzie las ciągnie się tysiące mil aż do tundry, ale las już północny, półkarłowata świerczyna. Widzieliśmy dużo łosi, wapiti (takie duże jelenie), a niedźwiedzie przychodziły co wieczór do obozowiska ryć się w *poubelle'ach*. No i mieliśmy śnieg (w początku sierpnia). Tam w Kanadzie przypadkiem doszła nas wiadomość o śmierci Gombrowicza. Bardzo to trąciło i nadało wszystkiemu jakiś szczególny wymiar.

Dziwne, jak Europa się oddala i jak ani Piotruś, ani Toni nie mają do niej pociągu. Piotruś mówi, że Europa to dla krasnoludków. Tu latem pracuje fizycznie albo żegluje po zatoce.

Ściskam Cię serdecznie

Czesław

[adres nadawcy: jw.]

[33. CZESŁAW MIŁOSZ]

[b.d., data stempla pocztowego: 21 X 1969]

Droga Olu,

Jak widzisz z załączonego listu, sprawa wydania wierszy Aleksandra dziwnie się ślimaczy, ale że mają oni dobrą wolę i ciągle proszą, żeby poczekać, chyba lepiej na razie manuskryptu nie wycofywać, tym bardziej że to dobra firma.

Pamiętników Aleksandra posłałem dotąd Gieroyciowi tylko 1/4 całości, teraz wyślę dalszą 1/4. W zasadzie „Kultura" ma ochotę to wydać, tylko wije się w bólach finansowych, pozostaje mieć nadzieję, że wyjdzie z tego i tym razem, jak wiele razy dotychczas, dokonując cudów nalewania z pustego dzbana. Tą nadzieją się kierując, zaprzągłem tutaj młodego człowieka (rodem z Wrocławia) do robienia indeksu nazwisk.

U mnie cóż. Praca głupiego lubi. Wydałem właśnie te 2 książki w „Kulturze", po to tylko chyba, żeby doktorantom jakichś nauk ezoterycznych dać materiał do grzebania się w nim dużo lat po mojej śmierci.

Podobno moja *Historia literatury polskiej* rozwścieczyła mnóstwo ludzi (nie dziwię się, zważywszy, że jakieś 500 osób może mnie nienawidzieć za to, że nic o nich nie ma), ale to są mętne wieści, nic mi o tym bliżej nie wiadomo.

Jest na naszym wydziale jako *visiting professor* uroczy młody człowiek, lingwista Schenker z Yale, ogromnie cieszy mnie jego obecność. Poza tym Toni zajmuje się laboratorium, Piotruś nauką i żeglarstwem, Janka ma się na ogół dobrze.

Ściskam Cię

Czesław

[34. CZESŁAW MIŁOSZ]

[b.d., data stempla pocztowego: 22 XII 69]

Droga Olu,

Przyjm moje życzenia, wiem, że Ci jest ciężko, ale żyjesz pewnie radością *Noël* wnuków. Nie martw się niewydanymi pamiętnikami, wreszcie wszystko się ułoży. Świat staje do góry nogami, ale tyle razy za naszego życia już to robił. Czy myślałem, że będę zasiadać w komisjach egzaminacyjnych razem z Kołakowskim? Był tu Kocik Jeleński, szkoda, że krótko. Czy doszła nasza kartka wspólnie pisana? Ostatnio był przez parę dni Stryjkowski.

Całuję Cię

Czesław

[35. OLA WATOWA]

Paryż, 27 III 70

Kochany Czesławie,

Tyle już czasu ani słowa od Ciebie. Ja ciągle myślę o Tobie i o tej pracy, którą zrobiłeś dla Aleksandra. Nie widziałam jeszcze tego, bo Giedroyc obiecał, że zadzwoni do mnie, jak tylko dostanie cały maszynopis i jak przeczyta.

Kontakt z Tobą tyle dla mnie z n a c z y ł. Ja nie piszę, a i w tej chwili krótko, bo jestem w złym stanie zdrowia, ciągle się leczę, ale bezskutecznie. Zawaliłam się psychicznie i niełatwo mi się pozbierać. Cała moja radość to że jest tu teraz córka Kazimierza Wyki, także z IBL-u, która pomaga mi w uporządkowaniu papierów Aleksandra.

Jak Wasze zdrowie, jakie nadzieje. Czy Janka wróciła już do sił?

Bardzo Was wszystkich pozdrawiam i Ciebie ściskam serdecznie

Twoja Ola

[36. OLA WATOWA]

Paryż, 14 V 70

Kochany Czesławie,

Twoje milczenie, brak odpowiedzi na dwa listy — czym je sobie wytłomaczyć. Wiem, że nie masz czasu, że niepokój na świecie, że dużo pracujesz. Wszystko Twoje, co czytałam ostatnio w „Kulturze" i *Widzenia* — mocne, głębokie, przemyślane, mądre, poważne, u c z c i w e. Twoje pisarstwo tak odbiega od Tobie współczesnych właśnie przez Twoją uczciwość, chęć uczciwego dotarcia do siebie i spraw tego świata. Bez kalkulacji na inność i intelektualizm, a tak przecie inne i tak intelektualne. Czuje się Twoją mękę w tym, co piszesz, i za to pokłon Ci składam i dzięki za ofiarę.

Bardzo ciężka była dla mnie ta zima i zdrowie coraz gorsze. Jedyna przyjemność to pobyt w Paryżu córki Kazimierza Wyki (jest w IBL-u) i praca z nią nad papierami Aleksandra.

Do tej pory Giedroyc się nie odezwał. Nie wiem, czy dostał już całość, czy przeczytał. Obiecał, że w odpowiednim czasie zadzwoni do mnie.

Co robić z papierami Aleksandra? Gdzie je złożyć i czy złożyć. Przeważnie to fragmenty rzeczy zaczętych i niedokończonych. A przecież dużo myśli, idei i szkoda mi, żeby to przepadło. Wola jednak jego była, żeby to spalić.

Bardzo Cię proszę, napisz kilka słów o sobie i swoich najbliższych, a także, że zachowujesz w swoim sercu przyjaźń dla mnie.

Ściskam Ciebie i Jankę

Twoja Ola

PS. Świetny reportaż Louriego z pobytu w W-wie, w „Kulturze".

[37. CZESŁAW MIŁOSZ]

16 V 70

Droga Olu,

Jeżeli do Ciebie nie pisałem, to nie z braku czasu, chciałem Ci coś donieść. Co prawda i z czasem nietęgo. Co odbywało się w Berkeley, kiedy tu byliście, stanowiło zaledwie wstęp do tego, co jest teraz. Całkowita polityzacja uniwersytetu, który składa się już, *de facto*, z rad studenckich i *le gauchisme* znany Ci z Francji święci orgie. Moi studenci, mili i rozsądni, są w to jednakże wciągnięci, z czego wynikają różne konsekwencje. Nie mogę po prostu odwrócić się i powiedzieć, że wszystko to już widziałem. Bo ich n a s z e doświadczenie historyczne nic nie obchodzi. Tyle że mogę przynajmniej wymieniać refleksje z Kołakowskim, identyczne. Żal mi, że przenosi się do

Oksfordu. Cały klimat polityczny w Ameryce, mający w sobie elementy wojny domowej, ma bezpośredni wpływ na losy książek Aleksandra. Giedroyc chce pamiętniki wydać. Czytali je Kołakowscy, zafascynowani, uważają to za b. ważną książkę. Ale to ogromna, rozmiarami, rzecz i Giedroyc nie ma pieniędzy. Robię starania w fundacjach i jak dotychczas nic — bo fundacje kierują pieniądze na wewnątrzamerykańskie sprawy. Jeszcze będę próbował. Tak samo z wierszami. Trzymała je rok University of Indiana Press, ciągle mając nadzieję na finansowanie ich programu wydawnictw przez Fundację Forda i nic nie wyszło z tego. Posłałem do Doubleday — entuzjastyczna ocena, ale odmowa. Gdyby to było o Murzynach albo Wietnamie, przecież by wydali. Posłałem do Londynu do Jonathan Cape, ale stamtąd odszedł redaktor Nathaniel Tarn, którego znam, i nie wiem, jakie [są] losy, dotychczas brak odpowiedzi.

Tu właściwie nagromadzenie koszmarów. Podział na 2 Ameryki co dzień pogłębiany przez wojnę, niemal katastrofalna zniżka giełdy, inflacja i wzrastające bezrobocie. Trudno mi się dziwić rozpaczy młodego pokolenia. Jeżeli wojna się nie skończy, to nie wiem, co będzie. Zresztą nikt nie wie, co będzie za tydzień.

Całe życie uczestniczyć w wielkich sprawach historii — i to z wiedzą. Nawet o taktyce Front Populaire, która sprawia, że teraz przestali podpalać uniwersyteckie budynki. Sam na własne oczy oglądałem palącą się naszą bibliotekę, tylko że ugasili po wypaleniu się jednej sali. Teraz chodzi o przyciągnięcie nas do akcji przeciw wojnie. *Meetingi*, zebrania, ciężko w tym wszystkim wykładać (poza campusem, bo strajk) i pisać. Gdyby choć to wszystko miało jakiś związek ze sprawami tamtymi, wschodnimi, które są nam znane. Ale ostatecznie powiedzieć, że wszystko to już było, nie można — najwyżej, że znamy stacje docelowe, ale też albo to nieścisłe, albo zbyt smutne, żeby z kimś się dzielić. Marksistowsko to nie trzyma się kupy, bo robotnicy są ostoją rządu, a rewolucję robią studenci. National Guardsmen, którzy do nich (z upodobaniem) strzelają, to robotnicy.

Przypuszczam, że przyjedziemy z Janką do Europy we wrześniu. Jeżeli świat potrwa. Przepraszam Cię za minorowy list.

Ściskam Ciebie mocno

Czesław

[38. OLA WATOWA]

Paryż, 9 VIII

Kochany Czesławie,

Wczoraj byłam w Maisons-Laffitte i dostałam dalszy ciąg maszynopisu pamiętników Aleksandra! Liczę bardzo, że zobaczę Cię w Paryżu i będę mogła Tobie powiedzieć wszystko, co odczuwam przy tym czytaniu, że będziemy mogli o wszystkim pomówić.

Tymczasem proszę Cię bardzo, o ile jest to możliwe, prześlij mi drogą kolejową kopię tych pamiętników. Myślałam, żeby robić fotokopię, ale to kosztowałoby zawrotną sumę, której zresztą nie posiadam.

Bardzo czekam na ten Twój przyjazd, a tymczasem ściskam Cię i całuję z całego serca.

Dla Janki wiele serdeczności

Twoja Ola

[39. CZESŁAW MIŁOSZ]

28 VIII 70

Droga Olu,

Niestety, musieliśmy zmienić plany i do Europy nie przyjedziemy. Wynikły różne przeszkody, które przyjąłem bez buntu, zważywszy że czas jest cenny i przy wszystkich ponętach widzenia się z ludźmi podróż na dość długo odgoniłaby mnie od biurka. Podróż na początku lata, samochodem do Kanady, nasyciła mój pęd do przestrzeni, tak że mogłem spokojnie lato spędzić w Berkeley dość pracowicie.

Nic nie wiem o losach pamiętników Aleksandra. Robiłem różne wysiłki tutaj, pisząc listy do fundacji, i pieniędzy na wydanie nie udało mi się zdobyć. Tak samo jak dotychczas spotykały mnie niepowodzenia, kiedy próbowałem znaleźć wydawcę na tom wierszy Aleksandra po angielsku. Opinie o nim są entuzjastyczne, ale na nic schodzi, kiedy trzeba wyłożyć pieniądze na druk. Mógłbym liczyć na Penguina, ale ich obsztorcowałem tak okropnie w liście za jakieś ich propozycje — ich poetyckich redaktorów, maoistów, że tę drogę mam zamkniętą. Będę rozmawiać z Manem, który jest teraz przedstawicielem tutaj Oxford University Press. Zrobię fotostat tego tomu i prześlę Ci — powinnaś to mieć.

Co Ci powiedział Giedroyc? Posyłać Ci kopii, na której są naniesione poprawki, w tej chwili nie chcę. Po co Ci to, jeżeli G. Ci dał? Dobrze, że Aleksander nie widzi tego świata, w który się pogrążamy, zwłaszcza tu. Kształty te są coraz bardziej obłąkane, tak że muszę czytać *Civitas Dei* św. Augustyna, żeby siebie uspokajać.

Nie lubię zarażać innych czarnowidztwem, więc słowa zawsze miarkuję, chyba że to wreszcie wybuchnie w jakiś sposób przewrotny.

Napisz obszernie o sobie. Ja teraz tylko tyle, żebyś wiedziała, że nie przyjedziemy. Czas, *mysterium tremendum* czasu, nawet trudno napomykać, jak dziwnie się czuję.

Całuję Ciebie

Czesław

[40. OLA WATOWA]

Paryż, 5 IX 70

Kochany Czesławie,

Bardzo ciężko pogodzić mi się z myślą, że Ciebie nie zobaczę. Szykowałam się do tego spotkania, do rozmowy z Tobą, do Twoich opiekuńczych rad.

Nie przynosi mi to żadnej chwały, że jestem tak bezradna w stosunku do spuścizny Aleksandra. Mój stan psychiczny pogarsza się, chociaż walczę każdej chwili, aby mieć więcej woli, energii, pomyślunku. Aleksander to wszystko inspirował we mnie i ta siła we mnie, którą tak wychwalał, miała źródło w nim. Jest mi coraz samotniej i beznadziejniej i świat mi się przedstawia jako jeden wielki bezsens. I nie znajduję Księgi Pocieszeń.

A przecież mam obowiązek coś postanowić, coś zrobić, jedno pragnienie, aby nie zawieść, aby go nie skrzywdzić. Jak to zrobić w moim stanie słabości i stracenia poczucia, co jest dobre, a co złe, co by Ol uratował, a co by wyrzucił i czy należy zastosować się do jego woli, do rozpaczliwych not z ostatniego tygodnia przed odejściem: „...Wszystkie papiery nie do wykorzystania, albo notatki czy stenogramy, którym dopiero w opracowaniu nadałbym formę, oryginalność czy siłę, albo poronione gadulstwo z okresów chorobliwych logorei — zwłaszcza to wszystko, co miało być dla «Kultury», zakażone politykowaniem".

Bo i w związku z nagraniami, które przecież tak świetną u Ciebie i Kołakowskiego uzyskały opinię — napisał: „...Nic z tego. Nagrywałem po kilku miesiącach percodanu (po 8 dziennie) w stanie duchowego otępienia, przeróżnych amnezji i zakłóceń umysłowych: maniakalnie szukałem w sobie, w swojej przeszłości przyczyn (winy) swoich bied. Poza tym Miłosz — słuchacz idealny, który wykazał niemało poświęcenia — nadał częściowo mimo woli biegowi mojego rozumowania i monologu kierunek jednostronny: interesowało go nade wszystko to, czego nie wiedział (np. o komunizmie dwudziestolecia), a ja temu biernie ulegałem* niski lot, wulgarne politykowanie. Także przesada w obciążaniu siebie przy pomijaniu (nie zawsze) walki i oporu np. w czasie *doprosów* we Lwowie, które były ciężkie i gdzie walczyłem o każde słowo, żeby nie obciążać innych itd. itd.".

Nikt tak jak ja nie potrafi wiedzieć i odczuć, że jest to obecne w kilku seansach.

Więc w tych wszystkich Jego i moich wątpliwościach odczuwam Ciebie jako naszą opatrzność i wierząc w Ciebie bez granic, zastosowałabym się do wszystkich Twoich rad.

Twoja praca nad *Pamiętnikami* — mądra i wzruszająca. Ujęcie w klamry streszczeń każdego seansu — świetne. Jak Ci za to dziękować?

Byłam w „Kulturze" i Giedroyc głosem brzuchomówcy wymruczał pochwały, ale już głosem wyraźnym mówił o pieniądzach. Aby to wydać, trzeba mu bodaj jakiejś części tej sumy i Zosia skwapliwie robiła przy mnie kalkulacje. Ja to rozumiem i wierzę. Zosia powiedziała: „Te pamiętniki Aleksandra to dziecko Miłosza

* słowo nieczytelne

i on się na pewno postara". Ano tak to wygląda w „Kulturze". A przy tym są idealnie obojętni.

Piszesz, że „dobrze, że Aleksander nie widzi tego świata, w którym się pogrążamy...". Może i masz rację.

Całuję Cię najserdeczniej i Jankę serdecznie pozdrawiam

Twoja Ola

PS. W Twojej przedmowie do „opracowanej części *Pamiętników*" piszesz o uszanowaniu woli autora. Otóż to była p r ó b a o p r a c o w a n i a. I na pewno nie wersja ostateczna, która mogłaby świadczyć o ostatecznym kształcie. Trzeba by to podkreślić.

Brak str. 765.

[41. CZESŁAW MIŁOSZ]

6 X 70

Kochana Olu,

Dzięki Ci za list. Liczę ciągle na to, że coś się zdarzy i znajdą się pieniądze na wydanie pamiętników Aleksandra, choć powinien to być raczej pomyślny przypadek, bo planowe akcje jak dotychczas zawiodły.

Rozumiem trudności „Kultury". Rozmiary książki tak podnoszą koszt druku, że to ponad ich możliwości w tej chwili. Nie powinnaś sumować się tym wszystkim, co w tej książce mogłoby być, a czego nie ma, i w utyskiwaniach Aleksandra powinnaś dużo odliczyć na jego perfekcjonizm. Gdyby był zdrów, to nie dyktowałby, ale sam pisał, ale gdyby sam pisał, ta książka by nie powstała, bo każdy szczegół, mocą dygresji i meandru, rozrastałby mu się pod piórem, tak że np. napisałby np. 1000 stron, nie wychodząc poza rok 1929. Moim zdaniem zawsze trzeba starać się zrobić, co można, jak najlepiej, ale i z pewną rezygnacją, bo na piątkę jest zwykle to, co nie istnieje, a to, co istnieje, nie może być na piątkę. Dzieło jest niezwykłe i donosiłem Ci np. o przerażonej fascynacji Kołakowskich, którzy nie mogli się oderwać.

O wydaniu w obcym języku nie trzeba marzyć. Rozmawiałem o tym z Manem, który teraz jest w Berkeley przedstawicielem

Oxford University Press. Koszt tłumacza + druku musiałby podbić cenę do 25 dolarów, a to jest cena niemożliwa. Manowi dałem tom Aleksandra, który już posłał ich poetyckiemu redaktorowi do Londynu. Tom ten pt. *Mediterranean Poems* zawiera *Wiersze śródziemnomorskie* (2 cykle) + wybór z *Wierszy*. Obiekcja Mana, techniczna, że tylko 63 strony, co trochę na tomik za mało. Zasugerowałem, żeby zwiększyć przez 1. Moją przedmowę 2. Pośmiertny esej Louriego 3. Ewent.[ualnie] fragment (rozdział) czy dwa pamiętników 4. Ewent.[ualnie] pewną ilość wierszy. Ale zobaczymy, jaka będzie reakcja ich poetyckiego redaktora. Gdyby chodziło o przekład fragmentów z pamiętników, to Lourie pewnie zrobiłby, przeze mnie ciśnięty. Lourie bardzo się ustatkował, jest rozsądnym człowiekiem i dużo pracuje, wykładając w Santa Cruz i pisząc. Odwiedziliśmy ich niedawno z Janką.

Toni zabiera się do kucia na Medical School, a Piotruś wrócił z podróży do Yukonu i na Hawaje i też zaczyna naukę na uniwersytecie.

My z Janką wyjeżdżamy na kilka tygodni na East Coast na wykłady, które mam mieć w kilku tamtejszych uniwersytetach, po lecie monotonnym i pracowitym, tak że trzeba trochę zmienić aurę.

Struve mi mówił, że zamierza ogłosić kilka listów Aleksandra do niego po rosyjsku. Poza tym w „California Slavic Studies" ukaże się wkrótce mój artykuł o literaturze rosyjskiej, w którym cytuję z pamiętników Aleksandra (napisy na ścianach w Kijowie).

Ściskam Cię serdecznie, trzymaj się, tragiczny, i coraz bardziej, jest świat, a co gorsza, z coraz większą dozą *bêtise.*

Całuję

Czesław

[42. OLA WATOWA]

14 X 70

Kochany Czesławie,

Ogromnie dziękuję za list. Mimo niezbyt pocieszających wieści, jeśli chodzi o wydanie *Pamiętników*, to każdy Twój list jest pocieszeniem dla mnie. Moja samotność na chwilę znika, czuję się pod

Twoją opieką. Znajduję schron dla siebie i dzieła Aleksandra w tej opiece Twojej i wierze, jaką mam dla Ciebie.

Był tu u mnie kilka dni temu Kot Jeleński, z którym omawiałam te wszystkie sprawy. Sugerował mi, czyby nie zwrócić się do Sakowskiego w Londynie. Czy też list (subskrypcyjny?), jak to zrobiła Marynia Czapska w związku z wydaniem swojej ostatniej książki, która wyjdzie u Romanowiczów. Byłoby to dla mnie ciężkie, takie zbieranie pieniędzy, ale to się podobno robi tutaj. Oczywiście nie zdecyduję niczego bez Ciebie, bez Twojej rady, a właściwie instrukcji. Myślałam też o Łabędziu, który miał przyjaźń dla Aleksandra, czy nie zwrócić się do niego z zapytaniem. On na pewno jest przy jakichś źródłach pieniężnych. Co myślisz o tym.

Kot jest zapracowany i w ciągłych rozjazdach. Będzie się mógł zabrać do czytania *Pamiętników* dopiero w grudniu. Postanowiłam je przepisać w 3 kopiach, mam je u siebie, Giedroyc się na razie nie upomina.

Może z Manem uda się wydać tomik Aleksandra. Poza Twoją przedmową, która byłaby niezmiernie cenna, cieszyłabym się, gdyby można było włączyć jeszcze kilka wierszy z tomiku *Wiersze*.

Bądź dobry i przysyłaj mi wszystko, co ukazuje się i w najmniejszym stopniu dotyczy Aleksandra. Obiecywałeś mi fotokopię (?) wierszy tłumaczonych.

Cieszę się dla Ciebie, że wyjeżdżasz na objazd wykładowy, to na pewno odmieni Ci „aurę".

Dziękuję za wiadomości o Tonim i Piotrusiu. Jak dalekie i niepowrotne są czasy, kiedy Piotruś w rozmarzeniu przed wystawą z fajkami prosił mnie o fajeczkę. Cóż on sobie wybiera jako studia?

Mój Andrzej jest ciągle w telewizji, ale pracę ma tam nieciekawą. Żadnych pod tym względem satysfakcji. A trudno jest żyć człowiekowi, robiąc tylko głupią zarobkową robotę. I Andrzej to bardzo odczuwa. Wnuki moje już duże. Ósmy i szósty rok. Szkoła, obowiązki, no, ale jednak dużo jeszcze zabawy. Są bardzo ładne i inteligentne. Języka polskiego nie znają i chyba nie poznają. I tak to się skończy na Andrzeju.

Będę się starała nie „sumować". Twoje rozumowanie (perfekcjonizm Aleksandra itd.), w związku z *Pamiętnikami*, przemawia mi do rozsądku. Jeszcze resztki tego rozsądku kołaczą się we mnie.

Całuję Cię z całego serca

Twoja Ola

Cieszę się ogromnie, że Sołżenicyn dostał Nobla. I Ol by się cieszył.

[43. CZESŁAW MIŁOSZ]

[b.d., data stempla pocztowego: 8 XI 1970]

Kochana Olu,

Piszę do Ciebie, wróciwszy z 20-dniowej podróży, w której zdążyłem się produkować w Washington DC, Princeton, na Columbii, w Yale, na Harvardzie, na University of Toronto i w takim małym Alliance College (w Pensylwanii) na przyprzążkę. Otóż poza odczytami (o Sołowjowie) miałem też 3 wieczory czytania wierszy, b. udane, z tego 1 poświęcony wierszom różnych poetów w przekładzie, a 2 jakby autorskie (w University of Toronto i w Alliance College): każdy wiersz najpierw po angielsku, potem po polsku. Otóż wiersze Aleksandra czytałem na wszystkich 3 wieczorach. Były to: wiersz do Łabędzia, *W barze gdzieś koło Sèvres-Babylone*, *Sen flaminga*, *Przed wystawą*, *Z perskich przypowieści*. Czytałbym *Pieśni wędrowca*, ale one są długie, uwaga słuchaczy się nuży, a tak to te wiersze (które zresztą komentowałem) ogromnie się podobały.

Poza tym wydaje mi się, że zdobyłem mniej więcej połowę pieniędzy potrzebnych na druk pamiętników; mówię: wydaje mi się, bo osoby deklarujące zawsze mogą się wycofać, co się często zdarza, choć w tym przypadku mam przynajmniej świadków. Piszę Ci o tym, żebyś nie myślała, że rzecz jest odesłana *ad Calendas Graecas*, bo mam nadzieję, że się ruszy. „Kultura" ma wprawę techniczną, jeżeli do tego się zabierze, zrobi to prędko, a druk gdzie indziej trwałby latami.

Łajdak student, który robi indeks do pamiętników, gdzieś mi się latem zawieruszył, ale teraz wziąłem go za kołnierz, tak że indeks wkrótce skończy.

Nie trzeba tracić nadziei — co do mnie, to ufam, że i pamiętniki, i wiersze po angielsku tak czy inaczej się ukażą.

Podróż, którą zrobiliśmy z Janką, była mniej męcząca, niż się spodziewałem, zbyt duża ilość spotykanych ludzi zwykle wytrąca mnie z równowagi, ale tym razem jakoś nie, co może być objawem oswojenia się ze światem albo pewnego zobojętnienia na świat. Może nie na widoki. Pięknie było na wsi u naszych przyjaciół pod New Yorkiem — wielkie sady pełne opadłych jabłek, jelenie, lasy, a także u innych przyjaciół pod Bostonem, gdzie gospodarz zaraz zabrał mnie na spacer oglądać tamy zbudowane na leśnym jeziorku przez bobry. Mieliśmy też ładną podróż autem z Bostonu do Kanady przez bukoliczno-leśne krajobrazy pogodnej jesieni.

Tylko że nieszczęście, groza, monstrualność ludzkiej nędzy mnie ściga, niby pełno tego obok nas w Oakland i San Francisco, ale w tamtych okropnych krainach fabryk i śmietnisk — New Jersey, New York City, to znowu chwyta mnie po prostu za gardło.

Ściskam Ciebie i całuję bardzo serdecznie

Czesław

[44. OLA WATOWA]

Paryż, 10 XI 70

Kochany, dobry Czesławie,

Dzięki za list pełen nadziei. Za list pełen Twojej pamięci i dobroci dla mnie. A także za te wszystkie wiadomości dotyczące Ciebie, Twojej podróży i emocji z nią związanych.

Całuję Cię z miłością i wdzięcznością

Twoja Ola

[45. OLA WATOWA]

Paryż, 19 II 71

Kochany, drogi Czesławie,

„Wisiałam" na Twoich listach jak chory na ustach lekarza i każdy Twój list równał się o p i e c e i n a d z i e i i dlatego ogromnie mi ich brak. Nie piszę, aby Cię pytać, jaki będzie dalszy los *Pamiętników*, wiem, że zrobiłeś wszystko, co było w Twojej mocy, i że trzeba czekać cierpliwie, aż pieniądze się znajdą. Giedroyc ograniczył się do stwierdzenia, że bez pieniędzy książki tej wydać nie może, a mnie trochę boli, że nie czuję w nim żadnej „gorączki", żeby to wydanie przyspieszyć. Więc zaczęłam przepisywać te 1400 stron, aby mieć dodatkowe egzemplarze dla siebie i Andrzeja.

Poza tym, ponieważ stan mój trochę się polepszył (od długiego czasu biorę środki antydepresyjne) — wydaje mi się, że lepiej pracuję, że większy jest teraz porządek w papierach Aleksandra. I postanowiłam spróbować opisać paszportyzację w Ili, na czym Aleksandrowi zależało i wierzył, że ja to dobrze zrobię. Ale to, co umiałam tak żywo opowiedzieć, obrazowo, i czego Aleksander słuchał zawsze z zainteresowaniem, wychodzi mi teraz statycznie, martwo. Chciałabym bodaj na chwilę odzyskać w sobie to widzenie, ten dar słowa, tę chęć i przyjemność, jaką dawało mi opowiadanie. Na razie nic z tego. Może dlatego, że żyję jak w jakimś zaklętym kole z Aleksandrem i n i e c h c ę, i nie mogę z tego koła wyjść, boję się utracić cierpienie, które jest teraz dla mnie jedynym szczęściem, ponieważ jest ono dalszym ciągiem naszej miłości. Wydaje mi się, że jak wyjdę z tego koła wspomnień i przeżywania Aleksandra, to polecę w jakąś próżnię.

A przecież w tym, co pragnę opisać, nie chodzi tylko o sam akt zmuszania polskich obywateli do przyjęcia paszportu sowieckiego. Zależy mi na tym, żeby ukazać Aleksandra w jego tamtejszej czystej postaci i dopiero poprzez niego te obrazy paszportyzacji i tego, co się w tym okresie działo.

Jak Ci wiadomo, był on już w tym okresie po przeszło dwuletnich więzieniach, po całej męce, którą tam przeżył, przemyśleniach, mistycznych wzlotach i bolesnych zwątpieniach i wyszedł z tego — jak ja bym to określiła — z łaską prawdy. Tak jest, kiedy wszystkie łuski opadają z oczu i objawia się naga prawda. Chwila jasnowidzenia. I Aleksander miał wtedy w sobie to wielkie pragnienie, aby dać świadectwo prawdzie. I pragnienie ofiarowania siebie, żeby coś zbawić.

Jest mi szalenie trudno to powiedzieć. Bo to nie było tylko to, że on powiedział NIE i gotów był zapłacić swoim życiem, lagrem i ponownym rozstaniem ze mną i z Andrzejem. Kiedy o tym myślę, nie wiem dlaczego, ale widzę płomień, czuję bowiem sakralność ognia, ognia, który oczyszcza. On cię pochłania i unicestwia, ale jednocześnie „oczyszcza". Bo wychodzi się z takiej walki, jaką podjął Aleksander — oczyszczonym. Tym przeciwnikiem, z którym się zmierzył, to nie było tylko NKWD — to było w s z y s t k o, wszystko, czemu mówi się NIE, albo czemu należy powiedzieć TAK. I nic pośredniego.

A więc siedzę nad tym pisaniem i — oczywiście — męczę się straszliwie.

Mój drogi Czesławie — napisz kiedyś słóweczko o sobie, o życiu Twoim, o Twoich najbliższych.

Ściskam Cię i całuję z całego serca

Twoja Ola

[46. CZESŁAW MIŁOSZ]

20 III 71

Kochana Olu,

Dręczyła mnie grypa czy też bardziej depresja przez grypę spowodowana, ostatecznie mam temperament depresyjno-maniakalny i czasem trudno mi sobie z nim radzić.

Teraz chcę Ci donieść o ostatnich wydarzeniach, jeżeli chodzi o pisma Aleksandra.

The University of Iowa Press jest b. entuzjastyczna co do jakości przekładu jego wierszy. Ponieważ jednak tom przygotowany przeze mnie ma 67 stron maszynopisu, proponują, żeby uzupełnić fragmentami pamiętników do rozmiaru sporej książki. To mogłaby być b. ciekawa książka, bo wiersze i strony pamiętnika komentowałyby się wzajemnie. Richard Lourie zasadniczo zgadza się na przetłumaczenie prozy, oczywiście, co wybrać, wymaga dłuższej rozwagi i będę to z nim dyskutować. Sądzę, że powinno się dać stronice dotyczące różnych epok (przedwojnie, więzienia, Ałma Ata) i różnych zagadnień, uwzględniając postacie międzynarodowo znane (Majakowski, Stiekłow, Szkłowski, Paustowski).

Napisałbym przedmowę, tom zawierałby też artykuł-wspomnienie Louriego. Jeżeli możesz mi przysłać fotokopię artykułu Jeleńskiego, gdzie jest genealogia rodziny, byłbym wdzięczny, bo ten artykuł ktoś mi zgubił.

To wszystko razem musi potrwać, ale w każdym razie, jak widzisz, nie jest tak, że nic się nie rusza. Giedroyc przeprowadził korespondencję z Polskim Instytutem Naukowym z New Yorku w sprawie przekazywania sum na pamiętniki Aleksandra po polsku *via* Instytut. Teraz więc napiszę listy, próbując przycisnąć tych, co pieniądze obiecali. W Yale Kosiński obiecywał, że się postara, mogłabyś do niego napisać, zapytując, czyby jednak czegoś nie zrobił. Chodzi o to, że wpłacając pieniądze do Instytutu, zwalnia się tę sumę od podatków, bo ma prawa fundacji.

Artur Międzyrzecki ogromnie cierpiał przez te miesiące, tracąc już nadzieję, że Julię i córkę wypuszczą. Ale przyjechały. Żadnych planów na przyszłość (powrót, nie-powrót) Artur nie ma, po prostu chce na razie odetchnąć. Artur jest zupełnie uczciwy. Natomiast manewry takich ludzi jak Najder i Herbert zupełnie mi dokuczyły, a mojej przyjaźni z Herbertem koniec nastąpił. Co do Brylla, to chciał się ze mną widzieć, odmówiłem. Niech ich diabli, tych wszystkich pétainistów-patriotów.

Serdecznie Ciebie ściskam

Czesław

[47. OLA WATOWA]

Knokke-le-Zoute, 10 VIII 71

Kochany, drogi Czesławie,

Przesłano mi tutaj Twoją przesyłkę i tak byłam pewna, że towarzyszyć temu będzie list, że nie potwierdziłam od razu. Czy są nadzieje na wydanie tego tomu? na wydanie *Pamiętników*?

Nie chcę Ci się uprzykrzać pytaniami ani tą masssą wdzięczności, którą mam dla Ciebie, a której Ty nie przyjmujesz.

Jestem b. zadowolona, że *Żyd Wieczny Tułacz* wejdzie do tomu, a także Kartki z *Pamiętnika*, jak zapowiadałeś, przedmowa Twoja i esej Louriego. Ratujesz to od zapomnienia.

W połowie sierpnia wracam do Paryża.

Napisałam o paszportyzacji, koło 80 str. maszynopisu. Zrobiłam to dla Aleksandra, pamiętasz, nie zdążył tego powiedzieć i zdawało mu się, że ja potrafię. Jeżeli Ci to prześlę, to tylko abyś mi powiedział, czy nie skompromituję A. moją grafomanią, jeśli zdecyduję się dać do druku. Bo chyba warte odnotowania są te wszystkie, podane tam, fakty prawdziwe.

Każdy mój wysiłek, aby robić to, co należy, dla Aleksandra, potwierdza mi moją nieudolność.

Całuję Cię z całego serca

Twoja Ola

[48. OLA WATOWA]

Paryż, 4 X 71

Kochany Czesławie,

Jak Ci już pisałam — siedzę nad *Pamiętnikami*. Po pierwszych rozdziałach i wątpliwościach, o których wspominałam w poprzednim liście — prawie żadnych poprawek. Postanowiłam jednak rozdziały 22, 24 i częściowo 25, przerobione przez Aleksandra — zostawić. Są tam jednak świetne sformułowania i piękne stronice. Natomiast gdyby można było w Twojej przedmowie do tych rozdziałów zmienić dwa słowa. Mianowicie — piszesz: „...w wersji, jaką sam Wat przygotował" — na opracowywał i „...jedyna to część jego nagranego pamiętnika, jaką zdążył sam poprawić" — na jaką poprawiał, ale nie zdążył nadać temu formy ostatecznej. Byłoby to zgodne z prawdą, ponieważ opracowanie to nie było ostateczne.

Była tu u mnie Dunka Micińska z mężem. Bardzo urocza. Dałam jej do czytania *Pamiętniki*, ma do Ciebie napisać. Wydaje się być pod dużym ich wrażeniem. Projektuje, żeby tu do mnie za rok przyjechać i pracować nad manuskryptami. Bardzo się do tego zapaliła. Co o tym myślisz? Co o niej myślisz? I o tej ewent.[ualnej] współpracy?

Jak się czujesz po powrocie z Europy? Mam nadzieję, że lepiej, że jej w każdym razie — dla siebie — nie żałujesz. Wyglądasz wspaniale pięknie — tygrysowato!

Całuję Cię najczulej, dla Janki uściski

Twoja Ola

[49. OLA WATOWA]

29 I 72

Kochany Czesławie,

Tłumaczę sobie Twoje milczenie brakiem czasu — co jest zrozumiałe. Wybacz więc, że znowu Cię niepokoję sprawami *Pamiętników*, które są najważniejszą sprawą w moim życiu i które nie dają mi spokoju.

Kilka dni temu widziałam Zosię Hertzową z okazji korekty mojego *Sowieckiego paszportu* i dowiedziałam się od niej, że w wydaniu przez nich *Pamiętników* nie sprawa pieniędzy jest najważniejsza, ale sprawa ich zredagowania. Powiedziała mi, że za ostatnim Twoim pobytem przyznałeś Giedroyciowi rację, że trzeba je opracować, ale że Ty nie możesz się tego podjąć z powodu braku czasu. Cóż więc robić dalej? Kto może to zrobić poza Tobą, którego oczywiście wykluczam — bo gdybyś mógł, zrobiłbyś to na pewno.

Herling (nie mnie, ale Zosi) sugeruje p. Ciołkoszową. Jedzie w tych dniach do Londynu i mógłby z nią o tym porozmawiać. Ja jednak, uważając Cię za o p i e k u n a tych *Pamiętników*, nie chcę zrobić ani jednego posunięcia, które nie byłoby zaaprobowane przez Ciebie — o ile oczywiście tej roli się nie wyrzekasz, co równałoby się dla mnie klęsce wszystkich z tym związanych nadziei.

Nie jestem na siłach decydować sama — to przerasta moje możliwości, a do Ciebie mam bezgraniczne zaufanie.

Dla mnie są one nierozerwalnie związane z Tobą.

Ściskam Cię serdecznie

Twoja Ola

[50. CZESŁAW MIŁOSZ]

10 II 72

Kochana Olu,

Chcę Ci przedstawić, jak wyglądają sprawy wydania Aleksandra. Dostałem Twój list.

1. Wiersze po angielsku zostały przedstawione do decyzji w University of Iowa Press, która doszła do wniosku, że tom złożony z samych wierszy miałby za mało stronic. Wobec tego dodałem *Żyda z Bezrobotnego Lucyfera* w przekładzie Louriego i jeden fragment z pamiętników. Na to taka była reakcja, że chcą jeszcze parę innych fragmentów z pamiętników, zanim się zdecydują. Wybrałem sporo i Lourie to całkiem dobrze przetłumaczył. Lourie mieszka w Santa Cruz i jest różnymi robotami zajęty, co zwalnia nasze tempo, ale jest za przekłady przeze mnie z jakichś funduszów, które wyciskam, opłacany. W najbliższym czasie ta porcja ostatnia zostanie do Iowa University Press wysłana. Gdyby oni tej książki nie chcieli, poszukam innego wydawcy — byłaby to prezentacja Aleksandra — wiersze i fragmenty prozy, z moim obszernym wprowadzeniem.

2. Weintraub w korespondencji z Sakowskim wspomniał o pamiętnikach Aleksandra i tamten wyraził gotowość wydania ich, choć nie zaraz. Wyjaśniam, żebyś nie myślała, że przez ten cały czas, kiedy milczałem, nic się nie robiło, że wystąpiliśmy do Fundacji im. Jurzykowskiego (która pieniądze ma) z wnioskiem o utworzenie funduszu wydawniczego, stałego. Wniosek był podpisany przez 4 profesorów: Weintraub, Brzeziński, Tarski i ja. I przepadł. Z tym funduszem właśnie łączyłem nadzieje. Kiedy dowiedziałem się od Weintrauba o pozytywnej reakcji Sakowskiego, napisałem do niego, dając ogólny opis dzieła — no i jakich jest rozmiarów. Na co jęknął.

Wiem, że dzieło wymaga skrótów i że powinno być przeredagowane, ale jeżeli ja tego się nie mogę podjąć, to nie z braku czasu, tylko dlatego, że mój stosunek do niego jest uczuciowy i po prostu nie jestem w stanie Aleksandra okrajać. Weź pod uwagę, że sąd o tym, co tam jest ważne, a co mniej ważne, zależy od pokolenia i mentalności sądzącego. W tym względzie nie ufam zupełnie Polakom londyńskim, bo ich orientacja jest polityczna i przypuszczalnie byliby skłonni skoncentrować się na sowieckich więzieniach, podczas kiedy dla mnie więzienia ukazują się tylko na tle rozdziałów o Polsce przedwojennej i dla kogoś zainteresowanego dziejami polskiej obyczajowości i literaturą te właśnie wstępne rozdziały są ważne. Z tego powodu do Lidii Ciołkoszowej mam stosunek sceptyczny i odradzałbym Ci zgodę na jej współudział. Twoje niepokoje w jednym z listów, żony, że Aleksander za mało dobrze wypada, przykro mnie uderzyły, bo świadczą o zapędach brązowniczych, niepotrzebnych. Wiemy z historii, że wielkość człowieka mierzy się jego słabościami, a nawet śmiesznościami. Ale okrojenia robione przez zacnych Polaków byłyby b. groźne, ofiarą padłyby wszelkie szczegóły drastyczne, jak np. Nawłoć w Ałma Acie czy napisy „Bij Żyda!" na wagonach, czy zdejmowanie spodenek. Sakowski i tak nie wyraża gotowości wydania przed r. 1973. Kto mógłby tekst inteligentnie przeredagować i skrócić, to Kijowski, jeden z najbystrzejszych polskich krytyków. Otóż Kijowski w przyszłym sezonie akademickim będzie w Stanach. To jest, myślę, realna możliwość.

Osobiście, myśląc o czytelnikach r. 2072, byłbym za zachowaniem całości, choćby chaotycznej, niechby sobie wybierali. Liczę się z trudnościami technicznymi po prostu, ale opiniom dzisiejszych redaktorów (np. „Kultury") nie bardzo ufam. Bo „czytelność" — dla kogoś, kto chce czytać to dzieło jednym ciągiem, jest tylko jednym z możliwych kryteriów.

Ściskam Cię, Olu, pozdrowienia od Janki

Twój Czesław

[adres nadawcy: jw.]

[51. OLA WATOWA]

7 VI 72

Kochany Czesławie,

Jak wytłumaczyć sobie Twoje kilkumiesięczne milczenie. Mam nadzieję, że u Was wszystko dobrze, że jesteście zdrowi.

Jestem bardzo udręczona i osamotniona, i te Twoje listy w związku z *Pamiętnikami* Aleksandra dawały mi jeszcze nadzieję na zrealizowanie naszych zamiarów. N i k t poza Tobą sprawami papierów Aleksandra nie interesuje się, ale to nie jest ważne, póki ma On w Tobie opiekuna — przyjaciela.

Może Cię speszyłam Posnerówną? Ale są to sprawy jeszcze tak dalekie. Kocik zrobił mi dwie fotokopie *Pamiętników*, tak że jedną mogłam dać Posnerównie. Dopiero we wrześniu dowiem się od niej, co postanowiła.

Byłam natomiast u prof. Langroda, który chciałby pomóc w miarę swoich możliwości. Ma on duże stosunki i wpływy. Dowiedziałam się od niego, że Giedroyc nie ma zamiaru tych *Pamiętników* wydać (myślę, że odezwania się Aleksandra o nim, a może tylko ton tych wypowiedzi zrobił swoje), w każdym bądź razie „nie pali się do nich", że (opinia Langroda) — suma, której wymaga na druk, jest grubo przesadzona i że drukarnia, w której on drukuje, jest n a j d r o ż s z a. Prof. Langrod polecił zrobić mi, w którejś drukarni, kosztorys*, co zrobię przez teścia mojego syna, który jest wydawcą. Podałam Langrodowi pomysł, aby stworzyć fundusz wydawniczy na te *Pamiętniki*. Służy mi swoimi nazwiskami. Musiałabym mieć tych nazwisk niemało i rozsyłać listy. Bardzo radził Sakowskiego, z którym Ty już rozmawiałeś. Może on by się na subskrypcję taką zgodził? Szkoda tych pieniędzy, których nie wziąłeś od Ukraińca, bo za te pieniądze można by to wydać jeśli nie u Sakowskiego, to u Romanowicza albo w Oficynie. Ale rzecz jeszcze ważniejsza, jeszcze trudniejsza od tych pieniędzy to jest przeredagowanie. Czy Kijowski wybiera się do Ameryki. Langrod dał mi do zrozumienia, że pieniądze dla redaktora (200–300 tysięcy fr.) by się znalazły. Nikogo poza Kijowskim ja nie widzę. Bo on nie miał zamiaru w y r z u c a n i a materiału, tylko w y k l a r o w a n i e treści.

Mój drogi, napisz mi kilka słów. Jest mi tak ciężko żyć, te sprawy — jedyne ważne — praca Aleksandra są ponad moje siły. M u s z ę mieć pomoc, Twoją pomoc i przyjaźń, bez tego tonę z pudowym kamieniem rozpaczy, idę na dno ze wstydem, że nie potrafię nic zrobić dla Aleksandra.

Twoja Ola

* I zaraz Ci go prześlę.

[52. OLA WATOWA]

20 VI 72

Kochany Czesławie,

Przed chwilą wyszedł Łabędź. Chociaż nie odzywał się od lat, okazał dzisiaj bardzo gorące zainteresowanie losami *Pamiętników*. Trochę rozgoryczony, że nie wtajemniczałeś go w ich dzieje, myślał, że są jeszcze nieprzygotowane do druku.

Chciałby bardzo pomóc, rozejrzeć się w możliwościach itd. i wybiera się na rozmowę z Tobą. N i e chcę n i c z e g o d e c y d o w a ć b e z C i e b i e i teraz nie jestem już nawet pewna, czy dobrze zrobiłam, pożyczając mu kopię *Pamiętników* bez porozumienia z Tobą. Chce je przeczytać, aby móc działać.

Leopold obdarzał przyjaźnią Aleksandra i teraz zapalił się ogromnie do współdziałania z Tobą, o ile się na to zgodzisz.

W tych dniach powinnam mieć *devis* z drukarni i zaraz Ci go prześlę. Ułatwiłoby to chyba zadanie, gdyby sprawdziły się przewidywania prof. Langroda, że suma, której żąda Giedroyc, jest co najmniej o połowę przesadzona.

Wciąż ani słowa od Ciebie. Jeżeli listy moje Cię drażnią, złóż je na karb mojego b. złego samopoczucia psychicznego. Wstyd mi, do jakiego stopnia jestem w tym wszystkim bezradna, spętana, niepewna — bez Twojej pomocy.

Twoje wiersze bardzo piękne pod każdym względem.

Ściskam Cię serdecznie

Twoja Ola

[53. CZESŁAW MIŁOSZ]

29 VI 72

Droga Olu,

Doskonale rozumiem Twoje niepokoje, ja jednak do spuścizny po Aleksandrze mam inny stosunek, tzn. nie widzę, żeby upływ czasu tutaj szkodził. Do niepowodzeń, jakie mnie spotykają, odnoszę się filozoficznie. Jeżeli pójdzie się do księgarni w Berkeley, ma się obraz tego zaćmienia umysłów, jakie wyraża się w zadrukowanych stronicach, jest więc oczywiste, że energia wydawców w to włożona proporcjonalnie umniejsza szanse wartościowych książek. Złożyłem rodzaj *Antologii Wata* po angielsku (wiersze plus proza) u dwóch wydawców, brak jakiejkolwiek odpowiedzi z University of Iowa Press pewnie doprowadzi do zerwania moich stosunków z tym sławetnym miejscem, gdzie pewien wpływ na to, komu dają stypendium, miałem. Drugim wydawcą jest MIT Press w Cambridge, Mass, skąd odpowiedzi nie mam, ale telefonowała do mnie, tamże wpływowa, Krystyna Pomorska (Jakobsonowa), Wata zwolenniczka (zadeklarowała swego czasu 500 dolarów na wydanie pamiętników).

Co do polskiej wersji, to przecie nie robiłem sekretu i Łabędź o tym chyba ode mnie słyszał, może wydaje mu się, że mu o tym nie mówiłem. „Przeleżenie" pamiętnikom nie grozi, wręcz przeciwnie, i mam na to dowody, dając je do czytania nielicznym wybranym, na to zasługującym. Osobiście do cięć i „redagowania" odnoszę się niechętnie, sam zresztą bym się tego nie podjął i za idealne rozwiązanie uważałbym wydanie ich po polsku jak są, ze wszystkimi powtórzeniami i „chaosem". Sakowski od czasu pierwszej wymiany listów nic mi nie pisał. Jeżeli wyłoni się sprawa wydania w skróconej wersji (ilość stronic), to trzeba będzie się zastanowić osobno, zwłaszcza w okresie pobytu Kijowskiego w Ameryce. Ale że to ukaże się kiedyś, nie wątpię, i czas ma tu naprawdę małe znaczenie. Sądzę, że różnimy się tutaj w perspektywie, skoro od kilku lat przynajmniej żyjemy w różnych środowiskach; ponieważ śledzę opadanie w zupełną nicość tylu polskich nazwisk XX wieku, wiem, że tym bardziej rośnie waga Aleksandra.

O żadnych podróżach do Europy nie myślę, lato w Berkeley i dużo roboty, bo podjąłem się kursu o Dostojewskim i muszę się przygotować, skoro jest to najbardziej odpowiedzialny kurs na naszym wydziale. Poza tym popisuję sobie a muzom powoli. Grossman rozwiódł się i żyje z moją koleżanką, profesorką naszego wydziału, byłą zakonnicą — tak toczy się światek. *Party* u Whitfieldów, Grampp była itd. Piotruś zdał egzaminy i wyjeżdża do Meksyku, a Toni ku mojemu zdumieniu pobił rywali w trudnym i ciasnym konkursie i został wykładowcą na University of

California w Santa Cruz. Tamże, w Santa Cruz mieszka Lourie, któremu wiedzie się dobrze i tu do nas przyjeżdża.

Co do niechęci Giedroycia do pamiętników, to myślę, że powody są głębsze niż personalne i dotyczą zasadniczych różnic światopoglądowych.

Ściskam Cię

Czesław

Janka prosi, żeby Ciebie od niej pozdrowić.

[adres nadawcy: jw.]

[54. OLA WATOWA]

27 VIII 72

Kochany Czesławie,

Zjawił się tu znowu Łabędź, aby mi powiedzieć, że wszystko już załatwił (!), że *Pamiętniki* wyjdą — jeden tom u Stypułkowskiego, drugi u Sakowskiego, przy czym w toku rozmowy dowiedziałam się, że z Sakowskim jeszcze nie rozmawiał, że zrobi to teraz po powrocie do Londynu. Myślałam, że zdobył jakieś pieniądze, ale nie, mają to wydać własnym kosztem! M i ę d z y n a m i m ó w i ą c, wydaje mi się to nieprawdopodobne. Za miesiąc jedzie do Ameryki i ma się z Tobą spotkać i o tym wszystkim pomówić. Będę Ci ogromnie wdzięczna, jak mi swoje wrażenia po tej rozmowie — zakomunikujesz.

Natomiast bratanica Aleksandra po przeczytaniu urywków w „Kulturze" i Twojej przedmowy, w której m.in. piszesz o trudnościach finansowych z ich wydaniem związanych — zaofiarowała b. spontanicznie milion franków (starych) na ich wydanie. Mam nadzieję, że oświadczenie to jest poważne, i będę czekała na Twoje słowo, aby ten milion zrealizować i złożyć na Twoje ręce.

Mam nadzieję, że u Was wszystko dobrze, że jesteście zdrowi. Co do mnie, mogłabym zacytować zdanie Witkacego z listu do Czerwijowskiej („jestem szalenie nieszczęśliwy i samotny i w tym znajduję pewną dumę i jestem z tego zadowolony"), z tym że do sensu drugiej części tego zdania — nie doszłam. Trzeba mieć o wiele więcej sił.

Ściskam Cię, mój drogi

Twoja Ola

[55. CZESŁAW MIŁOSZ]

23 IX 72

Kochana Olu,

Z kilku stron (nie mówiąc o liściku Jarosława do Kota) miałem reakcję na Aleksandra w „Kulturze" świadczące o najwyższym zainteresowaniu. Ja w ogóle nie rozumiem Giedroycia. Siedzi na kopalni złota (choćby to było nie w bankowym sensie) i nie wie tego. Jak mu posłałem opracowany fragment o r. 1928 (Berlin), to napisał, że nie może dawać Wata w każdym numerze. Czy da to teraz, nie wiem. Przecie gdyby chciał, tobym mu do każdego numeru robił. Mam taką odrazę do polskiego Londynu i głupstw, jakie drukują w „Wiadomościach", że chyba nie mógłbym się przezwyciężyć, żeby z nimi współpracę nawiązywać.

Od czasu listu Sakowskiego, dość dawno, w którym wyrażał chęć wydania, ale przeraził się rozmiarem, nie miałem z Londynu żadnych wiadomości. Może usłyszę od Łabędzia. Kwestia robienia skrótów albo wydania, jak jest, ma dwa aspekty:

1. Finansowy — to znaczy może to być po prostu konieczne.

2. „Przyszłościowy" i tutaj ja n a p r a w d ę nie jestem pewien, czyja racja lepsza, czy Kijowskiego, który jest czytelnikiem po prostu bystrym, i uważa, że skróty nadałyby większy literacki walor, czy moja, człowieka, który lubi to, jak jest. Kijowski już jest w New Yorku i będę się z nim komunikować oraz rzecz dyskutować, ale proszę Ciebie, to są rzeczy wysoce sekretne i o osobie Kijowskiego nie powinnaś n i k o m u wspominać.

Z ofertą Twojej bratanicy absolutnie nie wiem, co począć i co radzić. Jeżeli te londyńskie firmy wydadzą, to pieniądze są ich rzeczą. Te pieniądze mają znaczenie, tylko gdyby Giedroyc się zdecydował. Finansów Giedroycia nie rozumiem, choć oczywiście

Aleksander to nie Korboński czy Sołżenicyn, jeżeli chodzi o sprzedażność.

Myślę, że zrobię jeszcze jeden wysiłek i napiszę do niego jeszcze raz w tej sprawie, zanim rzecz przejdzie do Londynu.

Tom Aleksandra po angielsku (wiersze plus proza) nie ma szczęścia, co w pewnym stopniu należy przypisać ogólnej aurze „współpracy" oraz handlu z Sowietami, co oczywiście wytwarza strach przed „trefnymi" tematami. Gdybyż to prawdą było, że żydo-masoneria jest wszechpotężna. Ale właściwie te akcje w obronie sowieckich Żydów są dość nędzne, nacjonalistyczne, zupełnie jakby oni jedni cierpieli. Więc kiedy bardzo dobry magazyn „Modern Occasions" wychodzący w Cambridge (tam gdzie Harvard University) zapalił się do Aleksandra i chce wziąć *Żyda Wiecznego Tułacza* (po angielsku oczywiście, w przekładzie Louriego), fragment o Bablu oraz kilka wierszy, powiedziałem: tak. To załatwiała Krystyna Pomorska-Jakobson, no, żona tego sławnego profesora Romana Jakobsona, wielka Aleksandra zwolenniczka. To pismo zamienia się teraz w rocznik, więc to jeszcze długie moje *pierepiski* z redaktorem, co i jak.

Ale w ogóle musisz pamiętać, że czas nasz, naszego ludzkiego życia, całkiem inaczej przebiega niż czas jakichś ludzkich dokonań. To, robiąc różne próby i starania, trzeba mieć w pamięci.

Ściskam Cię

Czesław

[56. OLA WATOWA]

9 XI 72

Czesławie Kochany,

Dzisiaj przyszła korekta fragmentu Aleksandra z dopiskiem J.G.: „Prośba o korektę, ale nierobienie zmian, bo to wielki kłopot". A więc jednak się zdecydował i może zdecyduje na więcej? Mój drogi — to wszystko dzięki Tobie.

Jakie wnioski wyciągnąłeś z rozmowy z Łabędziem, który ze mną był tak optymistyczny. Czy to w jakimś stopniu realne? To, co piszesz o Londynie! Ja także go nie znoszę, raz jeden tam byłam z Aleksandrem po sowietologicznym zjeździe w Oksfordzie i jedząc w Ognisku zrazy po polsku, czułam, jaką straszliwą mam alergię na tamtejszy komplet Polaków. Niechże więc czas rozstrzyga i dobra wola, przyjaźń i uczciwość takich jak Ty ludzi. Ciągle mam w pamięci zdanie Twego ostatniego listu: „...że czas n a s z, naszego ludzkiego życia, całkiem inaczej przebiega niż czas jakichś ludzkich dokonań". Więc nakazałam sobie spokój, zdając sobie sprawę, jak głęboką przekazałeś mi prawdę.

Na inauguracji tygodnia polskiej muzyki współczesnej w Royaumont nastąpiło moje spotkanie — pierwsze po wyjeździe z Polski — z Iwaszkiewiczem. Szedł ku mnie z wyciągniętymi rękoma, jakiś nagle wstrząśnięty i wzruszony opadłymi go, zapewne, wspomnieniami przeszłości, potykając się na swych chorych, obolałych nogach. Jego wielkie ciało — kiedyś atletycznej budowy — osiadło, rozdęło się. Głowa, której rysy i wyraz twarzy zostały prawie wierne młodości — otoczona wianuszkiem siwych włosów, a głos — dawniej tak śpiewny, stepowy, rozległy, kiedy po raz pierwszy, w latach dwudziestych, usłyszałam go mówiącego w Konserwatorium o „Pani Elizie" (Orzeszkowej) — teraz jest jakiś „ciamkający", bezzębny. Straszliwa, rozkładająca robota czasu. Przeraźliwa.

Podobno w Polsce odżegnuje się od Aleksandra, ale nie mógł zapanować nad wzruszeniem i całując mnie po policzkach i rękach, od razu zaczął mówić o „świetnych, mądrych" fragmentach *Pamiętnika* i że chciałby, chciałby to mieć. Oczywiście niczego mu nie obiecywałam. Mam uczucie, że widziałam go po raz ostatni, i było mi żal tego wszystkiego, co mu zostało odebrane przez małość i słabość jego charakteru, jemu, autorowi tylu pięknych próz i wierszy o tak zmysłowej melancholii w opisywaniu śmierci i drzewnej, liściastej, deszczowej, szumiącej natury.

Widziałam kilka dni temu kogoś, kto przyjechał z Moskwy — tłomaczkę z francuskiego i angielskiego na rosyjski (Salinger, Faulkner, Nathalie Sarraut!). Znała i zna wszystkich, a więc „genialnego" Pasternaka, Majakowskiego, Paustowskiego, Szkłowskiego itd., a teraz Sołżenicyna, Nadieżdę Mandelsztam, której wyraźnie nie lubi: „zadziera nosa", Siniawskiego, Daniela itd. Wprowadziło mnie to w stan ogromnego napięcia i przekazywałam jej naszą fascynację Sołżenicynem, mówiłam o wielkiej jego roli, tak bohaterskiego, walczącego w tym kraju tyranii i o tych innych, jemu podobnych niezależnych. Przyjmowała to z pewną rezerwą. Ot, naiwna entuzjastka. Skrytykowała Sołżenicyna za jego „religijność" (krąży pogłoska po Moskwie, że zamierzał poświęcić Nagrodę Nobla na wybudowanie „nowego Kościoła", no i że np. nie przeczytał jeszcze Kafki, którego mu przesłała!).

Sołżenicyn bez Nobla buduje s w ó j Kościół i co jemu do Kafki, kiedy tak mało czasu mu zostało do powiedzenia tego wszystkiego, co się nagromadziło w latach wielkiego milczenia. Ale oni tam chcą mieć przede wszystkim spokój. Naród jest obojętny, dbający już tylko o życiowe wygody, n i e n a w i d z i *gniłoj inteligencji*, a już szczególnie takich intelektualistów, którzy demonstrują na placu Czerwonym przeciwko najazdowi na Czechosłowację. „Tam nasi bracia walczą o wolność". Otumanieni, zdezorientowani czytaniem wyłącznie prasy sowieckiej. A moja tłomaczka ma uczucie, że wprowadzając kilku europejskich pisarzy na rynek sowiecki, już spełnia jakąś misję, co uspokaja jej sumienie i pozwala cieszyć się własnym kątem, osiadłością w mieszczańskim ichnim dobrobycie. Ciągle ma jeszcze przed oczyma opuchłe z głodu, straszliwe ciała leningradzkich nielicznych uchodźców z piekła tamtejszego oblężenia i marzy już tylko, aby nie było wojny. Reszta — mój Boże! „Po cóż mu to było, temu Siniawskiemu. Pracował, pisał, wykładał na uniwersytecie, był w poszanowaniu. A teraz!". A Laryssa Daniel: „błagano ją, żeby nie wychodziła na plac, uparła się, powiedziała Litwinowowi, że jeżeli nawet nikt nie pójdzie, to ona pójdzie sama. I to nie policja zaczęła ich bić, a przypadkowi przechodnie z oburzenia, że «tam nasi bracia itd.»".

Zabawne różne fakciki jak ten. W Moskwie mowy nie ma o słuchaniu BBC — zagłuszają. Ale kiedy pisarze wyjeżdżają na dacze albo do domów pisarzy, wszyscy bez wyjątku słuchają cichaczem BBC. W tym domu, gdzie ostatnio była, było ich, co najmniej, trzystu! I oto pokojówka po sprzątnięciu pokoju mojej tłomaczki oświadcza: „*A ja wasze BBC postawiła na szkafie*".

A o Chruszczowie — jak to miotał się na wystawie sztuki abstrakcyjnej, krzycząc: „*Wy wsie piederasty*". Szczególnie przyczepił się do jednego, który stawiał się hardo. I oto przed śmiercią zalecił, aby na grobie jego postawiono pomnik tego artysty, „którego za mało bito", ponieważ stracił wcześnie i w wiadomych okolicznościach swoich rodziców. *Wot russkaja dusza. Nie razbieroszsa.*

Czesławie mój drogi — świetne *Duże cienie*, a chociaż nieraz chciałabym Cię przepytać, czy dobrze odczytuję Twoje poematy, to przecież czuję je przez skórę, przenikają mnie jak czyste źródło, jak światło.

Ściskam Cię

Twoja Ola

[dopisek na marginesie:] Czy jesteś już w korespondencji z Kijowskim. Zapewnij go, że może być pewien mojego milczenia.

[57. CZESŁAW MIŁOSZ]

20 XII 72

Kochana Olu,

Przyjm serdeczne życzenia świąteczne i noworoczne. Z Łabędziem umówiłem się na wydanie pamiętników — będzie to załatwiał po przyjeździe do Londynu i ma nadzieję załatwić, puszczając w ruch dwa tamtejsze domy wydawnicze. Tymczasem napisałem po angielsku krótki wstęp do tego, co ma się ukazać w „Modern Occasions" (*Żyd* z *Bezrobotnego Lucyfera*, fragment o Bablu i 2 wiersze).

Tu był Josif Brodski i miał udany wieczór autorski, ja robiłem honory domu.

A teraz mamy miłych gości, Jasia Lebensteina i Ankę.

Kijowski jest zdania, że właściwie dzieło Aleksandra wymaga niewielu poprawek, że dziewczyna w Czytelniku np. uwinęłaby się z tym w ciągu 2 tygodni podczas godzin biurowych. No, zobaczymy.

Z Kijowskim się nie widziałem, bo w Iowa, a w święta pojechał do Międzyrzeckich pod New York.

Całuję Ciebie mocno. Janka Ciebie pozdrawia i życzy wiele dobrego

Czesław

[58. OLA WATOWA]

8 I 1973

Kochany Czesławie,

Czytam teraz *Drugą książkę* Nadieżdy Mandelsztam (w oryginale), pod której wielkim jestem wrażeniem. Poucza mnie ona, jak bezsilna i bezowocna jest rozpacz po stracie ukochanego człowieka, i czego można dokonać, jak się ma siłę tę rozpacz przezwyciężyć. To wielka książka — pełna mądrości, pasji i nienawiści do tego, co tylko na nienawiść zasługuje.

Pracuję ciągle nad manuskryptami Aleksandra — zupełnie sama i bardzo niepewna moich sądów. Nadsłuchuję głosów stamtąd, chcę złowić jakiś znak, jakąś strzałkę świetlną, która mną pokieruje. Ale milczenie jest wielkie, większe od całego naszego świata, i miażdży wszystkie realności, zabija wszystkie nadzieje.

Od Leopolda ani słowa. Powtórzyłeś mi w swoim ostatnim liście to, co mi w Paryżu przed wyjazdem do Ameryki powiedział. Czy Ty wierzysz, że oni to wydadzą i czy Kijowski nie zrobiłby tych „niewielu" poprawek w *Pamiętnikach*, o których mówi, że „dziewczyna w Czytelniku uwinęłaby się z tym w ciągu 2 tygodni". Wykorzystaj jego obecność. Jest istotnie bardzo inteligentny i z przyjemnością czytam jego felietony w „Tygodniku Powszechnym", który mi przysyłają z Warszawy.

Dziękuję Ci za „Modern Occasions", za Twoją pamięć i dobroć. Życzę Tobie i Twojej rodzinie wszystkich dobroci na ten rok nowy.

Całuję Ciebie i Jankę z całego serca

Twoja Ola

Pisałeś w przedostatnim liście, że spróbujesz jeszcze korespondencji z Giedroyciem. Czy wspomniałeś mu o milionie oferowanym przez bratanicę Aleksandra. Czyżby odmówił ostatecznie i czy tylko ze względu na koszty?

[59. CZESŁAW MIŁOSZ]

6 I 73

Kochana Olu,

Nie mam żadnej wiadomości od Łabędzia. Nic. Choć obiecał, że to załatwi.

Ale powtarzam jeszcze raz. Trudności w wydaniu dzieła uważam za potwierdzenie jego wartości. Bo na ogół to jest chyba jakieś prawo określające głuchotę współczesnych i czas potrzebny na odleżenie. Tak że tylko jednostki na razie na tym się poznają. Artur Międzyrzecki pisał mi ostatnio (jak wiesz, na wykładach w Stony Brook pod New Yorkiem) o swoich wrażeniach z lektury dwóch fragmentów ogłoszonych w „Kulturze" i używa słowa „arcydzieło".

Mój osobisty stosunek do Aleksandra nie był płytki. Mógł być ironiczny, ale to tak, jak się z ironią patrzy na swoje różne manie i dzieciństwa, bo oczywiście Aleksander był dziecinny, także z tymi swoimi wizjami kariery w Ameryce. Ale jednak zawsze działałem dla niego, nie przeciw niemu, choć czasem odczuwał to jako ostrość i suchość. Podobnie teraz nie powinnaś wątpić o moim oddaniu sprawie jego pism, która po prostu jest sprawą — dla mnie — szacunku dla duchowej hierarchii, tzn. duch, który na to zasługuje, bo zapracował, ma prawo do tego, żeby żądać zabiegów z naszej strony.

Niezależnie od „Modern Occasions", dokąd posłałem już swoją przedmowę, posyłam Ci kopię listu, jaki dostałem w odpowiedzi na posłanie do Anglii tomu wierszy Aleksandra po angielsku. Wyjaśniam: Carcanet Press to jest nieduży dom wydawniczy w Anglii w Oksfordzie, specjalizujący się w poezji tłumaczonej z różnych języków.

Jest tu Wikta Winnicka, siostra Wittlina, znana Ci ze Lwowa, z którą często rozmawiamy o Aleksandrze. Eileen Grampp nadal siedzi w Slavic Center, który stale zamiera, ale ponieważ to trwa już od lat, jakoś się przyzwyczaiłem. Choć rzeczywiście *mortus* finansowy u nas okropny — skutki rządów republikańskich i aura uniwersytetu wręcz odwrotna niż za Waszego pobytu — cisza jak makiem siał, spokój, dyscyplina i brak pieniędzy.

Wyobraź sobie, że zima u nas, jakiej nie było od niepamiętnych czasów, i lasy eukaliptusowe wymarły, i teraz cały Tilden Park musi być wycięty — albo następnej jesieni spali się całe Berkeley, bo wystarczy iskra.

Czapski, do którego pisałem z okazji jego artykułu dla mnie zupełnie niezrozumiałego (bo o co mu szło?), zakomunikował Giedroyciowi moje zdumienie z powodu Aleksandra i pisze mi, że rzecz n i e wydaje mu się całkowicie stracona.

No cóż, c z a s — z tym musimy się liczyć.

Ściskam Ciebie czule

Czesław

[60. OLA WATOWA]

12.2.73

Kochany Czesławie,

Wczoraj poszłam na *Requiem* Mozarta do kościoła St. Gervais. Kościół wypełniony po brzegi ludźmi, którzy nagle przestali być obcy poprzez sam fakt przyjścia tutaj na słuchanie muzyki. Siedziałam na wprost ołtarza, którego przestrzeń wypełniona była pieśnią skrzypiec i głosami chóru. Duży złoty krzyż górował nad wszystkim, a ja wolałam, żeby był z prostego ciemnego drzewa i z ramionami o wiele dłuższymi, z długimi ramionami. Przywołałam Aleksandra i tak słuchaliśmy *Requiem*, które splatało moje ziemskie tutaj uczucia z jego nieziemską nieobecnością. Przeżyłam chwilę, która oderwała mnie na czas krótki, a tak wielki w wymiarach sztuki — od pustyni czasu, w której mi przyszło żyć samotnie. U progu każdego dnia opada mnie samotność, jak mgła ogromna osiadająca na wszystkim, co ma związek z realnością, i tylko kiedy dotykam słów, myśli, głosu drogiego mi człowieka, albo człowieka, który staje mi się bliski poprzez swoją myśl, albo kiedy odczytuję, jak dzisiaj, Twój p r z e d o b r y list, który tak mnie wzruszył, a dary Twojej przyjaźni zaludniły tak cudownie moją samotność i serce wypełniła wielka tkliwość dla Ciebie — wtedy realizuję się do mego życia i moich celów, tak trudnych dla mnie z powodu mojej ignorancji, nieumiejętności pracy nad papierami Aleksandra.

Zrozumieć, odczuć, aby nie zrobić krzywdy.

Uzbrajam się w cierpliwość, przestawiam się powoli na inny czas. Ale póki co, z nikim nie pragnęłabym tak mówić o Aleksandrze jak z Tobą. Pamiętaj, że zawsze wierzyłam w Ciebie.

Do Łabędzia napiszę — może odpowie. Czyś pisał o tym milionie ofiarowanym przez bratanicę Aleksandra do Giedroycia? Może by ta suma pokryła „powtórzenia" i „dygresje"?

Może też w końcu wyjdą i wiersze po angielsku i trudy Twoje, i starania nie pójdą na marne.

Z dziennika Aleksandra z dnia 25.11.62 r., a więc miesiąc przed wyjazdem do Berkeley:

„Maniak skrupułów etycznych. Miłosz.

...Ja go wysoko wysoko wysoko cenię, jego rzetelność, podziwiam jego geniusz i bardzo czule go odczuwam".

Całuję Cię z całego serca

Twoja Ola

[61. CZESŁAW MIŁOSZ]

8 V 73

Kochana Olu,

Odpisuję Ci na list z 2 V. Kijowski był tutaj i o pamiętnikach z nim rozmawiałem, ale on tego nie może się podjąć, bo wraca właśnie do Polski. Z Iowa City wyjechał dość dawno z żoną na objazd po Stanach (na zaproszenie State Department) i może Twego listu wcale nie dostał. A teraz jest już w drodze do Warszawy, albo w Warszawie.

Dziwi mnie, że Łabędź tyle ponaobiecywał i nic nie zrobił, ja od niego też nie mam żadnej wiadomości.

Co do Giedroycia, to przestałem cokolwiek rozumieć. Nieprawda, że do niego nie piszę, bo nie tak dawno jeszcze raz go próbowałem przekonać do wydania pamiętników, obiecując, że to i owo gotów jestem w nich poskracać. To znów odpowiedział, że finanse mu na wydanie tak dużego dzieła nie pozwalają. Skąd u niego to uparte powracanie do Ciołkoszowej, nie wiem. Być może to po prostu ludzkie i chce jej jakoś pomóc. Nie uważam się przecież za właściciela czy współwłaściciela pamiętników i w tej materii nie mogę wyrażać ani swojej zgody, ani niezgody. Najwyżej mogę działać jako łącznik pomiędzy Tobą i Slavic Center, który przecie na rzeczy się nie zna i któremu wystarczy, jeżeli będzie wymieniony w polskim wydaniu.

Jeżeli Giedroyc poważnie wyraża chęć wydania i ta Ciołkoszowa jest jego warunkiem, to chyba powinnaś się zgodzić. [Dopisek: Nie mogę Ci jednak doradzić nic naprawdę, bo nie wiem, na czym jej udział ma polegać].

Muszę Ci powiedzieć, że zaprzągłem już dość dawno jednego ze studentów do zrobienia indeksu nazwisk, z datami i krótkimi objaśnieniami kto jest kto, tak że mam całe pudło tych fiszek. Dla kogoś, kto opracowuje, to jest ogromne ułatwienie, bo podane są też stronice, gdzie dane nazwisko się pojawia.

Nie powinnaś mieć poczucia winy. Przecie we wszystkim, co robimy, robimy tyle, ile możemy, a reszta do nas nie należy. Trzeba wierzyć, że książki mają swoje losy. Weź pod uwagę, że książki mogłoby wcale nie być, gdyby nie ten krótki moment, kiedy Slavic Center miał jeszcze pieniądze, i gdyby nie inicjatywa Grossmana. Tak że powinnaś wierzyć, że wszystko dokonuje się wtedy, kiedy powinno, ani za wcześnie, ani za późno.

Osobiście to mam poczucie, że wartość słowa pisanego jest bardzo względna i że pisząc po polsku, tyle światu jestem potrzebny, co gdybym pisał w narzeczu guarani. Tak że ciągła praca jest dla mnie środkiem, żeby zbyt wiele o celowości mego życia nie myśleć.

Ściskam Cię

Czesław

[62. OLA WATOWA]

Paryż, 17 maja 1973

Kochany Czesławie,

W ostatnim liście piszesz: „...Nie uważam się przecież za właściciela czy współwłaściciela pamiętników i w tej materii (Ciołkoszowa) nie mogę wyrażać ani swojej zgody, ani niezgody".

To prawda, że nie jesteś właścicielem, ale jesteś o wiele czymś więcej, bo bez Ciebie, bez Twojej obecności, Twojej osobowości, która fascynowała Aleksandra, bez intelektualnej Twojej podniety, która podczas nagrywania dopingowała go — nie raz — do nadludzkich wysiłków zapanowania nad bólem — pamiętników tych by nie było, mimo że Center miał jeszcze wtedy pieniądze, a szlachetny prof. Grossman tę magnetofonową inicjatywę.

Przed chwilą rozstałam się z Gustawem Herlingiem — pierwsze nasze spotkanie po odejściu Aleksandra. Był bardzo życzliwy. Jak Kijowski, i on uważa, że pamiętniki wymagają redakcji, chociaż przyznał się, że zdążył przeczytać tylko 300 stron (pamiętniki odebrałam w swoim czasie z „Kultury" i są u mnie). Jako przykład skrótów podał to, co ma najświeżej w pamięci, a więc drugi drukowany fragment, w którym mowa o wymordowaniu generałów przez Stalina. „Tak mógłby napisać Mickiewicz" — powiedział. (Zastanawiam się dlaczego?). „Tak można by napisać w powieści fantastycznej". Gustaw widzi Aleksandra, jak go ta wizja ponosi, przypomina sobie swoje z nim rozmowy. — „Ale czy można taką rzecz zostawić w pamiętnikach-dokumentach?".

Wysoko cenię inteligencję i talent pisarski Gustawa, ale czy zgodziwszy się na tego typu skróty, nie zetrzemy właściwego Aleksandrowi kolorytu fantazji, historii widzianej oczyma poety? A może, gdy A. mówił o tych generałach — wypadło żartobliwie, a na piśmie — stwierdzenie poważne?

To on poddał Ciołkoszową Giedroyciowi („Kocham ją, jestem w niej zakochany" powiedział), uważa ją za skarbnicę wiedzy, m.in. jeśli chodzi o dwudziestolecie. Czy uważasz to w tym wypadku za ważne, zważywszy że ten okres Aleksander przeżywał intensywnie i uświadamiał sobie dobrze.

Gustaw proponuje, wiedząc, że bez Ciebie nic nie zadecyduję (czy Ty mnie w końcu nie znienawidzisz?), abym posłała Ciołkoszowej jakieś 100 stron, żeby zrobiła swoją redakcję z ewent.[ualnymi] skrótami (co mnie zaskoczyło, to jego nagłe powiedzenie, że nie jest wykluczone, że Ciołkoszowa może uznać, że żadnych skrótów nie trzeba robić) — żebym Ci to potem przesłała, czy się z jej koncepcją poprawek godzisz.

Ale czy Ty w ogóle chcesz wejść we współpracę z p. Ciołkoszową? I czy ona do współpracy jakiejkolwiek jest skłonna. Wydaje mi się z tego, co o niej słyszałam — autorytatywna i bardzo w sądach swoich niezależna. I chociaż w opinii Gustawa i Olgi Wirskiej jest to osoba niezwykle szlachetna etc., ale znam Twoją u z a s a d n i o n ą alergię na Londyn i w żadnym wypadku nie chciałabym Ci kogoś stamtąd narzucać, chociażby osoby mającej tak dobrą jak pani Ciołkoszowa opinię.

Gdyby więc nie mogło być mowy o w s p ó ł p r a c y z p. C., trzeba z niej zrezygnować, chociażby dlatego, że dla mnie T y jesteś patronem tych pamiętników i, co ogromnie ważne i na co bardzo liczę, i w co wierzę, że zrobisz — to Twoja do nich przedmowa, dotycząca ich historii i ich autora. Nikt poza Tobą zrobić tego nie może i nie powinien.

A teraz druga koncepcja. Dostałam duży list od Kijowskiego, bardzo miły, serdeczny i przepraszający, i wiele starający mi wytłomaczyć, dlaczego on tej redakcji zrobić nie może. W liście tym daje mi adres pani Alicji Fiszman, żony prof. Samuela Fiszmana (znanego rusycysty), którzy są w Ameryce (824 Eastside St. Bloomington, Indiana 47401) i o której pisze, że jest: „...miła, inteligentna osoba, uczciwa i kulturalna (i że) była doskonałą redaktorką. Pracowała w Redakcji Współczesnej PIW-u". Przypuszcza, „że podjęłaby się tej pracy i że sprawiłoby to jej przyjemność". — Ja ze swej strony myślę, że byłaby także zaszczycona ze współpracy z Tobą i p o d d a ł a b y s i ę T w o i m w tej materii sugestiom. A więc ważnej sprawie ewent.[ualnych] skrótów. Do Gustawa już to nazwisko (nie pamięta, jakimi drogami) w związku z pamiętnikami Aleksandra dotarło. Wie, że prof. Fiszman jest człowiekiem b. inteligentnym i wykształconym, ale zastanawia się, w jakim stopniu pani Fiszmanowa jest do tej pracy przygotowana. Ale skoro opracowuje się pod Twoim kierunkiem indeks nazwisk z datami itd., trzeba się zastanowić, co w tym opracowaniu jest ważniejsze? Czy wiedza Ciołkoszowej o dwudziestoleciu, partiach i wszelkich ugrupowaniach, o których przecież Aleksander wiedział, czy też fachowość redaktorska p. Fiszmanowej, jej wieloletnie doświadczenie w pracy nad manuskryptami.

Jeśli chodzi o mnie, mając teraz możliwości finansowe, o których Ci pisałam (mam nadzieję, że u bratanicy Aleksandra nic się w tym względzie nie zmieniło, co w tych dniach sprawdzę i postaram się, żeby te pieniądze przeszły na moje konto), p r a g n ę, aby jak najprędzej, niezależnie, czy pamiętniki te w postaci już zredagowanej spodobają się panu Giedroyciowi, czy nie — aby sprawę tych pamiętników doprowadzić do końca, to znaczy, aby były zredagowane według — na pewno naszej wspólnej koncepcji — a b y ż a d n a k r z y w d a n i e s t a ł a s i ę A l e k s a n d r o w i j a k o p i s a r z o w i i c z ł o w i e k o w i, k t ó r y s a m t y c h s w o i c h p a m i ę t n i k ó w o p r a c o w a ć j u ż n i e m ó g ł. Podkreślam to i piszę Ci o tym, bo przecież losy ludzkie są nieprzewidziane i t o j e s t j a k b y m ó j t e s t a m e n t, k t ó r y s k ł a d a m w T w o j e r ę c e.

W ramach tego miliona franków (w tej chwili trochę więcej niż 2000 dol.) myślę, że można by sfinansować kilkudniowy ewent.[ualny] przyjazd p. Fiszmanowej do Berkeley, gdybyś uważał to za konieczne, a także — poza jej honorarium, wszystkie Twoje koszta związane z ewent.[ualnymi] przesyłkami pocztowymi.

Będę więc znowu czekać na Twoją odpowiedź, a tymczasem p r z e p r a s z a m i d z i ę k u j ę za czas Twój tej sprawie poświęcony.

Ściskam Cię najserdeczniej

Twoja Ola

W związku z zakończeniem Twego listu, w którym piszesz, że zwątpiłeś w wartość słowa pisanego, szczególnie w języku polskim — przypomnij sobie Sołżenicyna, Nadieżdę Mandelsztam, Pasternaka i jeszcze innych, do których i Ty należysz. Do tych kilku „sprawiedliwych", których słowami żywi się sumienie świata.

25 V

Przed chwilą Twój liścik z umowami „Modern Occasions" do podpisania. Zaraz to podpiszę i wyślę. Żałuję, że wiersze się nie ukażą. Ano, co robić? Może nadarzy się jeszcze okazja.

[63. CZESŁAW MIŁOSZ]

30 V 73

Droga Olu,

Naprawdę jest mi trudno coś Ci doradzić.

1. Lidia Ciołkoszowa. Nie znam jej i nie mam pojęcia, na ile jej robota byłaby zgodna z intencjami Aleksandra. Jeżeli on ją cenił, to byłby argument za nią. Pytanie, które sobie zadaję, to czy Giedroyc nie sugerowałby jej skrótów idących po pewnej linii. Moje podejrzenia (choć mogę się zupełnie mylić): że Giedroyciowi zależy na „sowietologii", a że obraz Polski przed 1939 mało go interesuje czy też uważa go za wypaczony, tak że mógłby chcieć „sowietologię" uwypuklać kosztem innych elementów. Ale nie rozporządzam danymi, żeby te podejrzenia czymś podeprzeć.

2. Książka powinna być zachowana, jak jest — jeżeli już trzeba, to z eliminacją powtórzeń. To przecie nie kwestia, czy i w czym Aleksander miał rację. Porównanie do Mickiewicza to znaczy w ustach Herlinga, że Mickiewicz w swoim kursie literatur słowiańskich pozwalał sobie na zupełnie dowolną i niekiedy fantastyczną interpretację historycznych faktów. Ale właśnie w tym cały Mickiewicz. A pewne *buffo* w niektórych ustępach książki Aleksandra nabiera wyrazu w zestawieniu z tonem m ó w i o n y m całości i dlatego na ogół obawiam się skrótów, które zawsze, mniej czy bardziej, ton nowy, gadania, redukują. Jak Ci już kiedyś pisałem, m ó w i o n ą wersję o pobycie w *pieresylnej turmie* w Kijowie uważam za lepszą niż opracowanie samego Aleksandra.

3. Fiszmanowa — Ciołkoszowa. A bo ja wiem. Tej drugiej też nie znam. Tak że za dużo niewiadomych, żeby wyrokować.

Przykro mi, że tylko tyle mogę Ci powiedzieć. Nie bardzo mogę wywnioskować z Twoich listów, czy Giedroyc stawia jakieś wymagania co do rozmiarów książki, tzn. czy widzi ją skróconą o tyle i tyle stron.

Ściskam Cię mocno

Czesław

[64. CZESŁAW MIŁOSZ]

9 VIII 73

Kochana Olu,

Pisałem do Fiszmanowej, ale jak dotąd nie mam odpowiedzi. Powiedziałem w liście do niej, że na wielkie skróty nie liczę i że nie licowałyby z wolą Aleksandra. Tak że wątpię, czy jej praca spełniłaby ewent.[ualne] oczekiwania Giedroycia co do rozmiarów.

Dałem skrypt do czytania dwu eksmarksistom — prof. Baumanowi, który wyemigrował po 1968 i jest teraz profesorem socjologii w Leeds, w Anglii, był tu przez lipiec, i prof. Chodakowi (studia w Moskwie, teraz profesor w Montrealu). Ich opinia: a r c y d z i e ł o. Byli wstrząśnięci, spać nie mogli, czytali nocami. Bauman powiedział, że to jak *Doktor Żiwago* i pamiętniki Nadieżdy Mandelsztam razem.

Nie wiem, czy posyłałem Ci kopię listu w sprawie wierszy Aleksandra. Jak wiesz, ten skrypt błądzi i ciągle brak pieniędzy stoi na przeszkodzie.

Bardzo mnie wzruszyło, że Josif Brodski tak wysoko poezję Aleksandra ceni. (Nb. w Moskwie poezję polską znają. Dostałem niedawno od tamtejszej poetki <znanej> jej wiersze przepisane na maszynie, z czułą dedykacją). Lato niezbyt dobre do załatwiania spraw. Krystyna Pomorska-Jakobson też coś obiecała ewent.[ualnie] od kogoś wycisnąć, ale ona wraca do Cambridge dopiero w połowie września.

Ściskam Cię

Czesław

[65. OLA WATOWA]

24 VIII 73

Kochany Czesławie,

Po morzu w Belgii, u bratanicy Aleksandra, jestem teraz na wsi u przyjaciół moich — Sterlingów. Bardzo tu pięknie. W tej chwili pachnie świeżo skoszona trawa i łączy się we wspomnieniu z zapachem morza i rozległych tamtejszych plaż i diun. A że piszę teraz do Ciebie — także dalekie wspomnienie Waszego domu, jednego z najpiękniejszych dla mnie, w tle zieleni i oceanu, którego ściany zdają się mieć jakąś muzyczną ciszę, prawdziwy schron dla Twojej poezji.

Po powrocie znad morza czekał na mnie Twój list — moja *nourriture terrestre*. Jakie byłoby to pocieszenie dla Aleksandra, te opinie ludzi wybitnych i znawców tematu — dla niego, który życie swoje uważał za zmarnowane, a to, co stworzył, za chybione.

Jaka była jego myśl ostatnia, kiedy połykając czterdzieści nembutali, wypijał ostatnią szklankę wody i kiedy wielka, wielka senność zaczynała go zanurzać w wieczność. Czyżby tylko myśl wielkiej porażki, klęski, bólu i słabości, opuszczenia i samotności?

Gdybym uległa jego nieśmiałej — raz tylko wypowiedzianej prośbie i odeszła z nim razem, wtedy myśli nasze ostatnie byłyby samą miłością i w tej miłości odnalazłby może całą urodę świata i naszego życia? Ale nie zrobiłam tego i odchodził sam, a mnie został żal i gorycz spóźnionego poznania, świadomość mojej małości, słabości, egoizmów, które na co mi się teraz mogą przydać, skoro niczego już nie da się odmienić, niczego naprawić, wytłomaczyć.

Wysłałam dzisiaj list do Łabędzia, którego milczenie staje się czymś nieprzyzwoitym, zważywszy to wszystko, co naobiecywał mnie i Tobie. Zacytowałam mu opinie profesorów Baumana i Chodaka, które mogą mu się przydać w pertraktacjach z ewent.[ualnymi] wydawcami londyńskimi.

Zaczynam podejrzewać, że to nie tylko rozmiary książki i koszta z tym związane stoją na przeszkodzie w wydaniu pamiętników. Czy aby nie to, że zdarzało się Aleksandrowi o Polsce dwudziestolecia dość krytycznie mówić? A reakcja emigracji na opinie żydokomuny nie jest taka sama — to chyba pewne — co na opinie „rdzennego" Polaka. Czy się mylę?

Pani Fiszmanowa jest teraz najpewniej na wakacjach, stąd brak odpowiedzi. Zgadzam się z Tobą co do o g r a n i c z e n i a ilości skrótów i że taka ograniczona ich ilość — Giedroycia nie zadowoli. Co robić? Ja już właściwie postawiłam krzyżyk na tej głuchej ścianie, przez którą tak trudno przeniknąć. Co czuje, co myśli, czego n a p r a w d ę chce i co dla niego ważne i mniej ważne. Jedno jest chyba pewne, że zdaje się nie zdawać sobie sprawy, że bez tej garstki wybitnych umysłów pisarzy emigracyjnych — tak często zdanych na jego łaskę — historia niewiele miałaby o nim do powiedzenia.

Aleksander go nie znosił.

Bardzo uszczęśliwiła mnie i wzruszyła opinia i gest Brodskiego. Spontanicznie przekazałam to w liście Kocikowi z prośbą, aby — o ile to możliwe — robił starania o zdobycie pieniędzy poprzez Rogera Caillois (UNESCO) i Pierre'a Emmanuela, którzy Aleksandra znali i cenili.

Bardzo bym chciała Brodskiemu i p. Jakobsonowej podziękować. Ale nie mam ich adresów.

Ściskam Cię z całego serca

Twoja Ola

[66. OLA WATOWA]

Paryż, 15 X 73

Kochany Czesławie,

Jeszcze walczę, ale czuję się pokonana. Jestem zmęczona i to zmęczenie zawstydza mnie, odbiera po trochu poczucie wartości jakichkolwiek we mnie, w które wierzył Aleksander. Doszłam już do tego, że kochał on mnie chyba przez pomyłkę, że nie jestem tą osobą wartą takiego kochania.

„*C'est l'âge aussi qui vient peut-être, le traître, et nous menace du pire. On n'a plus beaucoup de musique en soi pour faire danser la vie, voilà. Toute la jeunesse est allée mourir déjà au baut du monde dans le silence de vérité. Et où aller dehors, je vous le demande, dès qu'on n'a plus en soi la somme suffisante de délire? La vérité, c'est une agonie qui n'en finit pas. La verité de ce monde c'est la mort. Il faut choisir, mourir ou mentir*". (Céline)

I zaraz myślę o Sacharowie i Sołżenicynie — moich świętych, świętych naszego wieku. Asystujemy przy ich agonii — bezsilni. Bezsilni też wobec tysięcy młodych istnień masakrowanych teraz w Izraelu. Nafta, pieniądze, interesy — oto wartości dominujące w tym potwornym świecie, w którym przyszło nam żyć. Wiem, że piszę „banały", wobec sofistykacji ohydnej wszystkich pojęć primordialnych, które mogłyby jeszcze świadczyć o naszym człowieczeństwie, ale nie wstydzę się ani moich uniesień, ani moich banalności. Wstydzę się tylko mojej bezsilności, mojej depresji, która mnie pokonała, mojej niemożliwości (teraz) życia, niewytrzymywania samotności. Wstydzę się braku woli i energii, aby ważne rzeczy doprowadzić do końca, zadecydować, posegregować. Łapię się na tym, że myślę o śmierci, która by mnie z tych obowiązków wyzwoliła, z obowiązków, z których nie potrafię się wywiązać. Całe życie pracowałam p o d k i e r u n k i e m Aleksandra, teraz bez niego wszystko mi się rozlatuje.

Na mój list optymistyczny do Kota, że mógłby, przez swoje stosunki, zdobyć jakieś pieniądze na wiersze Aleksandra, dostałam odpowiedź, której kopię Ci załączam. Nic w tym kierunku jeszcze nie zrobiłam. P r o s i ć! Czy mam się do nich zwracać?

Dzwonił do mnie z Londynu p. Stypułkowski, jeden z ewent.[ualnych] wydawców proponowanych przez Łabędzia (Polonia Book Fund. LTA, 10, Queen Anne's Gardens, London W.Y. 1 TU), aby przeprosić mnie w imieniu Leopolda, że mi na mój list nie odpisał. Dzwonił i, jakoby, mnie nie zastał. Możliwe, jestem teraz często na wsi u Sterlingów. Leopold jest już teraz w Stanfordzie. Stypułkowski powiedział mi, że Łabędź jest wielkim entuzjastą pamiętników i że Sakowski zamierza je wydać wespół z nim (Stypułkowskim) w 1974 roku! Sakowski jest po zawale i podobno stracił wiele ze swojej energii i przedsiębiorczości. Radzi mi, abym do niego napisała. Nie mówił o skrótach, ale — nieśmiało — o rozmiarach pamiętników i kosztach z tym związanych. A ja łapię się na tym, że mimo zachowania się Giedroycia tej pępowiny łączącej mnie z nadziejami wydania w „Kulturze" — nie przecięłam.

Fiszmanowa nie odezwała się. Czy pisała do Ciebie?

Wybacz mi moje jeremiady. Proszę Cię o pobłażliwość i o zachowanie przyjaźni, której dowody, jakie mi dajesz, są dla mnie wielkim skarbem.

Ściskam Cię

Twoja Ola

Słuchałam ostatnio w telewizji słuchowiska w związku z Céleste, „guwernantką" Prousta, autorką wspomnień o nim, które teraz się ukazały. Szczególnie brutalnie rzucał się na pana Belmont, który Céleste interwiuwował, a potem skrypty opracowywał — Claude Mauriac — za to, że za bardzo je wygładził, zliteralizował (czy można się tak wyrazić?). Oczywiście myślałam o naszych problemach.

Mam ochotę przekazać Ci myśl, która uderzyła mnie w artykule o alchemii (zięcia Sterlinga): „*La connaissance alchimique ne va pas de l'obscurité à la «clarté» du sens, mais de la p e u r d u n o i r à la vie des ténèbres*".

[67. CZESŁAW MIŁOSZ]

20 X 73

Kochana Olu,

Melancholii, którą i ja znam, nie trzeba się poddawać, a np. istnienie Sołżenicyna, który j e d e n nadziałał tak dużo w świecie, powinno przeciwko melancholii świadczyć.

Łabędź w rozmowie telefonicznej ze Stanfordu to samo mi powiedział co Stypułkowski. Że Łabędź do Ciebie parokrotnie dzwonił i nie zastał, też prawda. Sakowski p o w i e d z i a ł, że wyda pamiętniki w 1974. Chodzi o jeden tom, drugi wydałby Stypułkowski. Kłopot w tym, że Łabędź zużył dużo energii na wyciśnięcie z Sakowskiego obietnicy n a p i ś m i e, i bez skutku. Niemniej Łabędź spodziewa się, że Sakowski wywiąże się z obietnicy. Fiszmanowa na mój list do niej też nie odpowiedziała. Kwestia edytorskiego opracowania jest więc ciągle otwarta.

Co do tomu wierszy, to napisz do Kazimierza Vincenza, do Fundacji im. Godlewskich. Ja go znam i gotów jestem ze swojej strony do niego napisać, ale nie znam adresu Fundacji. To jest jedna możliwość. Druga to UNESCO. Nie wierzę jednak w zwracanie się do ludzi nieznajomych. Postaram się wysondować, jaki klawisz tam trzeba nacisnąć. To nie są jedyne możliwości. Są i inne. Mam to w pamięci. Oczywiście przygnębia Ciebie, że to wszystko tak się wlecze. Rozumiem to, ale na kole wydawniczej ruletki numery wychodzą kolejno i jeżeli wierzy się w niejednakową wartość czegoś, nie trzeba się niepokoić.

Ja przełożyłem na angielski książki Oskara Miłosza *Ars Magna* i *Les Arcanes* (coś dla zięcia Sterlingów!) i niezbyt mnie przejmuje, który wydawca to weźmie i kiedy. Wielu dzielnych ludzi nie zgodziłoby się ze zdaniem Céline'a, że „*il faut choisir, mourir ou mentir*". Rzecz w tym, że jeżeli ich czcimy, to wolimy im wierzyć niż Céline'owi, który ludzkości mało się zasłużył. Może to argument *ad hominem*, ale nie do pogardzenia.

Ściskam Cię mocno

Czesław

[68. OLA WATOWA]

Paryż, 5 XI 73

Kochany Czesławie,

Dziękuję Ci za list, który pomógł mi bardzo, bo wskazał słabiznę moich rozważań na tematy dla mnie b. istotne i dał mi podporę i drogowskaz w Twoich na ten temat pomyśleniach.

Do p. Fiszmanowej jeszcze raz napisałam i powinnam w tych dniach mieć odpowiedź. Gdyby ona odpadła, komu by powierzyć kwestię edytorskiego opracowania? Na razie bratanica Aleksandra dała mi 2500 fr. i zapewniła, że będę miała do dyspozycji obiecany milion (starych franków). Zastanów się, czy nie znalazłby się ktoś, do kogo Ty byś miał zaufanie i kto by się tej pracy podjął.

Do Kazimierza Vincenza piszę jednocześnie na adres, który dostałam z „Kultury" (adresu fundacji Godlewskiego nie mają). Adres jego: Case Postale 145, 4500 Solothurn, Suisse.

Napisał do mnie znowu p. Stypułkowski (Polonia Book...), zapowiadając swój przyjazd do Paryża między 23 a 26 listopada: „w nadziei, że będziemy mogli porozmawiać na temat wydania książki śp. męża Pani". Prosi mnie, abym napisała do Sakowskiego, co robię teraz.

Bardzo mi jesteś drogi, bardzo istotny w moim życiu.

Ściskam Cię więc mocno

Twoja Ola

[69. OLA WATOWA]

11.1.74

Kochany Czesławie,

Przed chwilą dostałam list od p. Fiszmanowej, który Ci przesyłam. Co robić, jak postąpić, do kogo się zwrócić?

Mój drogi — już nie gniewaj się na mnie. Pomóż, tak jak dotąd mi pomagałeś.

Ściskam Cię najserdeczniej

Twoja Ola

[List Alicji Fiszmanowej do Oli Watowej:]

Bloomington, 7 I 1974

Szanowna Pani!

Strasznie mi przykro, ale moje sprawy skomplikowały się i niestety będę musiała zrezygnować z redagowania *Pamiętników* Pani Męża. Wyłoniła się perspektywa stałej pracy, w związku z czym muszę jeszcze w tym semestrze trochę się jeszcze pouczyć. Zresztą muszę przyznać, że jak zabrałam się do redakcji *Pamiętników*, uzmysłowiłam sobie, jakie to będzie trudne bez możliwości omawiania tych spraw bezpośrednio z Panem Miłoszem. I sądzę, że dla dobra sprawy lepiej będzie, jak zrobi to ktoś z katedry Profesora Miłosza pod Jego osobistym, bezpośrednim kierunkiem. Proszę mi wybaczyć, że wprowadziłam trochę zamieszania, ale w rezultacie tak będzie lepiej.

Łączę wyrazy prawdziwego poważania

Alicja Fiszman

Aneks

ALEKSANDER WAT

WIERSZE, O KTÓRYCH MOWA W LISTACH

POŚLUBIONA

Na nasze czterdziestolecie

...L'Epousée au front diaphane
Lis pur qu'un rien terni et fane.
Sully Prudhomme, *L'Epousée*

Niech nie odkrywa Jej okiem,
Póki nie przemył go w świetle
Ranka, w śniegach góry dalekiej,
Na łagodnych pagórach ziół,
W strumieniu kantat Jana Sebastiana
Bacha.

Niech nie kładzie na Niej ręki,
Póki nie zmył z niej gwałtów. Krwi.
Przelanej. Przyjętej. I nie wytrawił
Czułością, dobrymi uczynkami,
Znojem prac w ziemi rodzicielce,
Grą na klawesynie albo okarynie.

Niech nie zbliża do Niej ust,
Póki nie spłukał kłamstwa,
Póki nie pił z wody źródła żywej,
Póki ich nie wypalił w ogniu żywym,
Póki nie uświęcił w Tabernaculum
Łaski i słodyczy.

Palma de Mallorca, w nocy z 18 na 19 stycznia 1967 r.

PIEŚNI WĘDROWCA

XI

Na nasze 35-lecie
Żonie

W modliszek wplątani frenezje:
Co szczytniejszego stworzyła Natura
nad rodzinę? Mąż, żona, dziecię —
złoty podział rodzaju, mniejsze większym się staje,
i tak odnawia się ród w festonach czasu.
Górski potoku
I dna bazalcie
Wzlotu opoko
Domu wahadło
Serca imadło
Konwalio duszy
Ciszy contralto
I wierny całun
Smutku fiolecie,
Gdy zima prószy.
O, ciepła ziemio
Szczytów i dolin!
W doli–niedoli
Siostro moja syjamska
Oblubienico.

La Messuguière, styczeń–kwiecień 1962

* * *

Dla Leopolda Łabędzia

...frisst der Grimm seine Gestaltungen in sich hinein.
Hegel

Co ja na to poradzę że dla ciebie
lumen jestem obscurum? Wierz mi że w sobie
siebie samego zawieram jako punkt jasny.
Nawet przezroczysty. Na smudze Chaosu,
ano tak, ciemnej. Ale
nieporozumienie
semantyczne dziś wszystkim króluje.

Nie zapominaj wszakże, mój Hipolicie:
obaj jesteśmy grzecznymi chłopczykami
w kapeluszach ze słomki i w białych bluzach
z granatową wypustką, gdy wczesnym rankiem
wybrali się na motyle. Ku nocy zaś
ganiają za zygzakami błyskawic,
zziajani śmiertelnie. Późno...
Bo i one
Chaosu nie rozedrą! Nic Chaosu nie
rozedrze. On rozdziera sam siebie. Żrąc
siebie, kawał po kawale, nienasy-
cony.
A ja nic na to nie mogę poradzić,
drogi przyjacielu.

Paryż, lipiec 1963

HÖLDERLIN

— Uniosłem klawesynu wieko czarne
I struny rwę. Aż pozostaną dwie.
Ja na tych dwóch swój koncert pożegnalny
na jednej — TAK, na drugiej zagram NIE.

TAK — w zachwyceniu śpiewam Nieodmiennej,
a dla was zawsze: Nein, Altesse.
Gdy patrzy na mnie wąż z zarośli ciemnej,
co ja? — Scardanelli, avec humilité.

Że wzorem życia był mi Empedokles:
nie mądrość króla, ani wieszczka próżność —
jak w Etnę on, na obłęd skoczyć oklep,
uwierzytelnić swą nieprzynależność.

I w nieprzekraczalne góry i parowy!
i w niedocieczone sploty dróg!
gdzie zbiec przed Łowcą, gdzie biec na Łowy,
gdzie władcą być, gdzie ostatnim z sług.

— Poezja gospodarzem ziemi, zatem
gospodarujmy skromnie i bez chimer:
pod tobą Neckar, spacer w regle latem,
zimą przy piecu, piosenka Lotty Zimmer.

Szalony, kto by w sens i w kształt
Chimery myśl i serce wkreślił.
Eufratu grody puste! Pusta droga z Alp!
i nie ma, nie ma
niebian w domu cieśli.

— „Powaby tego świata dawno już strawione
i radość młodych lat — od lat! od lat! stracona.

Już kwiecień minął, lato już się skryło.
I ledwo jestem, i żyć mi niemiło".

Zmęczonym kluczem odlatują ptaki,
gdy złoto dzwonu czas obwieszcza im.
Ja wszędzie widzę złowróżebne znaki,
drogi są błędne, noc zstępuje w rym.
Girlandy sów na jodłach, wiatr
na ciemnym lustrze wód namarszcza twoją twarz,
Diotymo
Spowiną dymy mnie z porozpalanych watr.
Wołają fajfry mnie na długi nocny marsz.

36 ostatnich lat Hölderlin przeżył w obłąkaniu, w domu cieśli Zimmera, w Tybindze. Odwiedzających tytułował „Altesse Royale" i na pytania odpowiadał zawsze: „Nie". Ostatnie wiersze podpisywał „avec humilité, Scardanelli". „Droga z Alp", „Eufratu ogrody", „Poezja gospodarzem ziemi" („dichterisch wohnet der Mensch auf dieser Erde") — z jego wierszy. Czterowiersz w cudzysłowie brzmi w oryginale: „Das Angenehme dieser Welt hab ich genossen. Der Jugend Freuden sind wie lang! wie lang! verflossen. April und Mai und Julius sind ferne. Ich bin nichts mehr, ich lebe nicht mehr gerne". [przypis autora]

JEDNA Z PRZYPOWIASTEK ANUSI MIKULAK

Opowiem ci kazanie
jak chłop mi zjadł śniadanie
opowiedziałbym ci więcej
ale baba siedzi za piecem i jęczy
jak grzmotnę tę babę o piec
wyskoczy z niej malowany chłopiec
a z tego chłopca
baran i owca
a z owcy i barana
kościół malowany
Do tego kościoła ludzie nie chcieli chodzić
Musiał ich ksiądz i organista na postronkach wodzić

ludzie do boru uciekali.
A gdzie ten bór?

ODJAZD NA SYCYLIĘ

1
Barwy, w których ja gustuję,
motyl od nich odfruwa
z odrazą.
Kwiaty, które ja maluję,
nie wstawiaj ich do wazonu —
pęknie wazon.
Pejzaże, śród których ja wiosłuję,
Bosch by ich nie ścierpiał
tak nie cierpiał.

2
Próchno, uwiąd, pleśń,
siwych włosów chochoły
i chichot śród nich wichru, natury
naga kość — jesień! Jesień!
Autumnus frugifer — co za szyderstwo!
Owoce ojcowie zjedli, synom została próchnica.
I wiatr. Dujawica.

3
A jednak. Są rzeki, na których
na których kolebie się piękno jeszcze nie wyznane.
Są krzaki, na których
na których jagody spełniają się jeszcze w dnia purpurze.
Tam gdzie jaszczurki mruczą słońcem dnia upite,
szczęście tam pływa leniwie noc objąwszy ramieniem.
Są brzegi, gdzie kamień zakwita, nawet kamień, właśnie kamień.
Ale nie dla mnie one, nie dla mnie.

4
To nie ogrody Hesperyd.
Cywilizacje chore i delikatne
nie owocują już. Cień z północy

zmroził zawiązki. Ślad mongolskiego konia
na złotym piasku, który zasypał
miast labirynty. I konik polny
głowę ująwszy w ręce wzniesione wysoko
zdaje się płakać.

5
To nie ogrody Hesperyd. Ale
dzieciństwo nam pozłacały
ich jabłka zdrowe i soki słońcowe.
W jabłoń wszczepieni ich odtwarzaliśmy gesty.
Miłości. I wiary. Zachwytu i grozy.
Gestykulacje poronne!
zapatrzonych w miraże
cywilizacji
                    chorej i delikatnej.

6
Słodkie Sodomy! w których nie bywałem
jako uczestnik, ni jako anioł
anioł zagładę niosący.
Gorzka nagroda nieobecności
i cierpki cnót przymusowych plaster.
Nie owocuje już ogród, on nie jest Hesperyd ogrodem.
Patrz. Wenus wypływa na niebo a Saturn już czeka pożerca.
I woń migdałowa owiewa nas, woń
cywilizacyi roztartych na miazgę
czułych i delikatnych.

Rzym, styczeń 1957

NECELH IJDARA

W snach mej starości
jak motyw muzyczny
ustawicznie
powraca
Kreolka z siwymi włosami.

Stara, więcej niż stara
a czoło bez zmarszczek
miedziane
w cieniu jak posąg
nieruchoma stoi
oczy jej tylko oczy jej tylko idą za mną ustawicznie.
Nie schronić się
przed Kreolki oczami.

Mówi zaś w swoim ptasim narzeczu
mówi ustawicznie, a nie porusza wargami.
Z bryzgów jej ptasiej wymowy
jedyne co chwytam
to dwa wyrazy
ustawicznie
powracają:
necelh ijdara.

W stu wertowałem słownikach!
Ludzi pytałem uczonych!
Nikt nie wie
co oznaczają
te dwa wyrazy
necelh ijdara.

Ja jednak wiem
nad wiedzę wszelką —
te dwa wyrazy

tłumaczą wszystko
sens mego życia
cel mych porażek
kres moich cierpień.

O, kto mi powie
co oznaczają
te dwa wyrazy:
necelh ijdara!
W pocie skąpany
budzę się ze snu
siwa Kreolka
z czołem miedzianym
stoi jak posąg
ściga mnie wzrokiem
w ptasim narzeczu
śpiewa:
necelh ijdara
necelh ijdara.

W pocie skąpany
budzę się z jawy
oczu jej z twarzy swojej nie zetrę
z głowy już słów jej nie wytłukę.

O, wiedzieć, wiedzieć
co oznaczają
te dwa wyrazy
necelh ijdara.

Vence, wrzesień 1956

JAPOŃSKIE ŁUCZNICTWO

1

Ręka mówi cięciwie:
  Posłuszną bądź.
Cięciwa odpowiada ręce:
  Dzielnie trąć.
Strzale mówi cięciwa:
  Strzało leć.
Strzała odpowiada cięciwie:
  Pęd mój wznieć.
Strzała celowi mówi:
  Celu świeć.
Cel odpowiada strzale:
  Kochaj mnie.

2

Mówi cel strzale cięciwie ręce oku:
  Ta twam asi.
Co znaczy w świętym języku:
  Ja jestem Ty.

3

(Dopisek chrześcijanina:
  Matko Boska
czuwaj nad celem, łukiem, strzałą
  i łucznikiem.)

Nesles-la-Gilberde, sierpień 1956

POTĘPIONY

Najpierw przyśnił się młynek do kawy.
Najpospolitszy. Taki sobie staroświecki. Ciemnokawowy w kolorze.
(Dzieckiem lubiłem odmykać klapkę, zajrzeć i natychmiast zatrzasnąć. Z trwogą, z drżeniem! Aż zęby dzwoniły! Było mi tak, jakobym ja tam był w środku kruszony! Zawsze wiedziałem, że muszę źle skończyć).
Najpierw zatem był młynek do kawy.
A może się tylko tak zdawało, bo w chwilę potem stał już tam
młyn z wiatrakiem.
Stał ten młyn na morzu, na linii horyzontu, na samym jej środku.
Cztery skrzydła obracały się z trzaskiem. Pewno kogoś kruszyły.
A na szczycie każdego
ekwilibrysta w bieli
obracał się w takt melodii z „Wesołej wdówki"
wsparty na skrzydle lewą dłonią płynął płynnie
srebrny płomień bijący stopami w eterze.
Potem gasł. Jeden po drugim. I byłoby ciemno, gdyby się księżyc
nie palił.
O, skąd się one tu wzięły? Woltyżerki?! Woltyżerki moje lube!
Lekkie na ciężkich choć szybkich perszeronach
cwałują jedna za drugą, a widzę ich krocie,
jedne w falbankach z tiulu, inne — nagusie w czarnych jedwabnych
pończoszkach,
inne w dżetach — w złotych, turkusowych, w czarnych i tęczowych,
lędźwia jak cukier białe! Jak zęby! I mocne, Boże mocny, jak mocne!
(Chłopcem marzyłem: woltyżerka — tylko woltyżerka! osiodła wielką miłość mego życia! Ha! nigdy nie znałem żadnej. I tak jest pewno lepiej, bo i cóż by to było za stadło: woltyżerka i księgowy w upaństwowionym zakładzie pogrzebowym).
Ba! nic nie trwa wiecznie. Bo w chwilę później
zamiast woltyżerek defilowały Sabinki, w zbrojach niewiasty,
o wiele bądź co bądź trywialniejsze
(jedenaście lat temu kochałem się w pewnej Sabinie, rozwódce, cóż kiedy bez wzajemności).

Sabinki zatem
nie porwane — owszem, porywające. Dokąd?
Dokąd? Czy to ja wiem dokąd?!
W każdym bądź razie — ku zatracie.

Obudziłem się. Wiedziałem, że muszę źle skończyć.

Saint-Mandé, czerwiec 1956

W BARZE, GDZIEŚ W OKOLICACH SÈVRES-BABYLONE (Z KICZÓW PARYSKICH)

Przy cynku siedziała dziewka. Oczy miała utkwione
w kielichu, z którego przez słomkę ciągnęła ciecz rubinową.
Była wcale niestara. Tęga. Rysy brutalne,
charakter ubierał je w godność jednak, nawet dostojną.
Wciąż jeszcze trwała zima. Ranek był cudownie słoneczny.
Paryż z mgły się wyłuskał tęczowo-akwamarynowej.
Za szybą i placem kościółek. Stamtąd dzwoniono właśnie.
Nie wiem z jakiego powodu.

Dziewka uniosła powieki. Jak baletnica unosi się
na czubkach palców. Ale jej buro-żółte źrenice
były skamieniałe. A jednak taiły w środku
płomyk a może i światło
światło więzione w bursztynie.
To ją czyniło podobną do Sybilli Kumejskiej,
zasiadłej na stołku przed cynkiem, z nogami rozstawionemi.

Omiotła salę spojrzeniem, niedbale profesjonalnym,
otaksowała dwóch starców ponad dominem przygiętych
i zawahała się nagle, spotkawszy moje tu oczy —
niepewna, czy aby nie jestem nieśmiałym aspirantem
do piersi jej twardych i tęgich, do nóg wyrąbanych z kamienia
w czarnych i ażurowych, findesieclowych pończochach.
— (Gdzie je ona znalazła w tej naszej dobie nylonu —
modelka Toulouse-Lautreców,
babilońska wszetecznica?)

Lecz zaraz spostrzegłszy pomyłkę, zwolna cofnęła spojrzenie,
nakryła je grubą powieką jak abażurem z cyny.
I znów utkwiła źrenice w kielichu bardzo wysokim,
z którego ciągnęła przez słomkę ciecz rubinowo-krwawą.

Dzwony z kościółka dzwoniły coraz to natarczywiej,
z lustra patrzała twarz moja — tu jakaś obca, nie-moja.

Z ulicy przez drzwi uchylone weszły dwa duże koty
krok w krok a jeden za drugim, przezornie i wolno stąpając,
obydwa opasłe i bure. Machając rytmicznie ogonem,
jak żołnierz ręką w paradzie wobec tysiąca par oczu,
podeszły do dziewki blisko, otarły się o jej nogi,
za czym leniwie zaległy z obu stron taburetu —
rzekłbyś: dwa sfinksy drzemiące na straży chmurnego grobowca.

Z twarzy okamieniałej spełzło surowe napięcie.
To był relax.
To chwila szczęścia.

PRZED WYSTAWĄ

Świat nasz. Tak mały,
że jedna gitara
wystarczy
by go zaludnić dźwiękami —
gdy gra na niej Miłość.

Miłości nie widać
choć jest obecna.

Obok gitary patera z jabłkami
— insygnium królewskie
znane z taroka;
uświadomienie sobie złego-dobrego;
owoc Hesperyd
lecz nie ze złota,
owszem z kolorów
naszego świata
który tak mały,
że jedna gitara
wystarczy
itd.

Wszystko to widać
oprócz Miłości
której nie widać
choć jest obecna
na małej wystawie
marchanda obrazów
na Faubourg Saint-Honoré

Paryż, grudzień 1955

Z PERSKICH PRZYPOWIEŚCI

Nad wielką bystrą wodą
na brzegu kamienistym
leżała czaszka
krzyczała: Allah jah illah.

I tyle w tym krzyku grozy
i tyle było błagania
i taka jej była rozpacz,
że spytałem sternika:

O co tu jeszcze błagać? I co ją jeszcze trwoży?
Jaki ją może nad to porazić wyrok boży?

Wtem nadbiegła fala
pochwyciła czaszkę
i rozkołysawszy
zdruzgotała o brzeg.

Nic nie jest ostateczne
— powiedział sternik głucho —
i nie ma dna gorszemu.

Nesles-la-Gilberde, sierpień 1956

WIERSZ OSTATNI

Schodzenie
schodzenie
ciągle schodzenie
I żebym to ja sam!
w zaciszu, po ciemku.
Te przede mną, za mną
obok nogi
przeganiają
ten stukot butów, to dudnienie
w metro Châtelet?
Tylko jeden nieruchomy
beznogi akordeonista charon.
I gdzie ja się zabłąkałem?
Eurydyce? Eurydyce!
Schodzenie
Schodzenie
ciągle schodzenie
ciągle w dół
schodzenie
a jutro stwierdzą
to tylko trzy łokcie pod ziemią.

Antony, 31 maj 1967

ALEKSANDER WAT

NASTĄPIŁ KRACH... WYPISY

DZIENNIK BEZ SAMOGŁOSEK

[Berkeley] 30 V 1964

Po trzech miesiącach piekła może najgorszego, bo już bez śladu chęci czegokolwiek poza wiekuistym nieistnieniem, bez cienia wrażliwości na cokolwiek poza rozpaczliwą troską o los Oli i Andrzeja, i z pełniejszą niż kiedykolwiek świadomością sytuacji moralnej (zobowiązania amerykańskie) i życiowej, bez wyjścia z wielu trosk, jakichkolwiek perspektyw na przyszłość, z pełnym poczuciem kupy śmieci zapisanych za sobą, z zupełną niemożnością pracy, która uratuje z niej jakąś wartość, i z rekapitulacją życia, która zatrzymuje i obsesyjnie rozpamiętywa tylko to, co było brudne, tchórzliwe, fałszywe, chybione. Słowem, stały ból fizyczny taki, że nie zostawia miejsca na żadne przesublimowania, na żadną nadzieję i na żadną wobec siebie wyrozumiałość. [...]

KARTKI NA WIETRZE

Słowem, w 1963, gdy ubecki konsulat w Paryżu zmusił mnie do bolesnego odcięcia się od kraju, odbyło się to w warunkach jak najgorszych. Ale wymknąłem się do Ziemi Obiecanej, do Berkeley, do klimatu łagodnego, do ludzi dobrych, ludzkich.

Klimat okazał się dla mnie najfatalniejszy. Cykl czterech pór roku w każdej dobie, ciągła bryza od oceanu, słowem skoki temperatury i wiatr, który zawsze działa na mnie jak ogień. W dodatku lekarze tamtejsi, którzy z dobroci nie mogą ścierpieć ludzkiego cierpienia, dawali mi w dużych ilościach lek szkaradny — percodan, który pomaga na bóle, bo przytępia umysł, wyobraźnię, wrażliwość, pamięć, zabija życie wewnętrzne. Gdybyż tylko to. Miałem w sobie tyle dynamiki myśli, że z zaciśniętymi zębami, ale byłbym pracował, i tak było w istocie w pierwszych tygodniach. [...] Dawano mi co miesiąc, owszem, duże czeki, ale nagle zrobiła się dookoła nas pustka, o tyleż dotkliwsza, że przyjęto nas (Amerykanie i miejscowi Rosjanie, a także Polacy: prof. Lednicki, Pawlikowski, pani Harwat, Maria Tarska) bardzo gorąco. Uniwersytet płacił, ale przestał na mnie liczyć, interesować się. [...]

Sute czeki, które dostawałem regularnie, teraz już na nic, były dodatkowym cierpieniem. Nie mogłem ich nie brać, nie mieliśmy dokąd i za co uciec. Arcyzacny, mądry dr Grossman, który mnie sprowadził, przychodził mnie pocieszać, żebym się tym nie gryzł, że uniwersytet bogaty i ludzki, że przyjeżdżają ludzie zdrowi i nic nie robią, a tu siła wyższa, choroba. Cóż to za pocieszenia. Straciłem 28 kilo, w końcu wylądowałem w szpitalu. I przedłużył mi pobyt o pół roku z własnej inicjatywy.

A wtedy, kiedy leżałem najniżej, wszystko się odmieniło. Ba, proponowano mi nawet przedłużyć pobyt o dalsze pół roku — o to starał się najwięcej prof. Lednicki, który darzył nas taktowną przyjaźnią. Ale mieliśmy już oszczędności i nie było mowy o dalszym pobycie. Poza tym dookoła żony mojej, która ma dar zyskiwania sobie ludzi, powstał prawdziwy mur ochronny z osób dopiero tam poznanych, inaczej załamałaby się, chociaż jest niezmiernie w przeciwnościach silna, po tylu biedach.

Dr Grossman zaproponował mi, aby podnieść moje morale, abym — nie mogąc pisać — zapisał swoje memuary na magnetofonie. Miłosz zaofiarował się być słuchaczem-interpelatorem. Odbyliśmy łącznie 39 seansów półtoragodzinnych, materiał niespełna 2000-stronicowy, niestety tylko do 1943, który to rok był przecież najważniejszym, bohaterskim rokiem mego życia — bunt przeciw przemocy sowieckiej, zbuntowanie *posiołka* w okresie przymusowej paszportyzacji, siedzenie z elitą bandycką, którzy mieli mnie katowaniem zmusić do zgody, a stali się od razu moimi protektorami itd.

Trudno o bardziej wnikliwego, bardziej inteligentnego i pobudzającego słuchacza niż Miłosz! [...]

Do Paryża wróciłem zasobny w te berkeleyowskie niezasłużone dolary: amerykański skarb zwrócił mi potrącone podatki i dzięki temu dotąd nie musiałem wyciągać ręki, czego zresztą nie uczynię. Ale stan mój i bóle moje, i leki przeciwbólowe uczyniły mnie stuprocentowym inwalidą. Zacząłem opracowywać obiecaną dla *Center* książkę z materiałów berkeleyowskich. Po paru miesiącach musiałem poniechać, był to temat podwójnie chorobotwórczy przez sam bolesny bieg tych przeżyć i wypadków, które muszę na nowo przeżyć, odczuwać, aby oddać je z siłą i oryginalnością, aby nie dublować setek innych książek już ogłoszonych na ten temat, a także przez nałożone na nie potworne doświadczenia w Berkeley. Tak więc umrę haniebnie jako bankrut, z niespłaconym długiem zaciągniętym wobec Uniwersytetu Kalifornijskiego i wobec fundacji New Land. A moja biedna żona?

Oto historia bezładna (po nowych percodanach i cierpieniach) ostatniej klęski ostatnich moich lat. Za dużo w tym opowiadaniu o złości rodaków, której doświadczyłem, ale byłoby niesprawiedliwie pominąć milczeniem tę ogromną sumę dobra, której od ludzi bliskich i obcych, rodaków i obcojęzycznych, doznałem zwłaszcza od 1943. [...]

ALEKSANDER WAT

MOJA ŻONA

Czterdzieści lat wiernej czułości i oddania. Miłość nasza była i parząca, i gwałtowna, i zachowała czystość, pomimo mojego zepsucia. Siła jej czystości jest tak niewzruszona, że efemeryczna niedobra myśl lub uczucie, słowo czy uczynek nie zostawia na niej żadnego śladu. Przez wszystkie liczne nasze biedy i nędze, i męki zachowała swoje piękno promieniujące z pięknej duszy. Wątłego zdrowia, przewrażliwiona, poddana lekom i neurozom, we wszystkich licznych najcięższych próbach, których było tak wiele, znajdowała w sobie i znajduje hart, siłę, męstwo, szlachetność wszystkich swoich pobudek. Gdy otwierały się przede mną możliwości kariery, wygodnego i błyszczącego życia, to ona pilnowała, bym nie uległ pokusie konformizmu. Gdy bywałem na dnie choroby i małoduszności, ona nieodstępnie czuwała nade mną i wspierała mnie [w] każdej chwili z cierpliwością, którą może dać tylko miłość najczystsza. Skąd tak wątła, życiowo niezaprawna, tak subtelna i krucha jak motyl, umiała czerpać żelazną siłę, żeby przetrwać w długich, licznych, ciężkich przeprawach i żeby przeprowadzić przez nie męża i syna.

Ona, która za dobrych czasów bała się sama zostać w mieszkaniu, która dotąd boi się myszy i z trudem znosi przeziębienie najlżejsze, robiła trzydzieści kilometrów, żeby w stepach kazachstańskich zdobyć trochę mleka i mąki dla ginącego, marniejącego z głodu syna — sama głodna i bez pomocy. Gdy lody ruszały i miejscowi przewodnicy odmawiali wyruszenia w step — szła sama, w samotności, którą ożywiało tylko wycie wilków.

Jak potrafiła uratować siebie, dziecko dla mnie? Gdy odnaleźliśmy się wszyscy troje u krańców wyczerpania głodowego, w roku 1941, zaczęła się seria długich, ciężkich moich chorób. Przez tych lat 26 — siedemnaście pobytów moich w szpitalach, w Polsce i w Kazachstanie, w Szwecji i w Paryżu, i męka przyglądania się moim wielomiesięcznym męczarniom, które, ponieważ jesteśmy jak rodzeństwo syjamskie, odczuwała podwójnie i znosiła podwójnie, bo i we własnym ciele i duszy. I nigdy wobec mnie nie załamywała się, chociaż wychodząc jeszcze uśmiechnięta ode mnie, padała zemdlona na korytarzu szpitalnym. Te moje wielotygodniowe straszne tyfusy, zwłaszcza w Ili na sali, gdzie leżałem śród dwudziestu umrzyków, w brudzie, bez leków, odżywiany jedynie kaszką manną, odstępowała mnie tylko, żeby pojechać na *tołkuczkę* i zamienić ostatnią odzież na jedzenie dla mnie. Nocnym pociągiem do Ałma Aty. Potem, by ugotować je na pozbieranym w stepie kiziaku. To czuwanie nade mną. Kiedy mi się już nos wydłużał i siniałem, i nie było żadnej pomocy poza modlitwą jej miłości i współodczuwania. Przy konającym, przy epileptyku, co chwila zrywającym się z drętwą ręką wzniesioną i krzykiem, przy uśpionym anamnetyku na „Syberii", musiała dodawać mi otuchy, karmiła mnie [nią] jak powietrzem, kiedy jednocześnie miesiącami walczyła zażarcie o syna, którego ZMP uwzięło się wyrzucić z Uniwersytetu, co groziło mu karnym oddziałem w wojsku i pewnym zmarnowaniem.

Ile niekończącej się cierpliwości, gdy leżałem tygodniami w bólach, niszczących bólach, które nawiedzają mnie ciągle od lat czternastu, tygodniami, w Warszawie, w Mentonie, w Nervi, w Paryżu, w Brukseli, w Knocke, w Berkeley, w tej tułaczce, w której na próżno uciekamy od choroby. I wystarczył lepszy czas między tymi pobytami w piekle, aby odnalazła młodość i urodę. Jak często bywałem niesprawiedliwy. Podrażnienie jest składnikiem mojej choroby, raniący, okrutny, gdy doprowadzałem ją do kresu wytrzymałości, bo wymagałem, aby nieodmiennie była dzielna i nieskończenie cierpliwa, optymistyczna i zdrowa, i bez przerwy czuła dla mnie i wyrozumiała.

Błagam Boga, w którego nie wiem, nie umiem wiedzieć, czy wierzę, aby dał jej pogodną starość beze mnie. Błagam ją, ponieważ jesteśmy tak zrośnięci, że niemożnością jest, abyśmy byli jedno bez drugiego, nawet po śmierci, aby — na miłość Boską — nie rozpaczała. Dla siebie i dla mego spokoju, który mi się już naprawdę należy. Błagam syna, najbliższych, przyjaciół i życzliwych, aby byli dla niej dobrzy i by jej nie opuszczali.

Nie zasłużyłem sobie i nie zasługuję na nią.

ALEKSANDER WAT

LIST OSTATNI

[1967]

Zawsze, zawsze i szczególnie zawsze, gdy wróci myśl o mnie uprzytomnić sobie i pamiętać:

że już się nie męczę, że jestem wolny od tortur, które znosiłem 15 z górą lat, a więc szczęście — i elementarna mizerykordia — nakazuje przyjąć to, akceptować,

że jestem obecny w moich najbliższych, w ich pamięci żyję, że ich rozpacz pada na mnie, a ja już powinienem mieć spokój — to nie spekulacje mistyczne, mówię to z całym realizmem i trzeźwością logiczną, wiem na pewno, że coś co jest identyczne w jakiś [sposób] nie do uchwycenia z tym moim ja dręczonym przez bóle, będzie, nie wiem jak, ale będzie udręczone nadal waszą rozpaczą. Nie wolno zatem rozpaczać, trzeba przy pokusie rozpaczy uprzytomnić sobie dobrodziejstwo mojego wyzwolenia. Wasza przyszła rozpacz jest najcięższą najtrudniejszą barierą dla mnie i będzie mnie zabijać aż do najostatniejszej chwili, więc już teraz mówię sobie, że naprawdę usłuchacie mnie i nie będziecie rozpaczać, i to, że mówię to sobie i zapewniam siebie i będę zapewniał w najostatniejszej chwili, to i was zobowiązuje, moja biedna i zawsze kochana piękna wierna żono i Ty kochany Andrzeju.

[notatki, wśród których znajdował się list:]

Nie mogę już a b s o l u t n i e przebacz zbrodnię
LAISSEZ MOI MOURIR
Occupez vous de ma femme
Telephonnez à mon fils MED 8955 et à dr Vallette!
Appliquez à elle Librium

NIE RATOWAĆ

Przebacz mi moją straszną zbrodnię. Chciałem ciągnąć agonię, już absolutnie niemożliwe. To i tak nie do uniknięcia, nic nie pomoże żadne leczenie, parę kilka tygodni, a teraz coraz gorzej byłoby.

Przebacz, błagam nie rozpaczaj. Myśl że skończyła się moja męczarnia, nawet Ty nie znałaś jej głębi całej. Kochana, żyj. Dobranoc moje światło, Dobranoc moja Kochana, Dobranoc Olu.

Andrzeju Kochany nie załamuj się, myśl o mamie, zajmij się mamą.

Andrzeju Roma Kochani opiekujcie się dobrze moją Olą

Przebaczcie mi. Żadne leczenie nic już nie mogło pomóc byłoby coraz okropniej, jesień, zima, to nieuchronne.

Opiekujcie się zawsze moją biedną Olą

Olu moje życie, moje wszystko dobranoc.

Na miłość Boską. Tylko nie ratować! Już mi się to należało. To będzie straszne, jeżeli zdołacie mnie uratować. Nie mogę nawet o tym myśleć. Jedyny to mój już teraz strach. Nie rozpaczajcie! Opiekujcie się wszyscy moją Olą.

Już teraz nie wytrzymuję definitywnie. Takich bóli jeszcze nie miałem.

Papierów moich nie dawaj nikomu, niech Andrzej się w nich postara zorientować, są to strzępy, które bez mojego opracowania są bez wartości.

Jest mi lepiej

Dobranoc

Kochana

A

23 IV

W godzinie zasypiania, wysiłek ręki [przekreślone: sięgającej] wyciągniętej po nembutal konsumuje całą resztę mojej siły. W pierwszej chwili po obudzeniu przeklinam siłę diabelską ciała, barbarzyńską niesprawność nóg, niesprężystość torsu, twardą czaszkę, która jak kasa ogniotrwała przechowała wszystkie moje bóle nieustępliwe.

26.5.67

Moja jedyna, moja zawsze kochana, moja wierna, moja piękna, nie mogę już dalej. Tyle lat rozpaczam, co z Tobą będzie i jak rozstać się z Tobą, nie mieć Cię przy sobie, nie być przy Tobie. To było nieuchronne. Błagam Cię nie rozpaczaj.

10.6.67

Ogrom energii, którą muszę wydatkować co dzień, wlokąc się z tapczanu na fotel aby przeżyć dzień, cały, 16 czy 18 godzin, ile sekund.

I strach żeby nie było za późno, żebym nie obudził się rano sparaliżowany, bezradny: nikt mnie przecież nie dobije.

Nasze sny są także niedoskonałe: budzimy się z nich. To sny. Zgodziłbym się nawet na nieśmiertelność, gdyby przebiegała we śnie. Przerywanym tylko na sekundę, aby raptem otworzyć oczy szeroko w ciemność, szepnąć bezgłośnie: jak ciepło, jak cicho, jak ciemno, jak błogo, i znów zatrzasnąć powieki, na nową senną wieczność.

Kopia przejrz.
Cz. III.

22.5.67
po najstraszniejszej nocy .

Z tego brulionu, którego już nie jestem w stanie przejrzeć, może ktoś zrobi tekst zwięzły. "Z brulionu opracował..." może anonimowo, lub inicjałami.

Coś niecoś o Piecyku

brulion

(nie dać tego, 30.5)

Po długim, bardzo długim milczeniu, dobrowolnym, a później - - długo - przymusowym, gdy w 1955-6 zacząłem publikować na nowo wiersze, krytycy - z nietajonym zadziwieniem pisali o "gałęzi późnorozkwitłej", o dziwnym fenomenie "nowej młodości poety", o "nowym poecie".

Jarosław Iwaszkiewicz tłumaczył :

...(wiersze te) " są nieoczekiwanym kwiatem wykwitłym na gałęzi naszego piśmiennictwa. Długie lata karmione pokarmami naszej ziemi ; naszej kultury, naszymi cierpieniami i naszą krwią - otworzyły się jak purpurowe kielichy hibiscusu na cierniowym krzaku naszej historii" ... ("Twórczość" Nr.2,1958 r.).

Niech mnie nikt nie posądza o próżność ! W tej chwili i w tej sytuacji opadła ona ze mnie bez żadnej reszty. Podobnie, kiedy Słonimski telefonował późnym wieczorem do szpitala zakaźnych na Wolskiej, że jury nagrody "Nowej Kultury" przyznało mi jednogłośnie na rodę za "najlepszą książkę 1957 r.", a żona moja powtórzyła mi tę wia -

Czyżby moja interpretacja była mylna?

Sztokholmu, konfirmacji już nie było : chrzest był poronny, to jak w moim "Niewolniku Królowej Kandaki" : "I ja tam byłem/Radości nie było", wiara utraciła moc,jedność i pełnię i odtąd byłem jak meduza, którą Prawda to przyciąga, to odpycha, z moich "Kaligrafii". Jezus,syn Dwidowy jest moim Bogiem, po krzyż, szczyt Historii ludzkiej, ale w ciał zmartwychwstanie nie wierzę, a choćbym wierzył, nie chcę (jak w moim "Anteuszu"). Potem był jeszcze gorzki incydent u Padre Pio,x) świątka chłopskiego, cierpiącego , ale pełnego pychy, w jego szkaradnym ~~targowiskux~~ targowisku. A teraz, gdy kończę, wiara opuściła mnie, zupełnie, choć przed snem co noc zmawiam pacierze, ale wiem z pewnością, że nie jestem niewierzącym, skoro kiedyś tak wierzyłem, tak absolutnie, tak całym sobą. I ubolewam,że nie będę pochowany na chrześcijańskim cmentarzu ?, w Erec Izrael, gdzie jest moje miejsce, ani w moim mieście Warszawie. "Tak gorzko umierać na obcym".x)

Te dygresje ! ale malutka ranka w mojej opuszce mózgowej niedaleko hipotalamusu,na szlaku wrażliwości, a także - jak sądzę - regulacji biegu i tempa rozumowania, bóle piekące (ogniowe) lewej połowy twarzy i prawej nogi, sprawiają, że skupienie i utrzymanie uwagi ciągłej, powyżej kwadransa, ba, trzymanie pióra, wzmaga moje bóle do paroksyzmu i powoduje bezsenność, nieprzespane noce z bólem,który jak głos ludzki przed uchem Dionizego w Syrakuzach,wraca demonicznie spotężniały i mroczny jakby z podziemi, powtórzony z Hadesu. Wszystko, co czytelnik dotychczas w tym to -

~~x) A.W. pochowany na chrześcijańskim cmentarzu w Antony pod Paryżem. Będzie spoczywał na cmentarzu w Montmorency.~~

x) Dać wyjaśnienie kto jest Padre Pio

— Chciał powiedzieć, że było wyjęte na chrześcijańskim cmentarzu w Izraelu albo w Warszawie. Tak to rozumiem. W Izraelu nie było. Antony? Montmorency? do wyjaśnienia

X tu nie

KULTURA

Szkice • Opowiadania • Sprawozdania

PARYŻ Wrzesień — Septembre 1967

INSTYTUT

LITERACKI

Ś. † P.

ALEKSANDER BREGMAN

Wybitny pisarz i publicysta
zmarł w dn. 8 sierpnia 1967

Redakcja KULTURY

WPŁATY NA FUNDUSZ "KULTURY"

Irena Dyrcz-Freeman, Gloversville, N.Y. (USA), po raz piąty .. F. 24,50
Bezimiennie, Brooklyn, N.Y. (USA) .... F. 14,50
Janusz Zembrzuski, Paryż, po raz siódmy F.100,00
Bezimiennie, Gossau (Szwajcaria), po raz trzynasty .... F. 24,80
Bezimiennie, Brooklyn, N.Y. (USA) .... F. 44,00
Lech Krysiewicz, Montreal, Que. (Kanada), po raz piąty ...... F. 18,00
Mychajło Diakiv, Philadelphia, Pa. (USA) .... F. 9,00
dr Wł. Cebulski, Chicago, Ill. (USA) .... F. 14,50
Bezimiennie, Paryż, po raz drugi F.500,00
Roman Królikowski, Johannesburg (Afryka Płd.), po raz czwarty F.130,00
H. Dolatowski, Knutange (Francja), po raz drugi .... F. 35,00
Bezimiennie, Santa Monica, Cal. .... F. 20,00

DZIĘKUJEMY!

Imprimé en France

O wierszach Aleksandra Wata

Chciałem napisać o Aleksandrze, który był moim przyjacielem, dużo, bardzo dużo, układałem to w myśli, ale doszedłem do wniosku, że nie potrafię. Nie potrafię z nadmiaru: to życie prowadzi w najdotkliwsze, najbardziej zawiłe sprawy naszego wieku. A także w tajemnicę fizycznego bólu, w bezsilność naszego protestu, który zgłaszamy wbrew urządzeniu świata. Były okresy kiedy widywałem go niemal codzień. To nie było łatwe: nie móc nic i tylko uczestniczyć jako świadek. Dotychczas mam w sobie za wiele wstydu i gniewu żeby mówić o tym spokojnie. Zapamiętałem nazwiska paru literatów w Polsce, którzy wtedy kiedy nas, patrzących, przerażała potworność wpisana w istnienie, nazywali tego Hioba spryciarzem i symulantem.

Jakim cudem ktoś tworzy dzieło poetyckie tej jakości dopiero po pięćdziesiątce i to w krótkich momentach ulgi, przejaśnienia, zostawionych mu przez chorobę? Wysoka pozycja Wata w środowisku literackim przez kilka dziesiątków lat była raczej pozycją tego który mówi, niż tego, który pisze. Określano go jako „beletrystę i tłumacza". W notatkach Majakowskiego z jego pobytu w Warszawie jest zdanie: „Wat — urożdionnyj futurist" — ale to też wynik tylko osobistego kontaktu, intuicyjne odgadnięcie jak najbardziej dwudziestowiecznej umysłowości.

Rysuje mi się to tak. Wat nagromadził wiedzę o naszym stuleciu tak dużą, że porażała go niemotą. Lewicowy intelektualista — a potem zstąpienie w otchłań na siedem lat. Czteroletnia katorga Dostojewskiego figuruje w książkach jako przykład kluczowego doświadczenia zdolnego przemienić pisarza, ale Wat opowiadał mi dosyć o swoich katorgach w Rosji i rosyjskiej Azji żebym ośmielił się uznać jego wiedzę za głębszą i straszniejszą. Była ona nie do udźwignięcia, domagała się jakiegoś wyrazu i tak powstał zamiar napisania wielkiej książki prozą. Miała to być summa litości, współczucia, analizy. Takiej książki nie mógł napisać. Po pierwsze dlatego, że umysł wyrafinowany, wybredny, hiper-krytyczny, żądał od siebie za wiele: książki, jaką widział, prawdopodobnie nikt nigdy nie napisze. Po drugie, zaledwie zabierał się do pracy, przychodził nawrót choroby. Gdyby jednak nie ciągłe zmaganie się z olbrzymim zamiarem, nie byłoby pewnie poezji Wata. Jego ręka, skrępowana kiedy usiłował opowiadać prozą przez nadmierne wymagania intelektu, była wolna kiedy stawiał znaki na marginesie, od niechcenia. Taka już była jego zbyt skrupulatna natura: bał się na przykład przyrzec, że wygłosi odczyt, bo musiał do niego przygotowywać się jak nikt się nie przygotowuje — ale przecie to było zupełnie niepotrzebne, ci co go znali wiedzieli, że wystarczy go sprowokować, niby przypadkiem, a będzie mówić znakomicie, błyskotliwie, godzinę, dwie, po polsku, po rosyjsku, po francusku. Zostały po nim nagrane na taśmę magnetofonową opowieści-pamiętniki obejmujące znaczną część jego życiowej Odyssei. Bogata kopalnia — ale dla mnie Wat zawsze był i jest przede wszystkim poetą.

Stara metafora odgaduje w sztuce perłę, która jest tworem chorej muszli. Inna odsyła do słowika śpiewającego pięknie, bo oczy mu wykłuto: Poeci dzisiejsi wstydzą się starych metafor i wstydzą się swoich uczuć. Dali się zastraszyć dłubaczom wymyślającym coraz to nowe dyscypliny, może zręczne i wygodne dla aspirantów do uniwersyteckich katedr, ale zabójcze dla kogoś kto sądzi, że można być poetą i teoretykiem w jednej osobie. Czytam różnych strukturalistów, głoszących, że język nami włada a nie my władamy językiem z niechęcią i wrogością: tak wilk czytałby traktaty o chwytaniu zwierzyny układane przez zacne panie w okularach. Wat wykroczył poza literackie mody, najwyżej go bawiły. Nie mogło być inaczej, skoro każdy jego wiersz był nagryzmoloną pośpiesznie notatką, z poczuciem, że czasu mało, że to łaska, jeżeli wolno mu coś zarejestrować zanim znów nie powali go atak a przeciwbólowe środki nie otępią na długie tygodnie czy miesiące. Wbrew powszechnym niemal dzisiaj zasadom, jego poezja jest bezwstydnie autobiograficzna, jest stenogramem cierpienia. „Cierniowym krzakiem naszej historii" nazwał ją Jarosław Iwaszkiewicz. Jeżeli jest to poezja zdumiewająco nowoczesna, nie mająca nic wspólnego z płynnym autobiograficznym liryzmem romantyków, to dlatego, że „urodzony futurysta" zawarł w sobie wszystkie sprzeczności i wszystkie przypadłości naszego czasu. Wat w swoich wierszach jawi się cały, taki jakim był w obcowaniu z przyjaciółmi. Mądry zbyt gorzką mądrością, dziecinny, egotyczny, skłonny do euforii i entuzjazmów, przekłuwający te swoje różowe balony makabrycznym humorem, błazonujący, wyjący z grozy, wygrażający Bogu za jego okrucieństwo i uległy jego wyrokom, wierzący i nie wierzący, chrześcijanin i nie-chrześcijanin, świadek zbrodni naszego wieku i świadek wydarzeń pięciu tysiącleci, we krwi noszący pamięć o tym co mówił w łożu król Salomon do królowej Saby. Ekstrakt drwiny z siebie i tragedii przyrządzany według logiki snów — w snach trzeba szukać zaczynu jego wierszy, niektóre są po prostu zanotowanymi snami, choć przecie każdy sen jak wiemy podlega przeróbce, upoważniając tylko niejako do *écriture automatique*. Tak oto miały zaowocować „słowa na wolności", po pierwszych futurystycznych (jak wolał Wat: dadaistycznych) próbach ujarzmione w poezji polskiej na kilka dziesiątków lat zarówno przez poezję Skamandra jak Awangardy. Te wiersze Wata, które udało mi się przełożyć na angielski, fascynują młodych w Berkeley i San Francisco ponieważ są *zany* — jak filmy braci Marx. W istocie jednak przyciąga ich pewnie coś, co rzadko spotyka się w smutnej błazenadzie *zany* nowoczesnej literatury — ładunek treści, procent od dotkniętej prawdy.

„Ani w świątyni jej nie gości w tych, które wybrał sam, pokojach". Wat chciał obdarzyć potomność wielkim dziełem prozą, bo domagały się go wszystkie twarze skrzywdzonych, poniżonych, dręczonych, jakie nawiedzały go w snach. Nie znaczy to, że nie był pewny wartości swojej poezji, ale zdawał się ją traktować jako etapy ogromnego dążenia, rzeklibyśmy, że była ona na nim wymuszona przez urywany rytm jego egzystencji, przez ciągłą huśtawkę godzin ofiarowanych i przez ból zabranych, tak że krótki zapis był jedynie mu dostępny. Niekiedy poeci, koncentrując się na jednym gatunku, cyzelując, tworzyli arcydzieła, ale kto wie czy olśniewające zjawiska w literaturze nie powstają częściej niejako mimochodem — pragnie się czegoś innego, niż to, co się zdobywa.

Klarują się dzisiaj nowe hierarchie w polskiej poezji dwudziestego wieku, szarzeje niejedno czczone nazwisko, inne powoli wychodzą na plan pierwszy. W tej nowej hierarchii poezję Wata postawiłbym wysoko, i nie dlatego, że piszę to bezpośrednio po jego śmierci. Nie wierzę w różne awangardowe fiki-miki, w coraz to nowe odmiany estetyzmu, bo te nie są dla ludzi. Chaos kryteriów jest tak gęsty, że poezja Wata, naj-naj-nowocześniejsza, wyrafinowana w swojej technice, „zany" musi przypominać z pozoru popisy trwożliwych a pustych, którzy prócz jeszcze jednego chwytu formy nie mają nic do powiedzenia. Później okaże się, że w jego egotycznej skardze wyrażała się skarga powszechna, odsłonią się jej surowe a proste zarysy ukryte w gęstwie aluzji, a kilka jego wierszy znajdzie się w popularnych antologiach gdzieś niedaleko „O Frydruszu który pod Sokalem zabit od Tatarów roku pańskiego 1519", co jest tyle, ile jakikolwiek poeta może sobie życzyć.

Nie, prawdy o naszej epoce nie przekaże żadna epopea, żadna „Wojna i pokój", żadna dogłębna socjologiczna analiza. Błyski, urywane słowa, krótkie sentencje — to najwyżej:

Barwy, w których ja gustuję,
motyl od nich odfruwa
z odrazą.

Kwiaty, które ja maluję,
nie wstawiaj ich do wazonu —
pęknie wazon.

Pejzaże, śród których ja wiosłuję,
Bosch by ich nie ścierpiał —
tak nie cierpiał.

Bezwstydnie prywatne? Albo, przez tę prywatność, powszechne, jak kto woli, tyle że tym razem, inaczej niż to dzieje się w bezosobistych opisach ziemi anty-barw, anty-kwiatów, anty-pejzaży, zapłacone, z pokryciem (bo to „ja" gustuję, maluję, wiosłuję).

Przyszłym badaczom polecam zastanawianie się nad skalą poezji Wata — od żalów biblijnego proroka do niemal matematycznego dowcipu gnomicznych maksym. Nie jest tak, żeby Wat nie rozmyślał nad techniką poetycką, żeby swojej własnej, podatnej jego celom, ciągle nie wynajdował. Dążył do tego, żeby zapewnić poezji większą *nośność,* niszczoną zarówno przez „czystość" liryki jak przez gadulstwo. W rozmowach ze mną określał to tak mniej więcej, jak to zrobił w majowym numerze londyńskiej „Oficyny Poetów" poświęconym w znacznej mierze jego twórczości: „... moje zainteresowania tzw. formalne zmierzają chyba wyłącznie do tego, by znaleźć się i utrzymać na wąskiej granicy pomiędzy prozą-prozą (broń Boże, prozą poetycką!) a poezją-poezją (byle nie prozatorską)".

Gdybym miał wprowadzić w poezję Wata zupełnie jej nie znającego polskiego czytelnika, zacząłbym zapewne od wierszy, których instrumentacja jest prosta, a tematyka łączy wypadki historyczne z motywami zaczerpniętymi ze Starego Testamentu. Na przykład od „Melodii hebrajskich", o pobycie na zesłaniu w Azji:

... a w ich cieniu harfiarze siedzą i kołyszą głowy w dłoniach wyschniętych...
Kornel Ujejski

Nad brzegami Babilonu siedzieliśmy strudzeni.
„Śpiewajcie! — krzyczeli nam dozorce —
Śpiewajcie a żwawo

Syjonu pieśń orężną i hymn do Jahwy rzewny.
Niech nam uszy upieszczą pieśni ciemiężonych!”

Śpiewalibyśmy —
gdyby pieśń nasza była jadem!
Śpiewalibyśmy —
gdyby słowo jej było sztyletem!
Śpiewalibyśmy —
gdyby śpiew nasz był przekleństwem —
a nie radością, nie wolnością, nie błogosławieństwem!
Co wiedzą o Jahwie Baala czciciele
i co — o słodkim szpiku pieśni syjońskich!

A byli śród nas tacy, co śpiewali obcym.
I wargi ich trądem poraził Sprawiedliwy,
harfy ich strzaskane, świeczniki w proch wdeptane
i domy ich podane w hańbę opuszczenia.

Następnie przeczytałbym wiersz o nocy w więzieniu na Zamarstynowie, z „Nokturnów”:

Was spricht die tiefe Mitternacht
Nietzsche

Co mówi noc? Nic
nie mówi. Noc
ma usta
zagipsowane.
Dzień — ten owszem. Gada.
Bez cezur, bez wahań, bez sekundy
zastanowienia. I gadać tak będzie
aż padnie i skona
z wyczerpania.
A jednak słyszałem krzyk
w nocy. Każdej. W słynnym
więzieniu na
Co za piękne kontralto. Z początku

myślałem, że Anderson Marian
śpiewa spirituals. A to był krzyk
nie na ratunek nawet. W nim
był początek i koniec
tak zespolone że nie ustalić gdzie
koniec kończy się
początek zaczyna. To
krzyczy noc.
To krzyczy noc.
Chociaż ma usta
zagipsowane.
To krzyczy noc. Potem
dzień rozpoczyna swoje tralala
aż padnie i skona
z wyczerpania.
Noc — ta nie skona.
Noc nie umiera
chociaż ma usta
zagipsowane.

Dalej, wiersz „Wielkanoc", odnoszący się do wiosny 1943 w Warszawie:

W dwukonnej karecie
starozakonny staruszek
w cylindrze na głowie
jedzie z synagogi
kiwa się, mówi do siebie:
królem jestem, królem jestem, jestem królem.

Mężczyźni stoją szpalerem
Kobiety wyglądają z okien
Dzieci wieszają girlandy
Żandarmi klękają na bruku.

Wtem Jahwe wyciągnął rękę
zdarł jemu z głowy cylinder
nasadził ciernistą koronę.
Zaczem karetą dwukonną
staruszek starozakonny
wjechał prosto do nieba.

Dymy stoją nad miastem
Dzieci wieszanych girlandy
Kobiety leżą na bruku
Żandarmi stoją szpalerem.

Dalej, wiersz o własnej chorobie, która przybiera kształt czegoś narzuconego z *zewnątrz*, więzienia, a więc niejako stapia osobiste z historycznym:

***

W czterech ścianach mego bólu
nie ma okien ani drzwi.
Słyszę tylko: tam i nazad
chodzi strażnik za murami.

Odmierzają ślepe trwanie
jego głuche puste kroki.
Noc to jeszcze czy już świt?
Ciemno w moich czterech ścianach.

Po cóż chodzi tam i nazad?
Jakżeż kosą mnie dosięgnie,
kiedy w celi mego bólu
nie ma okien ani drzwi?

Gdzieś tam pewno lecą lata
z ognistego krzaka życia.
Tutaj chodzi tam i nazad
strażnik — upiór z ślepą twarzą.

Teraz już byłaby pora na jedyny w całych dziejach poezji polskiej religijny sonet o Chrystusie, który w imię współczucia dla ludzi *nie chce* zmartwychwstać:

Do grobu złożył Go mąż z Arymatei
i nakrył ciosowym kamieniem.
I siadł na pokucie, by płakać nadziei,
która jest-że tylko złudzeniem?

W nocy podeszły tu dwa serafimy.
Odwalili kamień i rzekli: „Wstań, Panie!"
I rękę podali, by wstał i szedł z nimi,
aby się spełniło Boże zmartwychwstanie.

Nie wstanę! — rzekł do nich. — Nie wstanę dopóty,
dopóki i człowiek nie będzie wyzwolon
od śmierci i bolu.

Od dawna już Józef ów powstał z pokuty.
I w proch jest obrócon... A On ciągle czeka
na wyzwolenie człowieka.

Nie sądzę, żeby tego rodzaju wprowadzenie jak moje było niepotrzebne albo nieusprawiedliwione. O poezji dzisiaj pisze się zbyt zawile, jakby w ostatecznym rachunku nie sprowadzała się do prób nazwania wspólnej nam doli skazańców w pascalowskiej piwnicy. Chciałbym żeby zauważono, że w cytowanych wierszach nie ma odwartościowania świata, jak to zdarza się we współczesnym nihilizmie. Wat nie był nihilistą to znaczy nie występował przeciwko godności rzeczy istniejących, mszcząc się na nich za to, że podmiot (ja, my, oni) poddany jest cierpieniu. Zawsze obecny jest blask i splendor przyrody, architektury, dzieł sztuki, radości ludzkiej, odnawiającego się szczęścia nowych pokoleń, blask i splendor niesplamiony przez to, że mnie albo nam zabronił się nim cieszyć los indywidualny albo zbiorowy. W tym, myślę, jest dojrzałość poezji Wata, odcinająca ją od sztuki tworzonej przez tych wszystkich, którzy nie przyznają się, że pobłażają tylko swojej litości nad sobą i występują w masce sędziów Pana Boga — co, myślowo, jest procederem stosownym zapewne tylko dla czternastolatków. Właśnie skarga Wata-cierpiętnika, ponieważ jest tak własna, tak wyraźnie zaczepiona o określone „ja" albo „my", chroni go od uogólniającego „się" (chodzi się, żyje się, składa się, nie składa się itd.) i od pseudo-filozofii. Do szczytowych jego osiągnięć zaliczyłbym małe noty hołdy i podziwu dla dostojeństwa rzeczywistości, jakby rysunki piórkiem, jak choćby „W barze, gdzieś w okolicach Sevres-Babylone" — ale instrumentacja jest tutaj suta, złożona, a obiecałem zaczynać od prostszej. Wystarczy więc powołać się na nie ustępujące w niczym krótsze opisy. W „Pieśniach" Wat użył motta, które potwierdza co przed chwilą powiedziałem o jego obiektywizmie poprzez subiektywizm (odwrotnie niż u piewców uogólnionego wstrętu i odrazy). Motto, z A. Langa „Homer and Anthropology" brzmi: „It is the nature of the highest objective art to be clean. The Muses are maidens" („Leży w naturze najwyższej obiektywnej sztuki unikać brudu. Muzy są dziewicze"). I zaraz następuje ten pejzaż, oglądany ze znanego mi punktu, z domu dla pisarzy „La Messuguière", koło Grasse:

Pięknie aż tchu brak
płucom. Ręka wspomina:
byłam skrzydłem.
Niebiesko. Szczyty w zaróżowionym
złocie. Kobiety tej ziemi —
małe oliwki. Na spodku rozległym
dymy, domy, pastwiska, drogi,
przeploty dróg, święta pilności
człowieka. Jak gorąco! Powraca

cud cienia. Pastuch, owce, owczarek, baran
w dzwoneczkach pozłacanych. Oliwki
w krętych dobrociach. Cyprys — ich pastuch samotny. Wieś
na perci kabryjskiej, obronna
dachówkami. I kościół, jej cyprys i pastuch.
Młodość dnia, młodość czasów, młodość świata.
Ptaki milczą zasłuchane. Tylko kogut
z dołów przysiółka Spéracèdes. Jak
gorąco. Gorzko umierać na obcym.
Słodko jest żyć we Francji.

Żyć jest słodko. *Ja* umieram ale pozostaje młodość świata. Ja też przechodząc ulicą paryską przystaję i oglądam obrazy jakiegoś malarza w których utrwaliła się niewidoczna ale obecna („Przed wystawą"):

Świat nasz. Tak mały,
że jedna gitara
wystarczy
by go zaludnić dźwiękami —
gdy gra na niej Miłość.

Miłości nie widać
choć jest obecna.

Obok gitary patera z jabłkami
— insygnium królewskie
znane z taroka;
uświadomienie sobie złego-dobrego;
owoc Hesperyd
lecz nie ze złota,
owszem — z kolorów
naszego świata
który jest tak mały,
że jedna gitara
wystarczy
itd.

Wszystko to widać
oprócz Miłości
której nie widać
choć jest obecna
na małej wystawie
marchanda obrazów
na Faubourg Saint-Honoré.

Młodym poetom wydaje się, że prostota jest brakiem oryginalności, że linia wiersza w której słowa „nie dziwią się sobie" musi być blada. Nic dziwnego. Żeby mieć tę lekkość dotyku jaką miał Wat, ten dar niewymuszonego *okolicznościowego* szkicowania (a Goethe twierdził, że nie ma innej poezji niż okolicznościowa), trzeba wiele przeżyć i wiele umieć, dopiero wtedy najzwyklejsze słowa służą. Ale ciągnę swój wywód dalej, jeszcze to zacytuję, żeby pokazać dziewiczość Muzy Wata:

***

Więc świat wasz znów jest czysty, jak pierś młodej matki,
starte zostały znaki zdrady, krwi i trwogi.
Stoję przed nim nieśmiały, ręką dotykam kołatki,
a nie śmiem zakołatać. Jestem jak gość ubogi. —

jego tu zaproszono odcieniać wspaniałość domu,
a on nie poznaje nikogo, sam też nie znany nikomu.

Ogród zapłonął w słońcu jak w pierwsze dni Stworzenia
i nawet ja u tej furty jestem — jak upiór — bez cienia.

Jedni mogą woleć te jego wiersze, w których środki są „ubogie", inni te, w których są „bogate". Wybierałem dotychczas te pierwsze, po to, żeby obalić opinię, że jego poezja jest tropikalnym gąszczem barokowej ornamentyki (a o księdzu Bace Wat odzywał się ciepło). Jeżeli przy pierwszej lekturze te drugie wydają się trudne, to warto pamiętać, że zawsze występuje w nich rzeczywiste miejsce i rzeczywiste zdarzenie, przemienione, podniesione, często udostojnione humorem. Można by było napisać komentarz do wierszy Wata, odnosząc każdy z nich do tego, co się działo danego dnia, danego roku. Tak „Powrót do domu" (*„W tej biednej głowie było tak niewiele!: talerz kaszki mannej, / której zabrakło w stołówce, gdy moja nadeszła kolej".)* jest transpozycją brnięcia nocą przez błoto-topiel na placu azjatyckiego miasteczka. *„Trzej kumotrzy, przy samowarze, wódce, ogórkach"* z „Wierszy Śródziemnomorskich" to Stalin, Woroszyłow i Kaganowicz podpisujący wyrok śmierci na generała Jakira. Spacer po Oxfordzie z żoną zmienia się w niesamowitą bufonadę po spotkaniu żółwia, który, niechętny do rozmowy, jednak raczy im to i owo przekazać z relacji swoich przodków (bo sam ma tylko 293 lata), zanim nie wpadnie w gniew, bo Wat (świadomie nie mówię: podmiot liryczny!!) żywił się jego krewnymi w Ili, na pustyni Kazakstanu. Myśliwy w kapelusiku na bakier spotkany na ulicy prowansalskiego miasteczka stopniowo przekształca się w Myśliwego, symbolizującego śmierć. I nawet drobny incydent w Warszawie powraca (wyrzut sumienia) w przebraniu: jeleń to sam Wat:

Pamiętam,
jeleń pyszałek, dumny z naszyjnika,
który tęczował w słonecznej rosie,
szedł Walicowem, a w oknie otwartym na letnie
wonie, na rozsiew bzu i kwitnących kasztanów,
siedział chłopiec. Miał krymkę na głowie
i czarne oczy wpatrzone w donikąd. Pamiętam,
jeleń zakpił, powiedział coś tak urągliwie,
że dziecko cofnęło się w głąb,
pod zniewagą.

Moje zadanie teraz nie polega jednak na dostarczaniu klucza, który zresztą każdy może sobie wybrać i jeden klucz będzie równie dobry jak inny, nie o to przecie chodzi. Zależy mi tylko na podkreśleniu, że wyobraźnia Wata jest zawsze zakotwiczona o dramatyczną akcję i (na szczęście) nie „wyzwolona" tzn. nie nawija się na siebie samą. Przystoi więc unikać, zbliżając się do niej, terminów zbyt pokrętnych a górnolotnych. Czy wiersze wybrane przeze mnie dobrze go reprezentują? Niekoniecznie. Może nawet wolałbym inne, te o długiej frazie, na powolnie mówiący głos, to znów na perkusję, jak w tym otwarciu „Pieśni wędrowca":

Zbrzydzony wszystkim co żywe oddaliłem się w świat kamienny: tutaj, myślałem, wyzwolon, z góry a bez pychy będę oglądał tamtych rzeczy zwichrzenie.

Celem mego artykułu było wyjaśnić dlaczego mały klan przyjaciół tak obnosił się z Watem — pomijając zwykłe względy ludzkie, wiedzieliśmy z *kim* mamy do czynienia. Ten klan był bardzo mały — dwa tomy Wata ukazały się w Polsce („Wiersze", 1957, „Wiersze Śródziemnomorskie", 1962), dla emigracyjnych czytelników Wat-poeta w ogóle nie istniał, nie słyszeli. Numer „Oficyny Poetów" i drukowany właśnie przez paryską „Libellę" tom wierszy zebranych może wprowadzą jakąś zmianę. Ale poezję Wata czeka długa podróż w czasie, nie warto troszczyć się o przelotne gusty. A ponieważ nie chcę kończyć żadnym retorycznym efektem, otwieram „Wiersze Śródziemnomorskie" na chybił trafił:

Więc przycupnięty pod bugenwileą, tą z kamienio-łomów, gdzie gołe artemidy w okręcich szeweliurach, obwieszone [klejnotami,
strzelały w nas ze złotych łuków, z góry oglądając naszą mękę. [Mękę —
zawsze z góry. Nie oglądana z góry męka czym jest? Jedna [chmurka osobliwie biała
odpływa.

Czesław MIŁOSZ

ZESZYT DWUDZIESTY PIERWSZY

ZESZYTY HISTORYCZNE

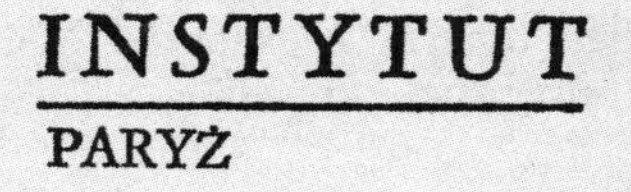

INSTYTUT LITERACKI
PARYŻ 1972

Paulina (Ola) WATOWA

PASZPORTYZACJA

Mąż mój, Aleksander Wat, w „Pamiętnikach" swoich nie zdążył opisać dramatycznej akcji, zmuszania Polaków do przyjmowania obywatelstwa sowieckiego, tzw. paszportyzacji.

Akcję paszportyzacji przeprowadzało NKWD w marcu 1943 roku w Kazachstanie i wszędzie tam, gdzie zgrupowani byli Polacy, zwolnieni z więzień, obozów karnych i miejsc zesłań na dalekiej północy.

Do akcji tej, która była jeszcze jednym gwałtem popełnianym na zesłańcach polskich, mąż mój przykładał wielką wagę. Bowiem w warunkach naszej niewoli dawała mu ona odskocznię do walki, którą podejmował, już nie jako więzień, którym był do niedawna, ale jako „wyzwoleniec". Wat był już wtedy po przeszło dwuletnich więzieniach sowieckich, po całej męce, którą tam przeżył. Walka ta była nie tylko walką przeciwko paszportyzacji, ale także protestem przeciwko wszystkiemu, czemu należy powiedzieć NIE.

Tych kilka miesięcy walki, podczas których odegrał on w Ili[1] rolę instygatora buntu ludności polskiej, uważał Aleksander Wat za wydarzenie dużej miary w swojej wojennej odysei.

---

1. Ili — 80 km od Ałma-Aty.

Przetrzymany trzy miesiące po amnestii, w więzieniu saratowskim, do którego przewieziono go po ewakuacji Łubianki, mąż mój wyszedł z niego w końcu listopada 1941 roku w stanie zupełnego wyczerpania fizycznego. Zdołał jednak dowlec się do Ałma-Aty, stolicy Kazachstanu, gdzie Delegatura Londyńskiego Rządu umieściła go w szpitalu. Cały czas tam spędzony wypełnia pisaniem i wysyłaniem kartek pocztowych do wszystkich Delegatur, rozsianych na terenie Kazachstanu, z zapytaniem o mnie i o syna. I w końcu odnajduje nas na tych bezmiernych przestrzeniach, w kołchozie, w czimkentskiej obłasti, gdzie, umierający z głodu, pracowaliśmy na polach bawełnianych.

Po wyjściu ze szpitala, rozpoczął pracę w Delegaturze ałmaatyńskiej. Dostaje funkcje inspektora szkolnego. Zakłada szkółki. Pracuje tam do końca, to znaczy do roku 1942, kiedy to po zerwaniu układu, zlikwidowaniu Delegatur i uwięzieniu wielu Delegatów, deportowano nas w styczniu 1943 roku do Ili.

Małe osiedle Ili leży nad rzeką Ili, którą dawniej odbywał się spław towarów do Chin. Nawiasem mówiąc, dawne miejsce zesłania Trockiego. Ziemia tam jest jałowa, gliniasta; jesienią zamieniała się w lepkie błoto, w którym grzęzło się po kostki, latem gliniasty grunt wysychał i przy najmniejszym powiewie wiatru, unosił się pył drażniący oczy i gardło. Każda pora roku miała tam swoje plagi. Latem muchy, komary, kleszcze i skorpiony, a także chmary zajadłych, małych muszek. Surowe zimy dawały się we znaki szczególnie Polakom — głodnym i z trudem zdobywającym opał. Mieszkaliśmy w lepiance z gliny i łajna, w małej izdebce z klepiskiem zamiast podłogi i niziutkim, zakratowanym okienkiem z widokiem na szaro-żółtawy pustynny pejzaż. Brak zupełny roślinności, lepianki kazachskie i opłotki, z gdzieniegdzie uwiązanym iszakiem[2], zawodzącym żałośnie z podniesionym do góry łbem. Na skraju posiołka czerniło się kilka cierniowych krzaczków i jedno usychające drzewo. Dopiero w odległości jakichś dwudziestu kilometrów, rozciągały się pola kukurydzy, na których pracowali dojeżdżający tam kolejką „nasi" Kazacy. My zaś, pracowaliśmy jako robotnicy, „wolna" siła najemna, za co dostawaliśmy kartki chlebowe na 400 gr. czarnego, ciężkiego chleba. Zarobki pieniężne były raczej symboliczne, miesięczna bowiem pensja nie starczała na kupno jednego kilograma tegoż chleba na targu. Traciliśmy odporność, dziesiątkował nas tyfus.

W rzeczywistości było więc Ili ponownym zesłaniem, a Polacy — po zniknięciu Delegatur — od nowa bezbronni.

2. Osioł po uzbecku.

Na początku marca 1943 roku poczęły nadchodzić od rozproszonych po Kazachstanie Polaków niepokojące wiadomości o zmuszaniu ich do przyjmowania paszportów sowieckich. Wieści te stawały się coraz bardziej alarmujące, nacisk NKWD coraz brutalniejszy, zdarzały się wypadki samobójstw. Przyjęcie bowiem obywatelstwa sowieckiego, ucinało prawdopodobnie ostatnią nadzieję powrotu do Polski.

W tym okresie narzucona przez NKWD paszportyzacja zbiegła się z równoczesnym i oficjalnym zarządzeniem Związku Patriotów i — jak przypuszczał mój mąż — w „zharmonizowanej zmowie z jego przywódcami".

„... Paszportyzacja przymusowa nastąpiła w marcu 1943 roku i jednocześnie z paszportyzacją w tymże marcu 43-go roku został zalegalizowany Związek Patriotów. Jego wysłannicy od razu przejęli opustoszałe biura Delegatury i olbrzymie magazyny darów amerykańskich. Paszportyzacja i zalegalizowanie Związku Patriotów było jednoczesne i należało do jednego planu: obrócić milion czy półtora miliona Polaków w poddanych sowieckich i jednocześnie dać im nadzieję powrotu do Polski. Związek Patriotów Polskich został założony na bazie obrócenia w poddaństwo sowieckie tego półtora miliona Polaków. Wszyscy Polacy ze „Związku Patriotów", razem z całą armią i z całym sztabem tych wielkich patriotów weszli przecież do Polski jako obywatele sowieccy[3]".

Do „Związku Patriotów" mieliśmy — nie bez powodów i od samego początku — stosunek jak najbardziej nieufny.

Upewniwszy się, że wieści o paszportyzacji są jak najbardziej realne, mąż mój zaczął organizować Polaków naszego osiedla do oporu. Najpierw w pojedynczych rozmowach, potem na zebraniach, przedstawiał im sytuację, a przede wszystkim budził w nich sponiewieraną godność i świadomość co oznaczałaby uległość w tym wypadku.

W swojej ostatniej autobiografii, mąż mój wspomina o tym z żalem: „... słuchali mnie, gdy zbuntowałem ich, ku ich wielkiej szkodzie, a mojemu ponownemu uwięzieniu, przeciw brutalnie narzuconej przez NKWD paszportyzacji...".

Na naszym osiedlu, poza kilkoma tzw. inteligentami, przeważali ludzie prości, z zawodu szewcy, krawcy, drobni kupcy, przeważnie Żydzi z Galicji. A między nimi wielu komunistów żydowskich „... którzy często nawet w więzieniach sowieckich nie siedzieli. Uciekali przed Niemcami i, aresztowani na granicy, byli

---

3. Z „Pamiętników" Aleksandra Wata. 1963-1964.

zsyłani na posiołki do Północnego Kazachstanu, skąd wracali w stosunkowo dobrym stanie[4]".

Pierwsze, „walne" zebranie zorganizowane przez mojego męża, odbyło się u jednego z nich, u szewca Kamera. Była to rodzina komunistów żydowskich z Radomia. Szewstwo dawało im tutaj wcale niezłe warunki życia. Kamer był świetnym człowiekiem, silnym, doskonale się trzymającym. W Polsce czytał Marksa, Różę Luxemburg, był komunistą i w tym duchu wychowywał swoich dwóch synów, którzy zdążyli się już przesiedzieć w więzieniach polskich. I właśnie u niego odbywały się nasze zebrania i on to był jednym z najbardziej zapalonych do walki.

Pierwsze zebranie było bardzo burzliwe. „Patriotów" było wprawdzie w Ili bardzo mało, ale niektórzy uważali, że wojowanie z potężnym NKWD jest szaleństwem i przyspieszy tylko naszą zgubę. Większość dobrze rozumiała moralne wartości tej walki.

Wat zdawał sobie, oczywiście, sprawę, że władza sowiecka nie liczy się z papierkami a tylko z rachunkiem sił. „... I można było być prawie pewnym, że puszczą nas albo nie puszczą, niezależnie od tego, czy będziemy mieli obywatelstwo sowieckie czy też nie. Tak mówił rozsądek. Ale coś silniejszego w nas kazało zachować się tak a nie inaczej[5]".

I oto któregoś dnia zjechała do Ili komisja NKWD, która miała nas zmuszać do przyjęcia obywatelstwa sowieckiego. Było ich kilku, w mundurach i przy orderach. Przewodniczył im płk Omarchadżew, wspaniały o wybitnej urodzie Kazach, który zajął się szczególnie moim mężem, wiedząc, że odegrał on na terenie Ili rolę „buntownika".

Ulokowali się w jednym z kilku drewnianych domków z ganeczkiem, bardzo na ilijskie warunki luksusowym, który dla takich właśnie gości był zarezerwowany. Milicjanci, których w tym celu do Ili sprowadzono, zaczęli zjawiać się u wyznaczonych przez NKWD Polaków i odprowadzać na miejsce przesłuchiwań.

Wat zarządził, aby wszyscy wzywani szli od razu z workiem najpotrzebniejszych w łagrze rzeczy. Pouczył ich także, czerpiąc ze swoich doświadczeń więziennych, żeby nie wdawali się w żadne rozmowy, które zawsze obracają się przeciwko obwinionemu i na zapytanie czy wezmą paszport odpowiadali krótkim NIE, a na zapytanie zaś dlaczego? — Bo jesteśmy polskimi obywatelami — to wszystko.

---

4. Z „Pamiętników" A. W.
5. Z papierów Aleksandra Wata.

Zaczęły się wezwania.

Naprzód zdumieni a potem wściekli wobec tego niespodziewanego, masowego oporu, NKWD-yści stawali się coraz brutalniejsi. Doszło do tego, że pobito kobietę z dzieckiem na ręku, a kiedy obecny przy tym jej mąż powołał się na konstytucję, dostał pałką po głowie z towarzyszącymi temu słowami: *wot tiebie konstytucja!*

Przyszła kolej na mojego męża.

Milicjant-Kazach, uzbrojony w rewolwer i jakieś szablisko u boku, zjawił się u nas późnym wieczorem. Aleksander był przygotowany. Trzeba było się pożegnać i kto wie, czy nie na zawsze.

Boczną ścieżką, ponaglany rewolwerem do szybszego marszu dotarł do drewnianego domku.

Przyjęto go tam uprzejmie. Płk Omarchadżew ze słodkawym uśmiechem dał mu do zrozumienia, że wie kim jest. — *„Wy pisatiel?"* A także, że wie coś niecoś o jego przeszłości, o tym, że był redaktorem „Miesięcznika Literackiego". I nagle: — „O ile się nie mylę byliście komunistą?" — zapytał. — „Komunistą? — ze zdziwieniem odpowiedział Aleksander — może. Ale było to już tak dawno, że zupełnie tego nie pamiętam". Ustawiło to od razu sytuację i padło oczekiwane od początku pytanie: — „Czy bierzecie paszport?".

Po zwięzłej odpowiedzi — wszyscy naraz zaczęli się miotać, krzyczeć, walić pięściami w stół. Wydawało się, że będą go bić. Ale nie. Trwało to dość długo aż, zapewne sami już zmęczeni, kazali go wyprowadzić temuż samemu milicjantowi, dając mu na boku jakieś instrukcje. Milicjant wprowadził go, poszturchując, do małego pokoiku, którego całym umeblowaniem był niewielki stół i mały, kulawy, bez jednej nogi, stołek, na którym kazał mu przysiąść, nie opierać się o stół i milczeć.

Czas płynął wolno, była już późna noc. Opadało napięcie, ogarniało znużenie i senność. Ale za każdym najmniejszym ruchem na chybocącym się stołku, Kazach przyskakiwał i wrzaskiem przypominał zalecenia.

Tak upływały godziny nocy — w walce o utrzymanie równowagi i zwalczanie coraz większej potrzeby snu.

Ale o jakiejś tam godzinie, na przełomie nocy i dnia, zmęczony czuwaniem a może i monotonią swej funkcji milicjant odezwał się nagle z naganą w głosie: — „Jakiż głupiec z ciebie! Cóż ci za różnica, jaki masz paszport? Czy to nie wszystko jedno? Ot sobie, papierek. Widzisz, my mamy tutaj, takich bardów kazachskich, którym żyje się dobrze. A dlaczego? Bo zrozumieli rzecz ważną: *Stalin dajot położenje — nado podczinitsia*[6]. Oni to zrozumieli. Piszą pieśni o Stalinie i opływają we wszystko. A ty? Poślą cię do łagru, a tam takie zdechlaki jak ty giną od razu".

I tak oto milicjant spod gór Tiań-Szań okazał się filozofem. Przemówienie to odprężyło go najwyraźniej. Przestał być tak czujnym i nawet pozwolił więźniowi oprzeć się o stół i zdrzemnąć na chwilę.

Wczesnym rankiem NKWD od nowa przypuściło atak. W końcu kazali odprowadzić go do aresztu. Zdarzył się przy tym zabawny incydent, który rozśmieszył całe towarzystwo. Mąż mój, odruchowo, podawał swój worek do noszenia milicjantowi. NKWD-yści ogromnie tym rozbawieni wykrzykiwali: — „Ot, prawdziwie burżujska dusza!"

W areszcie byli już Kamer i jego dwaj synowie a z nimi kilkunastu jeszcze Polaków. Wzywano ich jeszcze kilkakrotnie, a po dziesięciu dniach wywieziono wszystkich do Ałma-Aty. Straciliśmy ich odtąd z oczu.

Nie pamiętam już teraz dokładnie ilu Polaków było w Ili. Chyba koło czterystu. Wezwania ciągle trwały, ale zaprzestano aresztowań. Po odmowie, odsyłano do domu. Wiedzieliśmy jednak dobrze, że na tym sprawa paszportyzacji się nie skończy.

I rzeczywiście, któregoś dnia, wszystkich którzy odmówili, zaaresztowano. Pamiętam dobrze chwilę, kiedy przyszli po mnie i trzeba się było pożegnać z synem, wówczas jedenastoletnim chłopcem.

Zebrano nas na opustoszonym na tę okazję targowisku ilijskim — sto kilkadziesiąt osób, mężczyzn i kobiet, w większości Żydów[7] wśród nich grupa starych, pobożnych, lękliwych, na których w drodze skrupiała się szczególnie złość strażników.

Nieopodal, w zbitej grupie, stali ci którzy paszporty przyjęli. Ci zostawali. Ale nieszczęśliwi byliśmy jednakowo — i oni i my. Patrzyłam na syna, który chciał się do mnie zbliżyć, ale jeden ze strażników odpędzał go uderzając na płask szablą.

Wreszcie ruszyliśmy w drogę na stację — jechaliśmy w stronę Ałma-Aty, gdzie los nasz miał się rozstrzygać.

W Ałma-Ata przeliczani, popędzani, ruszyliśmy w drogę.

---

6. Stalin stwarza sytuację — trzeba się jej podporządkować.

7. „Na ileż prześladowań narazili się Żydzi polscy, odmawiając przyjmowania paszportów sowieckich!" (prof. St. Kot, „Listy z Rosji do gen. Sikorskiego", str. 557).

Coraz to przyspieszano tempa, bijąc tych, co nie nadążali, a szczególnie tych starych Żydów. Bito czym popadło, po głowach i plecach.

W ten sposób przebiegliśmy z osiem kilometrów, aby znaleźć się w centrum miasta. Przypuszczam, że rozmyślnie gnano nas okrężną drogą aby nas umęczyć.

Wprowadzono nas do dość dużego budynku — w którym mieściło się NKWD — i tam, nie pozwalając przysiąść, odmawiając wody, kazano nam czekać.

W jakiejś chwili zjawiła się na sali dziwna i dość przerażająca postać. Był to mężczyzna nieduży, suchy, o wąskiej ciemnej twarzy i wyjątkowo długich rękach. W jednej z nich trzymał coś w rodzaju nahajki. Miał na sobie ciemno-brunatny fartuch, na którym widniały plamy krwi. Obszedł nas szybkim, zdecydowanym krokiem i nagle zatrzymał się przed jednym, potem drugim mężczyzną i kazał im iść za sobą.

Inscenizacja zrobiła na nas wrażenie. Panowała cisza.

Z natury nie byłam odważna. Dopiero na zesłaniu, w stepach kazachstańskich, zdana tylko na siebie, z poczuciem odpowiedzialności za syna, nabrałam hartu, przestałam się bać. Zdarzało mi się nie raz, w towarzystwie tylko jednej z naszych kobiet, przejść w ciągu dnia stepem trzydzieści trzy kilometry, które dzieliły nas od najbliższej stacji kolejowej Żarmy, aby tam zamienić coś niecoś z naszego ubrania na chleb, mąkę czy tłuszcz. Przemierzyłam ten step w ciągu rocznego zesłania w Iwanowce[8] kilka razy i o każdej porze roku. Latem gryzły nas olbrzymie komary i trzeba było biec, nie zatrzymując się ani na chwilę, atakowały bowiem tak zajadle, jakby nas chciały zagryźć na miejscu. Wiosną, na powrotnej drodze z Żarmy, obarczona ciężkim plecakiem, wypełnionym żywnością szłam przez step, który nagle „ruszył", zapadając się po pas w szczelinach lodowo-śnieżnych. Znalazł się w Żarmie tylko jeden człowiek, który zechciał mi towarzyszyć. Ulitował się nade mną. Był to namiętny myśliwy i to on, a nie ja — zdawał sobie sprawę z niebezpieczeństw tej wyprawy. Chociażby przejście na ślepo rzeki, ukrytej pod ruszającymi lodami, która jakże łatwo mogła nas pochłonąć.

Zimą zaś, na tymże stepie, potykałam się i padałam na śliskiej powierzchni pagórów lodu i śniegu twardego jak kamień i smagana lodowatym wiatrem, z zamarzającymi, owiniętymi w szmaty nogami i zgrabiałymi, wyciągniętymi przed siebie, w

8. **IWANOWKA — sowchoz w Płn. Kazachstanie (Semipałatyńskaja obłast') pierwsze miejsce mego zesłania po wywózce ze Lwowa z 13-go na 14-go kwietnia 1940.**

obronnym ruchu rękoma — zdążałam uporczywie do Żarmy, po kawałek chleba. Nie odczuwałam zmęczenia ani strachu. Niosła mnie myśl o dziecku.

Ale zapędziłam się daleko od ałma-atyńskiego NKWD.

Staliśmy więc w ciszy pod ścianami, kiedy usłyszeliśmy krzyk bitych mężczyzn. I w tej samej prawie chwili, mężczyzna w krwawym kitlu, pojawił się znowu między nami, a rozejrzawszy się wokoło i jakby śpiesząc się bardzo do czegoś, zbliżył się do mnie i kazał iść.

Wprowadził mnie do dość obszernego pokoju, pośrodku którego stało krzesło. W kącie — prosty stół i kilka krzeseł. Kazał mi usiąść pośrodku i wyszedł. Zostałam sama, w napięciu czekając na najgorsze. Nie trwało to długo, bo po kilku minutach drzwi się otworzyły i ukazał się w nich młody mężczyzna o sympatycznej twarzy, w przydługawym palcie i czapce z daszkiem na głowie. Wziąwszy krzesło spod okna, przysiadł się do mnie i przyjrzawszy mi się z wyraźną życzliwością, odezwał się spokojnym głosem:

— No, jak tam grażdanko, chyba paszport weźmiecie?

W głosie brzmiała wyraźna troska. Odpowiedziałam, już zupełnie panując nad sobą, że NIE, że paszportu nie wezmę.

— To szkoda — powiedział. — Żal mi was. Jesteście jeszcze młodą kobietą, macie dziecko, a w łagrze, po roku, będziecie staruszką. Syna wam zabiorą do Dietdomu i nie wiadomo czy go jeszcze kiedyś zobaczycie. Radzę wam szczerze, weźcie paszport.

— To jest niemożliwe — odpowiedziałam z uśmiechem, mając przez chwilę uczucie, że prowadzę towarzyską, przyjacielską rozmowę.

Mój miły NKWD-dzista miał minę wyraźnie zasmuconą, kiedy z rozmachem otworzyły się drzwi i kilku NKWD-zistów z płk. Omarchadżewym na czele, weszło do pokoju. Porwali krzesła spod ściany i obsiedli mnie wokoło, zapytując jednocześnie, jaka jest sytuacja.

„Sytuacja" podziałała na nich błyskawicznie. Potoczyły się wyzwiska, krzyki, miotanie się wkoło mnie, ale płk. Omarchadżew, nakazawszy im spokój, odezwał się zaczepnie:

— No, to powiedzcie, dlaczego nie chcecie przyjąć paszportu sowieckiego? Czy to jakaś hańba?

— Z prostego powodu — odpowiedziałam. Jestem Polką, obywatelką polską. I jestem pewna, że w identycznej sytuacji, postąpilibyście tak samo. Nikt z was, przecież, nie przyjąłby obywatelstwa polskiego — równałoby się to bowiem zdradzie ojczyzny.

Widocznie nie bardzo się takiej odpowiedzi spodziewali, bo przez ułamek chwili panowała cisza. Aż jeden z nich wykrzyknął:

— *Wot kakaja umnica!* — to, zapewne, mąż ją tego nauczył. Ten buntownik. Ale tak czy owak paszport weźmiesz, albo zgnijesz w łagrze.

— Zabierać ją! — krzyknął na strażnika Omarchadżew, nie patrząc już na mnie.

Podniosłam się z ulgą i wyszłam.

Na dole, w bocznym korytarzu, w towarzystwie strażnika stała młoda dziewczyna z naszego osiedla, Reginka. Miała nie więcej niż siedemnaście lat. Rozmowa NKWD z nią miała przebieg raczej spokojny. Nie zadano sobie zbyt wiele trudu, żeby ją przekonywać. Powtórzono raz jeszcze tylko, że za odmowę, grożą jej dwa lata łagru.

Byłyśmy teraz obie pod strażą młodego chłopca w mundurze wojskowym, o miłej, trochę jeszcze dziecinnej twarzy. Starał się mieć poważną minę, ale ledwie znaleźliśmy się na ulicy, w niewielkiej odległości od budynku NKWD, przyspieszył kroku i powiedział ściszonym głosem: — Przeprowadzę was przez rynek, tam kupicie sobie coś do zjedzenia. I, dodał, odwracając od nas spojrzenie: — Oj, źle wam tam będzie, źle w tym więzieniu, do którego was prowadzę.

Odezwanie się chłopca bardzo mnie wzruszyło. Odpowiedziałam, że są tam przecież i inne kobiety i jeżeli one to wytrzymują, to i my wytrzymamy. Ale chłopak pokręcił głową i pogrążył się w milczeniu.

Na bazarze, oglądając się uważnie na wszystkie strony, kazał prędko porobić zakupy. Były bardzo skromne i niewielkie. Dwa twarde jajka i kawałek czarnego chleba. Po czym okazało się, że czeka nas jeszcze odwszalnia i łaźnia, przed dostarczeniem nas do więzienia.

W budynku w którym mieściły się te „instytucje", wprowadził nas strażnik do ciemnawego, brązową olejną farbą wymalowanego pokoju, w którym ponury człowiek, w szarym brudnawym fartuchu, czekał na nas, uzbrojony w wielkie nożyce. Nie powiedziawszy ani słowa, sprawnymi palcami zaczął przebierać jednej a potem drugiej we włosach, szukając wszy. Byłyśmy skazane na ogolenie, gdyby bodaj jedna się znalazła. A o wszy nie było tam trudno. Szczęśliwie obeszło się bez nożyc i wyszłyśmy z uczuciem, żeśmy coś cennego uratowały. Potem w łaźni, o śliskiej kamiennej, szarymi mydlinami spływającej podłodze, w której unosił się zapach potu i złego mydła, trzeba było poddać się dyscyplinie i zanurzyć w mętnej wodzie basenu. Po czym, już bez przeszkód, doszliśmy do bramy więziennej.

Nazywało się to Trietje Otdielenje. Trzeci Oddział o ciemnych lochach, rodzaj *pieresylnoj tiurmy*, gdzie wsadzano, przed wysłaniem do łagrów, bandytów, złodziei, prostytutki. Mieściło się ono w typowo rosyjskim obejściu kupieckim z XIX wieku. Na bardzo rozległym podwórzu z kloaką do której prowadzono więźniów — drewniane, jednopiętrowe budynki, stawiane jeszcze za carskich czasów, otoczone wysokim, z grubych desek zbitym parkanem, obwiedzionym u góry potrójnym drutem kolczastym.

Z dużego, brukowcem wyłożonego podwórza wprowadzono nas do długiego korytarza, na który wychodziło kilkoro drzwi. Jedne z nich otworzyły się i zobaczyłam na progu, mego sympatycznego NKWDzistę, który w tak opiekuńczy sposób namawiał mnie do przyjęcia paszportu. Podszedł do mnie i z wyraźną prośbą w głosie, powtórzył: — Weźcie paszport.

Spojrzałam na niego ze zdziwieniem i czułam, że to nie troska o moją przyszłość niepokoi go. Jestem pewna, że wstyd mu było tego wszystkiego, co miałam tu przeżyć i zobaczyć.

Po formalnościach i rewizji osobistej, to on, poza dozorcą więziennym, odprowadził nas do drzwi celi i jeszcze raz powtórzył prośbę...

Drzwi celi otworzyły się, klucznik pchnął nas z lekka i od razu usłyszałam zgrzyt klucza. Byłam w celi więziennej. Tyle o tym czytałam, tyle opowiadał mi mój mąż, ale ten pierwszy zgrzyt klucza zacisnął mi gardło.

Cela w półmroku wydała mi się duża. Na wprost — małe zakratowane okienko na równi z brukiem podwórza. Pod ścianami barłogi, a na nich kobiety, widma kobiet, zastygłych teraz w ruchu. Z ogolonymi głowami, wynędzniałe, w łachmanach, trupio blade, czochrające piszczelami uschniętych rąk pokrytą świerzbem skórę — wpatrywały się w nas chciwie.

Strach mieszał się z litością, kiedy tak wsparta o drzwi celi, patrzyłam na nie. Ale trwało to chyba krótką chwilę. Spod zakratowanego okienka podniosło się kilka kobiet, które wyraźnie różniły się od reszty. Wydały mi się duże, głowy miały nie ogolone, sprawiały wrażenie bardzo silnych. I, o ile tamte spod ścian znieruchomiały, nie odważając się podejść bliżej, to te, poderwawszy się sprężyście, dawały nam jednocześnie znaki, żebyśmy się zbliżyły i usiadły pośrodku celi. Po czym, jedna z nich, prawdopodobnie starosta celi, wyrwała nam nasze zawiniątka z żywnością kupioną na bazarze. Podział był błyskawiczny, jadły z pośpieszną chciwością, oglądając nas spod oka i robiąc dość cyniczne na nasz temat uwagi. Ożywione i podniecone dodatkowym posiłkiem, wszystkie naraz, jak na dany znak, zaczęły zszarpywać, zrywać z nas ubranie, a widząc że nie stawiamy oporu, kazały rozebrać się do naga. Z kątów powyciągały jakieś cuchnące, brudne szmaty i przegniłe obuwie i, chichocząc, rozbawione, jakby igrające piłką, zaczęły rzucać w nas tymi łachmanami, popędzając do szybkiego ubrania się. Wszystko to odbyło się w błyskawicznym tempie.

Wiedziałam już od mojego męża o obyczajach panujących w celach więźniów kryminalnych. O tym, że w każdej celi jest zawsze kilku najsilniejszych, najwybitniejszych rangą dokonanych czynów, którzy panują nad celą.

Kiedy już tak przebrane, siedziałyśmy czekając co dalej będzie, jedna z kobiet podeszła do Reginki.

— Wiem o co chodzi — powiedziała twardo. Mów, czy bierzesz paszport.

Przerażona i nie bardzo zdająca sobie sprawę z tego co się dzieje, Reginka, szukając jakby potwierdzenia w moich oczach, odpowiedziała, że paszportu nie weźmie.

Rzuciły się na nią wszystkie jednocześnie. Zaczęło się bicie, kopanie obutymi nogami po głowie, plecach, piersiach. Reginka toczyła się między nimi, odbijana jak piłka. A one, zadyszane, podniecone, zwinne, zdawały się nią bawić, podsycając się nawzajem okrzykami.

Siedziałam tuż koło niej i wiedziałam, że zaraz będzie moja kolej. W modlitwie, w której szukałam schronienia, owładnęło mną dziwne uczucie. Wszystko stało się naraz nierealne, zniknęło uczucie strachu. Jakaś fala egzaltacji unosiła mnie z tego mrocznego, nieznanego mi świata. Poczułam się pod Opieką i poddałam cała uczuciu ufności i spokoju. Nie zauważyłam, kiedy przestały bić Reginkę i, nieświadomie, uśmiechnęłam się do pochylonej nade mną kobiety, zadającej wiadome pytanie. Usłyszałam, że sprzeczają się, czy wziąć mnie w koc[9], ale któraś zadecydowała, że i tak sobie ze mną poradzą.

Pierwszych uderzeń, naprawdę, nie czułam. Dopiero ciężkie kopnięcie w żebro pod lewą piersią, wyrwało mi krzyk bólu. Żebro było pęknięte i przez długi czas potem bolało przy każdym oddechu i poruszeniu.

Gdy przerwały, promieniowały zadowoleniem, jak po dobrze wykonanej robocie.

W kącie tuż koło drzwi stała „parasza". Była to bardzo duża

---

9. **Bity w kocu dusi się i nie może wykonać ani jednego obronnego gestu.**

beczka, służąca do załatwiania potrzeb fizjologicznych więźniów, między porannym a wieczornym wyprowadzaniem ich na „oprawkę" do zbitych i pozbawionych drzwi klozetów, na podwórku więziennym. Pod tę beczkę oprawczynie nasze naznosiły masę przegniłego, cuchnącego obuwia i porobiwszy z niego stosiki, kazały nam na tym usiąść i oprzeć się o jej zanieczyszczone ściany. Potem, jak w uroczystej procesji podchodziły, wdrapywały się na beczkę i z popiskami prawie zmysłowego zadowolenia, załatwiały się nad naszymi głowami.

Wreszcie oznajmiły, że jeżeli nie przyjmiemy paszportu sowieckiego, będziemy znowu bite i że to bicie będzie coraz dotkliwsze. Po czym odeszły na swoje legowiska, kopiąc i poszturchując po drodze, nie wiadomo dlaczego ani za co, swoje współtowarzyszki więzienne, które przypadkiem trafiały się pod ręką.

A więc to był sposób w jaki postanowiono zmusić nas do przyjęcia paszportów sowieckich.

W celi panowała cisza. Tylko z jakiegoś wyrka dochodził cichy, bezbronny płacz.

I nagle w ciszę tę wdarły się krzyki bitych mężczyzn. Krzyki i wołania o pomoc. Walono pięściami w drzwi cel i ktoś wołał rozdzierającym głosem, że mordują mu syna. Poznałam głos starego szewca Kamera i z przerażeniem pomyślałam, że w jednej z tych cel jest mój mąż.

Krzyki i walenie w drzwi potęgowały się i przewalały po więziennych korytarzach.

Nie wiem jak długo to trwało i potęgowało się, kiedy nagle drzwi do naszej celi otworzyły się i nim usłyszałam zgrzyt zamykającego celę klucza, zobaczyłam dwie przerażone twarze Polek z naszego osiedla. Stały nieruchome pod drzwiami, sparaliżowane tym co się działo wokoło. Za chwilę i one będą bite. Z poczuciem klęski, wyciągnęłam do nich ręce, ale żadne słowo nie przeszło mi przez gardło.

Kobiety spod okienka zbliżały się, a jedna z nich zauważywszy mój gest, podbiegła i uderzyła mnie w twarz. Po czym, pociągnąwszy za sobą oszołomione, wpółprzytomne kobiety, usadowiły je pośrodku celi i powtórzyły obrządek w tej samej kolejności i tempie. Ograbione z rzeczy, przebrane w łachmany, pobite, siedziały teraz pod „paraszą", po przeciwnej niż my stronie. Kobiety zaś przysiadły na swoich miejscach i oglądając nowe ubrania, nasycały się wyraźnie ich posiadaniem.

Zdawało się, że ściany więzienia drżą i wibrują falą ludzkiego cierpienia. Dochodziły nas krzyki bitych kobiet, tupot nóg nowoprzybyłej partii mężczyzn, bieganina dozorców, nawoływania, potem nagła, martwa, napięta cisza.

Nie — to nie mogło trwać. Dosięgałam dna wytrzymałości. Drzwi celi otworzyły się znowu i na ich progu ujrzałam znów dwie nasze kobiety: starą schorowaną matkę z córką, wiecznie o nią zatroskaną, wątłą dziewczyną, patrzyły na nas z przerażonym pytaniem w oczach. I po chwili, raz jeszcze odbył się okrutny rytuał.

Straszna noc. Nikt nie spał tej nocy.

Po trochu jednak w celach zaczęło przycichać. Zapewne oprawcy byli już zmęczeni. Tylko od czasu do czasu wybuchał krótki krzyk. Niedaleko świtania, kroki mężczyzn na korytarzach, gruchot o ścianę obijających się ciał, krzyki. Zmaltretowane, sparaliżowane grozą nie śmiałyśmy mówić nawet szeptem.

Świtało. Pozwijane w kłębek, umęczone kobiety, pogrążone były w gniazdach bezpiecznego snu. Wkrótce jednak, i prawie jednocześnie, budziły się, przeciągały, ziewały, mamrocząc jakieś półsenne słowa.

Wszedł dozorca i kazał się nam poustawiać w szeregi. Policzył, posprawdzał i wyprowadził. Korytarze były puste i milczące. Kobiety przysiadały w otwartych klozetach na więziennym podwórzu, na którym miałyśmy okazję zbliżyć się do siebie. Jeszcze tak niedawno dumne z powziętych postanowień i gotowości do ofiar, patrzyłyśmy na siebie, przywalone upokorzeniem i świadomością własnej bezsilności.

A więc przyjmujemy paszporty? Poddajemy się?

„Oprawka" była skończona. Zapędzono nas do celi, ale tu dozorca od razu wydzielił nas, Polki, mówiąc, że mamy iść do lekarza.

Po porannym posiłku — kromce chleba i kubku gorzkawej, zbożowej kawy, wyprowadzono nas z celi.

Pojedynczo wchodziłyśmy do jasnego, wapnem bielonego pokoju. Po ciemnej, widmowej celi, wstrząsnęło mną i olśniło piękno białych ścian, okna z muślinową firanką, pełnego światła, słońca i nieba i roślin w doniczkach na parapecie.

Lekarka, starsza, szczupła, posiwiała kobieta, o drobnej, delikatnej, jakby popiołem przyprószonej twarzy, badając mnie bardzo powierzchownie, zapytała nagle szeptem, czy znam język francuski i nie czekając na odpowiedź, z uśmiechem zwróconym ku wspomnieniom, cichym głosem powiedziała kilka słów w tym języku. Nie pamiętam ich treści, ale do tej pory czuję tę chwilę, widzę ją przed sobą, mówiącą w zapomnieniu językiem wolnego świata, który na chwilę przywracał ją przeszłości. Patrzyła na mnie z nieśmiałym uśmiechem, dotykając mego pękniętego żebra i stała się skrycie moim sprzymierzeńcem i w okazanej mi ufności — przyjacielem.

W drodze powrotnej do celi, jedna z moich towarzyszek powiedziała dozorcy, że chcemy widzieć naczelnika więzienia. Nie wyraził zdziwienia i wkrótce znalazłyśmy się w jednym z bocznych korytarzy. Przed zamkniętymi drzwiami, zobaczyłam grupę naszych mężczyzn i kobiet. Z opuszczonymi głowami, z okropnymi śladami pobicia, pokrwawieni, w cuchnących szmatach i przegniłych buciorach, stali w milczeniu i po kolei, jeden za drugim, wchodzili do pokoju, w którym urzędował mój... sympatyczny NKWDzista. Gdy przyszła kolej na mnie i gdy weszłam, uniósł się z lekka na mój widok i wypisując mi mój paszport sowiecki na świstku lichego, żółtawego papieru, powiedział ściszonym głosem: — Widzicie grażdanko, że miałem rację...

Gdy wyszłam na ulicę stała tam już spora grupa naszych ludzi. Czekaliśmy na resztę. Patrzyliśmy na siebie z żalem, z rozpaczą. Kobiety były tak odmienione, że niektórzy mężczyźni, patrząc na nie, mieli łzy w oczach.

Wreszcie byliśmy w komplecie. Chyba ze stokilkadziesiąt osób. Potykając się na obolałych nogach, w cudzym, cuchnącym, przeważnie o wiele za dużym obuwiu, bez żadnej już nadziei, ruszyliśmy w powrotną drogę. W łachmanach — sami sobie wydawaliśmy się łachmanami — Sowieccy obywatele!

Męża mojego nie było między nami.

Dopiero w drodze powrotnej do Ili, dowiedziałam się od ludzi z nim aresztowanych, że zaraz po przybyciu do Ałma-Aty został odseparowany od reszty więźniów i umieszczony oddzielnie, jako instygator buntu Polaków.

W Ili u znajomych Polaków, odnalazłam Andrzeja; o nic nie pytał, od razu wszystko było tu wiadome. Trzeba było wracać do życia, do istnienia, bez Aleksandra.

Mieliśmy w Ili milicjanta, Kazacha, stosunkowo jeszcze młodego człowieka, z widoczną, choć skrzętnie ze względów bezpieczeństwa ukrywaną, sympatią dla Polaków. Zwróciłam się do niego i, obiecując nagrodę, prosiłam, żeby wywiedział się u swoich ałma-atyńskich kolegów, gdzie przebywa Aleksander Wat.

Po kilku dniach zjawił się u mnie późnym wieczorem i oznajmił, że mąż mój jest w Drugim Otdielenju w Ałma-Acie, ale że wkrótce przewieziony będzie do Trzeciego. Zawiadomi mnie, kiedy to nastąpi.

Trzeci Oddział! Postanowiłam jechać do Ałma-Aty i zdobyć widzenie z moim mężem. Nie zwlekając pojechałam tam zaraz następnego dnia i zgłosiłam się do NKWD, prosząc o widzenie z Omarchadżewym, który się tą sprawą zajmował. Poprosiłam o audiencję i ku mojemu zdziwieniu otrzymałam ją bardzo prędko, bo po trzech dniach byłam już w jego gabinecie, obszernym, jasnym pokoju, ozdobionym wielkim portretem Stalina. Ruchem ręki wskazał mi krzesło i, milcząc, wolnymi krokami przechadzał się po pokoju. Duży, skośnooki, o ciemnej cerze, miał wybitną, drapieżną urodę kazachską. Podczas paszportyzacji w Ili igrał z Polakami, jak kot z myszą i z brutalnych ataków spowodowanych odmowami przyjęcia paszportu, zdarzało mu się nagle pogrążać w jakąś zadumę, odchodzić gdzieś myślą i — nieobecne wówczas spojrzenie stawało się miękkie. W takiej chwili mogło się wydawać, że oto nagle zwolni swoją ofiarę.

Nagle zatrzymał się przede mną i powiedział: — Człowiek tak wykształcony, inteligentny, poeta, pisarz, mógłby być u nas profesorem, wykładać na uniwersytecie w Moskwie, mógłby żyć jak kulturalny człowiek, a nie w nędzy w Ili. Dlaczego się upiera? Dlaczego zbuntował innych? Trzeba przemówić mu do rozsądku, niech weźmie paszport i zaraz wszystko się odmieni, pojedziecie do Moskwy. On jeszcze nie wie, że Ambasada Polska została wypędzona z Kujbyszewa, że zatem nie może liczyć na żadną znikąd pomoc. Ci, co paszportu nie przyjęli zostali skazani na dwa lata łagru, między innymi dwie urzędniczki z Delegatury ałmaatyńskiej. Niech przestanie się upierać i przyjmie paszport, takie jest bowiem zarządzenie władz sowieckich i Związku Patriotów Polskich.

A więc po to mi dał widzenie, abym przekazała to mężowi, abym go przekonała.

Audiencja była skończona. Czekał na odpowiedź. Oczywiście zgodziłam się na wszystko, aby widzenie uzyskać. Jeszcze na odchodnym dodał miękkim głosem: — Szkoda go. Łagier to pewna dla niego zguba. Kazał mi przyjść za tydzień i zgłosić się do okienka na dole, gdzie wydadzą mi przepustkę i powiedzą, gdzie się mój mąż znajduje.

Milicjant ilijski nie zapomniał o danej mi obietnicy. Był w kontakcie z ałma-atyńskimi kolegami i na trzeci dzień po wizycie mojej u Omarchadżewa, oznajmił, że za dwa dni Aleksander będzie przeprowadzony z Drugiego do Trzeciego Oddziału. Postanowiłam być tego dnia od rana pod Drugim Otdielenjem i w ten sposób, chociaż z daleka go zobaczyć. I tak też zrobiłam.

Brama więzienna, pod którą stałam, była z grubych, ostro zakończonych desek i potrójnym drutem kolczastym na szczycie. Między deskami zdarzały się dość duże szpary, zrobione prawdopodobnie przez tych, którzy tak jak i ja w tej chwili, czyhali na ujrzenie bliskiej istoty.

Stałam dość długo, kiedy nagle uprzałem nadchodzących więźniów. Gdy przystanęli kazano im przysiąść na bruku podwórza. Zaczęło się przeliczanie z listy. W stosunkowo niewielkiej odległości ode mnie, zobaczyłam Aleksandra.

Tak jak i reszta więźniów, miał ogoloną głowę. Zrobiło to na mnie niezwykłe wrażenie. Był bardzo blady, wychudzony, oczy wydawały się większe. Siedział, patrząc w zamyśleniu przed siebie.

Już na wolności, o wiele później, opowiadał mi, że w tym Drugim Oddziale, zabobonni dozorcy więzienni, Kazacy, bali się go wyraźnie. A jeden z nich wprost zapytał, czy nie jest czarownikiem i prosił, żeby na nich, dozorców, czarów nie rzucał, bo oni nie są winni.

Wkrótce więźniów ustawiono w szeregi i otworzono bramę. Otoczeni strażą zaczęli wychodzić na ulicę.

Aleksander zobaczył mnie od razu i uśmiechnął się. Uśmiech miał mi dodać odwagi i otuchy. Wiedział już od współwięźniów co się działo w Trzecim Oddziale, o biciu Polaków.

Starałam zbliżyć się do niego, podać paczuszkę z żywnością, ale strażnicy odganiali mnie z pogróżkami, a potem kiedy ponawiałam próby — groźbą uwięzienia. Biegłam więc w pewnej odległości, usiłując już tylko nie stracić go z oczu, aż do samej bramy więziennej Trzeciego Oddziału.

W dwa dni później stałam przy okienku w gmachu NKWD. Wydano mi przepustkę na obiecane przez Omarchadżewa widzenie, ale miało ono nastąpić dopiero za pięć dni. A więc jeszcze pięć dni. Skoro go nie ma, to znaczy, że paszportu nie przyjął...

W przeddzień widzenia jechałam nocą do Ałma-Aty w zatłoczonym, dusznym wagonie. Przyjechałam na miejsce wczesnym rankiem. Kilka godzin dzieliło mnie od upragnionej chwili; żeby skrócić sobie czas, poszłam wolnym krokiem ulicami tego pięknego miasta.

Zbliżyłam się do parterowego domku całego w bluszczach, z przymkniętymi od słońca okienicami, z małymi, wyciętymi w nich serduszkami i obszernym starym gankiem, po którym tak trudno było przechodzić zimą dla jego śliskiej, pochyłej powierzchni. Mieszkaliśmy tu przez kilka miesięcy, kiedy mąż mój pracował w Delegaturze Polskiej, u przemiłej pani K., od lat czekającej na powrót swego męża z łagru. Nie mogłam tam zajść; w obecnej mojej sytuacji mogłabym narazić ją na przykrości.

Zbliżała się pora widzenia. Zawróciłam więc w drogę powrotną, przed bramę więzienną.

Wpuszczono mnie i po przejrzeniu paczki żywnościowej, którą przyniosłam ze sobą, wprowadzono na wąską galeryjkę, na której stał mały, żółto malowany stolik i dwa drewniane krzesełka. Galeryjka prowadziła na korytarz więzienny, a po lewej jej stronie drzwi były otwarte do pokoju strażników. Jeden z nich stał na progu i kazał mi usiąść. Po jakimś kwadransie wprowadzono Aleksandra.

Pozwolono nam zbliżyć się do siebie. Objął mnie ramionami i powiedział cicho: — Nie martw się, nic mi tu złego nie robią. Zachowaj tajemnicę. Strażnik zbliżył się i kazał nam usiąść. Patrzyliśmy na siebie, zdając sobie sprawę, jak krótka będzie ta chwila szczęścia przed niewiadomym jutrem.

Był jeszcze bardziej wychudzony, skóra twarzy poszarzała, ale żadnych śladów bicia, maltretowania, znęcania się, zaszczucia. Promieniował z niego spokój, dobroć, czułość.

Nie mógł mi w tej sprawie nic więcej powiedzieć, strażnik zbliżył się i wyraźnie nadsłuchiwał. Powiedział mi, że Omarchadżew odwiedza go często, nie posuwa się jednak do żadnych brutalności, tylko przyglądając mu się uważnie, zapytuje nieodmiennie czy się już na przyjęcie paszportu zdecydował, przy czym za każdym razem powiększa dawkę groźnych konsekwencji, które mu grożą, jeżeli odmówi.

Opowiedziałam mu o swojej wizycie u Omarchadżewa i o jego kuszeniach, to wszystko. Nie zadałam pytania, nie prosiłam o żadną odpowiedź. Później, już na wolności powiedział mi, że dałam mu wtedy na tym więziennym ganku, wśród aresztanckich baraków — największy dowód miłości, nie namawiając do niczego, zostawiając mu wolność wyboru.

Opowiedziałam mu także treść listu, który dostałam od Stefana Gackiego w przeddzień jego wyjazdu z rozgromionej Ambasady Kujbyszewa. Pisał: „Trzymaj się, zrobiliśmy wszystko co można, żeby cię wyciągnąć. Pisaliśmy do Jangi-Jul, ale Jangi-Jul, tak jak i w innych wypadkach, zlekceważyło nasze prośby". Było to pokrzepiające, chociaż na razie zupełnie nieskuteczne. Aleksander jednak wysłuchał tego z wyraźną ulgą.

◆

Po powrocie Polaków do Ili życie potoczyło się dalej bez zmian, pełne nędzy, chorób i głodu.

O mężu moim niczego więcej dowiedzieć się nie mogłam. Tyle tylko, że siedział ciągle w Trzecim Otdieleniu. Kilkakrotnie ponawiałam próby uzyskania z nim widzenia, ale Omarchadżew nie chciał mnie więcej przyjąć, ani ze mną rozmawiać. Od uwięzienia mijały trzy miesiące.

I oto, któregoś dnia po południu, zjawił się Aleksander na progu naszej lepianki. Miał dużą brodę, włosy mu odrosły, tyle że bardziej posiwiałe, cerę miał ziemistego koloru, tak właściwą więźniom. Promieniował z niego spokój i szczęście powrotu do nas. Nie wziął paszportu sowieckiego i już od progu pokazywał nam, oddany mu przed wyjściem z Trzeciego Otdielenia, dawny jego dowód osobisty, dowód z pieczątką Rządu Londyńskiego.

CELA W TRZECIM OTDIELENJU

Opowiadał mi Aleksander, że kiedy już siedział na Zamarstynowie[10] we Lwowie, przyśniło mu się którejś nocy, że jest śledzony, że już są na jego tropie, za chwilę go dopadną, schwycą, zaaresztują i posadzą. Koszmarny sen. Więc, kiedy się obudził w celi więziennej, cały zjeżony w sobie od strachu, odetchnął prawie z ulgą.

Takiego uczucia doznał przestąpiwszy próg celi Trzeciego Oddziału. Dokonało się. Wiedział, co go tutaj czeka, wiedział, jak okrutnie bito tu Polaków za opór przyjęcia paszportu sowieckiego. Stojąc więc pod zatrzaśniętymi drzwiami celi i rozglądając się wokoło, bez trudu rozpoznał przyszłych swych oprawców, którzy na jego widok podnosili się leniwie spod zakratowanego okienka. Cela była w podziemiu, cała w półmroku. Patrzył na trzech, zbliżających się, półnagich olbrzymów.

Jak już wspomniałam, w tym czasie wygląd mojego męża był dość niezwykły, ale nie była to tylko sprawa jego powierzchowności, ascetycznego wyglądu, gorejących buntem oczu i ogolonej głowy. Trudno wyrazić aurę jaka otacza człowieka, który osiągnął poczucie wolności bycia już tylko sobą, stanowienia o sobie i o swym działaniu. Aleksander to osiągnął. Był „strzałą i celem"[11] jednocześnie i zapewne, przekroczywszy próg celi, westchnął do Boga, aby pobłogosławił i strzale i celowi.

Walentin, takie było imię starosty celi, stał przed nim w niewielkiej odległości. Był rosły, silny i piękny. Przypatrywał się Aleksandrowi w wyczekującej postawie drapieżnika, który ma czas, wie bowiem, że ofiara i tak mu się nie wymknie. I w ciszy

---

10. Zamarstynów — więzienie we Lwowie w którym Wat siedział z grupą polskich pisarzy w styczniu 1940 roku.
11. Wiersz Aleksandra Wata pt. „Japońskie Łucznictwo".

tego wyczekiwania odezwał się głos Aleksandra, który jemu samemu wydał się tu obcy. Więc kiedy padło pierwsze zdanie, kiedy zapytał surowym głosem, czy wierzą w Boga, sam się zadziwił temu, tak tutaj nieoczekiwanemu, pytaniu. Oni także byli zaskoczeni, a Walentin krzyknął gwałtownie, dlaczego o to pyta. I wszystko co było postanowione i nieodwołalne, powiedział Aleksander głosem mocnym i stanowczym:

— Wiem, że macie mnie bić, bić tak długo, póki nie wezmę paszportu sowieckiego. Więc, jeżeli wierzycie w Boga, proszę, bijcie mnie tak sprawnie i skutecznie, abym się za długo nie męczył, aby *to* za długo nie trwało. Bo *ja* paszportu sowieckiego *nie wezmę*.

Jakże wytłumaczyć sobie to wszystko co po tym nastąpiło?

W celi dotąd cichej, nagle wszyscy zaczęli mówić jednocześnie, obróceni w stronę Walentina, jakby czekający co on postanowi. A Walentin milczał i patrząc na Aleksandra zdawał się z trudem odrywać od jakiejś swojej rzeczywistości, czy zapomnianego już dawno snu. I nagle, krzycząc, kopiąc i odtrącając brutalnie, nadarzających mu się po drodze więźniów, kierował się ku swojemu miejscu pod oknem, a stamtąd, jak z kazalnicy, zahuczał nakazującym posłuch głosem:

— Jeżeli jeden włos spadnie z głowy temu człowiekowi, ze mną będziecie mieli do czynienia. Zrozumiano?

Jaka fala wspomnień przypłynęła do Walentina ze słowami Aleksandra? Jakie treści podłożył pod ten usłyszany, tak niespodziewany tutaj tekst? Przeciwko czemu się buntował i w buncie tym przyłączał do Aleksandra?

Aleksander siadł na wyznaczonym mu przez Walentina miejscu, tuż koło niego i jego towarzyszy. Reszta więźniów — ze dwudziestu wyrostków, wśród których, jak się później okazało, był syn wiceprzewodniczącego gorkomu[12] i jedynak rejonowego sekretarza Partii — rozeszła się na swoje miejsca pod ścianami. Byli to w przeważającej ilości tzw. *miełkije wory,* złodziejaszki, o pospolitych, często syfilisem znaczonych twarzach. Przeważnie wychowankowie „Dietdomów".

Walentin był wzburzony i zaledwie Aleksander „zagospodarował" się na swoim miejscu, zaczął mówić wibrującym od hamowanej wściekłości, głosem.

— Sowiecki paszport! — wykrzykiwał — sowiecki paszport to my, to ta nora w Trzecim Otdieleniu, to więzienia, łagry, strach. STRACH i TERROR! — to jest sowiecki paszport. To

12. Gorkom — miejska rada narodowa.

z nienawiści do nich, do tych miażdżących, żelaznych łap, które nas duszą — rodzi się w nas zbrodnia.

Mówiąc to poderwał się i zaczął krążyć po celi a zbliżywszy się do drzwi, walnął w nie kułakiem, krzycząc z wściekłością: — Ucieknę im! Ucieknę chociaż wolniejsi jesteśmy w tej celi niż na wolności. Wszystko nam tu wolno. Możemy krzyczeć, nasobaczyć na władzę, na ojca narodów, bo nic już nie mamy do stracenia a tyle, jednak, do zyskania.

Żył tylko myślą o ucieczce i snuł jej plany. Mówił o tym nieustannie w ciągu pobytu Aleksandra w tej celi, powracał uparcie myślą do tej, nie dającej mu spokoju myśli. Opowiadał, jak to uciekając z łagrów północy, godzinami ukrywał się w lodowatej wodzie przerębli, pod grubym wiekiem lodu. Jak tygodniami ginął z głodu, ukrywając się w lasach, górach, stepach. I nieodmiennie kończył swe wspomnienia postanowieniem dalszej ucieczki.

Towarzysze Walentina zaczęli włączać się do kipiącego nienawiścią monologu. Każdy z nich chciał opowiedzieć dzieje swego życia, w kolejach losu, tak jedno do drugiego podobne.

Aleksander słuchał ich w napięciu, a oni czując w nim świadka swoich losów, jeszcze bardziej podniecali się do zwierzeń, aż urwali zmęczeni, zadyszani. I wtedy zaczęli prosić mego męża, aby opowiadał im o sobie, o wolnym świecie do którego należał.

Aleksander opowiadał świetnie. I teraz, w tej mrocznej celi, otoczony zbuntowanymi, pełnymi nienawiści, a jemu tak sprzyjającymi więźniami, wyprowadzał ich za mury więzienne na szeroki świat. I w ciągu całego tam pobytu, nieraz do późnej nocy streszczał im książki, filmy, cytował z pamięci wiersze.

Jak mi potem opowiadał, błagali go żeby codziennie streszczał im jakąś powieść. „Czerwone i Czarne" — na przykład — wywołało zachwyt. A już szczególnie podobały się im opowiadania Henry'ego, których mąż mój przetłumaczył chyba z pięćdziesiąt i które — jak twierdził — świetnie nadają się do więzienia. Poczęte przecież w więzieniu.

Walentin, którego specjalnością były napady na pociągi towarowe i który — jak twierdził — brzydził się „mokrej roboty" oraz towarzysze jego, przeważnie z tej samej co i on specjalności — sporo czytali; znali Gorkiego, Tołstoja, Dostojewskiego. Mówili z pamięci wiersze Puszkina, a wieczorami pod rzewną melodię, śpiewali piękny „List do matki", Jesienina, którego nauczył mnie Aleksander po powrocie.

Jednak od pierwszej chwili mąż mój zdał sobie sprawę z niebezpieczeństwa sytuacji. Trzeba było zainscenizować bicie, żeby nie sprowokować przeniesienia do innej celi. Walentin zrozumiał to i chociaż z dużymi oporami, wespół z towarzyszami, dnia następnego, narobił straszliwego rumoru i krzyknął aż rozniosło się po korytarzach więziennych: — *Poliak, bieri paraszu!* — którą mąż mój wespół z jeszcze jednym więźniem, wynosił zgięty we dwoje, z opuszczoną głową, dając wszystkie pozory umęczenia i udręki. Tegoż dnia pod wieczór zjawił się Omarchadżew i przypatrując mu się uważnie i, najwidoczniej szukając śladów bicia, zadał mu to samo wciąż pytanie.

Omarchadżew przychodził co najmniej trzy razy w tygodniu i, zdawało się Aleksandrowi, że za każdym razem zachowanie jego różniło się od poprzedniego. Zawsze jednak był groźny i napięty, nacierający z wściekłą furią nienawiści na upierającego się przy swoim więźnia. A — jednocześnie — najwidoczniej zaciekawiony tym szaleńcem, dążącym do pewnej zguby, zamiast do zaoferowanych mu zaszczytów i blasków egzystencji.

Zastanawialiśmy się potem oboje, co kryło się w tym zwlekaniu, nie wysyłaniu do łagru, którym ciągle grozili, temu ociąganiu się w pobraniu decyzji w stosunku do niego. Czyżby jakiś Berman, czy też któryś z przebywających wówczas w Moskwie i współpracujących ze Związkiem Patriotów Polskich — pisarzy polskich wpłynął na to bez wiedzy mego męża, bo on nie miał z nimi żadnego kontaktu. Chociażby Ważyk[13].

Może legenda *Miesięcznika Literackiego* zaważyła w tym wypadku?

Mijały trzy miesiące uwięzienia, kiedy Omarchadżew po niezmiennej odmowie — oznajmił, że teraz już nieodwołalnie wyślą go do łagru i, że najprawdopodobniej, nastąpi to dnia następnego.

Po powrocie do celi Aleksander zdał sprawę Walentynowi

---

13. Mniej więcej w tym samym czasie Ważyk wespół z Putramentem i Wandą Wasilewską prowadzili w Saratowie jakieś radiowe pogadanki. Jemu, prawdopodobnie, w dużym stopniu zawdzięczamy nasz powrót, upomniał się on bowiem o Aleksandra Wata w otwartym liście drukowanym w *Kuźnicy* (Nr 3 z 14 stycznia 1946 r.), który kończy się słowami: „... Związek (Literatów Polskich) wszczął starania w Ministerstwie Kultury i Sztuki o sprowadzenie zabłąkanego kolegi z kraju..., który kilka tysięcy kilometrów od kraju umiera na ciężką chorobę serca i zdycha z nostalgii... Marszałek Rokossowski nie pytał jaką ideologię wyznaje Jan Parandowski. Nam także nie idzie w tym wypadku (A. Wata) o ideologię, ale o literata, człowieka wyjątkowej inteligencji, który jak mi się wydaje w poglądach swoich jest bardzo daleki od nas i wróci do kraju jako wyznawca ideologii katolickiej jeśli wrócić zdoła...
Sprawa jest nagląca".

z ostatniej wizyty Omarchadżewa i powziętej w stosunku do niego decyzji. Należało się spodziewać, że spędza ostatnią noc z nimi. Walentin, na wszelki wypadek, wziął nasz adres ilijski, bowiem postanowienie ucieczki było w nim niezłomne a także i pewność, że mu się ona uda. W tym wypadku przyszedłby do mnie, aby mi opowiedzieć o losach mego męża.

Następnego dnia, wezwano męża mego z „wieszczami". Z prawdziwym wzruszeniem i wdzięcznością pożegnał swego zbawcę i przyjaciela Walentina, a także jego towarzyszy. W pokoju naczelnika więzienia, zapytał czy pozwoli mu napisać kilka słów do żony, a ten, popatrzywszy na niego z ledwo ukrywanym uśmiechem i podając mu papierek do podpisu, odpowiedział: — Po co pisać, zobaczycie ją niedługo. Po czym wręczył mu dawny jego dowód, arkusz zadrukowanego białego papieru z nagłówkiem: RZECZPOSPOLITA POLSKA. I z okrągłą u dołu pieczątką, która głosiła: DELEGATURA AMBASADY RP. AŁMA-ATA. Tak zwany „paszport londyński".

Paulina (Ola) WATOWA

JÓZEF CZAPSKI

NAD GROBEM POETY — PRZEMÓWIENIE NA POGRZEBIE ALEKSANDRA WATA

Dlaczego śmierć Aleksandra Wata wzbudziła i wzbudzi wielki żal wśród tylu ludzi różnych, nieraz nawet wrogich sobie rodzin duchowych? Dlatego, że ten poeta, o kulturze, której rozległość porównać można jedynie z kulturą kilku jego współczesnych, żył od wczesnej młodości na skrzyżowaniu wszystkich dróg, po których szło, walcząc, kalecząc się i ginąc, jego pokolenie. Nadzieje ostateczne, rozdarcia, rozczarowania ostateczne i znowu nadzieje ogarniały go, raniły, zabijały i wskrzeszały.

P o l a k i polski poeta wrośnięty w Polskę i jej tradycję historyczną, poetycką i jej los okrutny — do kultury polskiej należał tak jak ona do niego, był jej współtwórcą;

Ż y d, całym sobą zrośnięty z żydostwem — jego przeszłością i jego tragedią, dla którego Biblia była księgą, z którą się do śmierci nie rozstawał;

C z ł o w i e k, który rewelację chrześcijaństwa przeżył w więzieniach i zesłaniach sowieckich; odtąd Nowy Testament stał się dla niego książką równie bliską jak Stary.

Ponad 15 lat ostatnich żył w nieustającej prawie torturze fizycznych cierpień (rzadkie były wyspy wytchnienia). W tym okresie choroby i wędrówek po świecie ile wierszy, ile tekstów, które z o s t a n ą, a jednocześnie ile spotkań, pomocy ludziom, których swoją mądrą i jakże serdeczną przyjaźnią darzył!

Wdzięczność, którą tylu z nas dla niego odczuwa, jest nie tylko natury osobistej: był żywym wcieleniem s y m b i o z y dwóch tradycji — wiemy, jak ta symbioza pogłębiła i rozszerzyła horyzont naszej świadomości.

Ona przetrwa nas wszystkich i wiązać będzie Polaków i Żydów, których połączyły wieki na wspólnej ziemi przeżyte.

ALEKSANDER WAT:

ŻYCIE I TWÓRCZOŚĆ. KALENDARIUM

1 maja 1900 Aleksander Wat (właśc. Chwat) przychodzi na świat w Warszawie w rodzinie żydowskiej.

Do 1915 uczęszcza do szkoły powszechnej, pobierając naukę w języku rosyjskim.

1915–18 — uczy się w Gimnazjum Rocha Kowalskiego w Warszawie, zdaje maturę. Poznaje Anatola Sterna.

1917–18 — okres fascynacji filozofią Wschodu, koledzy nazywają go, za Sternem, Buddą-Zaratustrą.

1918–20, 1920–26 — studia filozoficzne na Uniwersytecie Warszawskim. Uczestniczy w seminarium filozoficznym prof. Tadeusza Kotarbińskiego.

1919 — *JA z jednej strony i JA z drugiej strony mego mopsożelaznego piecyka* (Warszawa, Bronisława Skra-Kamińska), z datą 1920.

1920 — publikuje swoje utwory w jednodniówkach futurystycznych *To są niebieskie pięty które trzeba pomalować* i *GGA* (tu: wiersze z cyklu *Fruwające kiecki*).

1920 — w czasie wojny polsko-bolszewickiej pomimo pacyfistycznych przekonań wstępuje ochotniczo do wojska i od sierpnia do października przebywa (razem z Jarosławem Iwaszkiewiczem) w koszarach w Ostrowie Wlkp., wcielony do 221. pułku piechoty (który w działaniach wojennych nie wziął udziału).

1924 — współpraca z Henrykiem Berlewim, razem zakładają efemeryczne wydawnictwo JAZZ.

1926 — pierwsza podróż do Paryża; okres „pokusy katolicyzmu", związany z lekturą listów otwartych Cocteau i Maritaina.

1926 — publikuje w „Skamandrze" nr 47–48 (maj–grudzień) opowiadanie *Żyd Wieczny Tułacz.*

1926 — ukazuje się tom *Bezrobotny Lucyfer* (Warszawa, F. Hoesick), z datą 1927. Poznaje swego rówieśnika (starszego o 1 dzień) Andrzeja Stawara, który wprowadzi go w podstawy marksizmu.

24 stycznia 1927 — żeni się z Pauliną (Olą) Lewówną.
1927 — spotkania z Majakowskim w Warszawie.
1928 — wraz z Broniewskim, Stande, Stawarem, Daszewskim, Drzewieckim, Wandurskim, Hemplem, Jasieńskim i Leonem Schillerem tworzy środowisko pisarzy komunistycznych.
1929 — Poznań: w ramach Powszechnej Wystawy Krajowej inscenizacja napisanego przez Wata faktomontażu *Polityka społeczna R.P. Dziewięć scen*.
1929 — podróż do Niemiec i Francji, spotkanie z Henri Barbusse'em.
1929–1931 — kieruje „Miesięcznikiem Literackim", czasopismem na wysokim poziomie literackim i intelektualnym, o sympatiach prokomunistycznych.
1931 — Wat organizuje protesty przeciwko torturowaniu więźniów politycznych i zaostrzeniu regulaminu więziennego.
23 VII przychodzi na świat syn Andrzej.
Likwidacja „Miesięcznika Literackiego" i aresztowanie jego redaktorów: Wata, Broniewskiego, Stawara, Hempla i Nowogrodzkiego. Wat, osadzony w więzieniu na Mokotowie, pozostaje tam ok. 3 miesięcy.
1931–1932 — usiłuje reaktywować „Miesięcznik Literacki". Współpracuje z „Pod prąd" (czasopismem nieortodoksyjnych marksistów; ukaże się tylko jeden numer). Redaktorem miesięcznika jest Andrzej Stawar.
1933–1939 — dyrektor literacki Wydawnictwa Gebethner i Wolff.
maj 1939 — nazwisko Wata trafia na listę osób przewidzianych do osadzenia w Berezie Kartuskiej.
październik 1939 — poszukiwany przez gestapo. Ucieczka do Lwowa. Członek Związku Literatów Polskich działającego pod egidą sowiecką. Współpracuje z „Czerwonym Sztandarem".
24 stycznia 1940 — aresztowany wraz z Broniewskim, Peiperem i Sternem (prowokacja NKWD). Więziony we Lwowie, w Kijowie i Moskwie (na Łubiance w Moskwie doznania mistyczne). Wewnętrzne nawrócenie na katolicyzm.
20 listopada 1941 — objęty amnestią i zwolniony z więzienia w Saratowie, dokąd został wywieziony po wybuchu wojny ZSRR z III Rzeszą. Otoczony opieką przez ambasadę RP w Moskwie, ewakuowaną na teren Kazachstanu.

styczeń 1942 — na mocy układu Sikorski–Majski Wat zostaje pracownikiem delegatury rządu londyńskiego w Ałma Acie; poznaje wybitnych artystów ZSRR (wśród ewakuowanych byli tam Majakowski, Stiekłow, Szkłowski, Paustowski). Pisze dwa (niezrealizowane) scenariusze dla Mosfilmu. W lutym odnajduje żonę i syna, wywiezionych ze Lwowa w kwietniu 1940.

1943 — w styczniu deportowany wraz z rodziną do osady Ili (Kazachstan).

marzec 1943 — początek przymusowej „paszportyzacji": Wat odmawia przyjęcia obywatelstwa radzieckiego i organizuje polski opór w Ili. Aresztowany i osadzony w więzieniu w Ałma Acie; w czerwcu zwolniony z więzienia. Wraca do Ili.

kwiecień 1946 — powrót do Polski. Zamieszkuje w Warszawie przy Niemcewicza 9. Zostaje redaktorem naczelnym PIW. Działa w Pen Clubie. Do roku 1949 wyjeżdża do Szwajcarii, Włoch, Danii i do Weimaru na uroczystości 200. rocznicy urodzin Goethego.

11–17 stycznia 1948 — uczestniczy w spotkaniu młodych pisarzy w Nieborowie, krytykuje socrealizm w referacie *Antyzoil albo rekolekcje na zakończenie roku* (druk w „Kuźnicy" nr 6–7).

1949 — zmuszony do rezygnacji ze stanowiska naczelnego redaktora PIW. Seria krytycznych wobec socrealizmu wystąpień Wata, atakowanego w prasie i na Plenum Zarządu Głównego ZLP. Utrzymuje się z tłumaczeń, głównie z języka rosyjskiego. W „Twórczości" 1949 nr 8 zamieszcza fragment powieści *Ucieczka Lotha*.

1950 — pisze sztukę *Kobiety z Monte Olivetto* (druk w oprac. J. Zielińskiego: Warszawa, Biblioteka Narodowa, 2000).

10–11 stycznia 1953 — po wylewie trafia do Szpitala Dzieciątka Jezus w Warszawie. Występują objawy bolesnej i nieuleczalnej choroby nerwowej o charakterze psychosomatycznym.

1953 — wraz z żoną potajemnie w kościółku przy ul. Piwnej przyjmują chrzest.

1954 — dzięki wstawiennictwu Jakuba Bermana otrzymuje pozwolenie na leczenie za granicą. Jedzie do Sztokholmu.

1956 — pobyt na południu Francji, w Mentonie.

1957 — publikuje w Polsce pierwszy (nie licząc *Piecyka*) tomik poezji: *Wiersze* (Kraków, WL). Otrzymuje nagrodę „Nowej Kultury" za „najlepszą książkę roku". Zapada na tyfus.

lipiec 1959 — Watowie na zawsze opuszczają Polskę; poeta formalnie wyjeżdża na roczne stypendium Fundacji Forda do Francji. Mieszka w domu „Kultury" w Maisons-Laffitte pod Paryżem.

1960–1961 — z polecenia Miłosza zaangażowany przez włoskiego wydawcę Umberto Silvę, kieruje oficyną w Genui, mieszkając od 22 stycznia 1960 w Nervi. Prowadzi serię literatury słowiańskiej, wydaje kilka pozycji literatury polskiej, w tym antologię poezji polskiej, opracowuje propozycje tłumaczeń włoskich również z literatury zachodniej. Współpraca kończy się z rokiem 1961. Redaguje nowe wydanie *Bezrobotnego Lucyfera* dla Czytelnika (1960). Usuwa ze zbioru dwa opowiadania: *Niech żyje Europa!* i *Historia ostatniej rewolucji w Anglii.* Zarazem pod pseudonimem Stefan Bergholz publikuje esej *Czytając Terca*, jako wstęp do *Opowieści fantastycznych* Abrama Terca (właśc. Andrieja Siniawskiego, rosyjskiego pisarza dysydenta), wydanych po polsku przez Instytut Literacki w Paryżu (1961).

styczeń–kwiecień 1962 — przebywa w ośrodku wypoczynkowym dla pisarzy w Messuguière w Cabris (Prowansja). Pisze *Pieśni wędrowca* i *Sny sponad Morza Śródziemnego*, które wejdą w skład *Wierszy śródziemnomorskich*, wydanych tego samego roku w PIW. Zbiór obejmuje wiersze z lat 1956–62.

lipiec 1962 — na konferencji w Oksfordzie poświęconej literaturze radzieckiej wygłasza referat: *Kilka uwag o związkach między literaturą a rzeczywistością radziecką*. Jego fragmenty zostaną przedrukowane po rosyjsku w „Le contrat social" Borisa Souvarine'a (1963 nr 6), skrót publikuje paryski kwartalnik „Dialogue" Kongresu Wolności Kultury (Jesień). Po polsku: „Kultura" 1964 nr 1–2.

1963 — w kwietniu pozbawiony prawa do warszawskiego mieszkania, 28 maja, 2 dni po narodzinach pierwszego wnuka, formalnie uznany zostaje za emigranta, uzyskując papiery bezpaństwowca, tzw. paszport nansenowski. W „Kulturze" 1963 nr 7–8 publikuje I część eseju o stalinizmie *Klucz i hak.*

22 listopada 1963 — zabójstwo prezydenta Kennedy'ego, dla Wata wydarzenie traumatyczne, rodzaj nowoczesnego królobójstwa. Pisze wiersz inc. ...*Weźmij lutnię, obejdź miasto*, planuje napisanie opartej na wątku tego zabójstwa powieści *Diabeł w historii*.

23 listopada 1963 — otrzymuje zezwolenie na trzyletni pobyt we Francji. Korzystając z zaproszenia profesora Gregory'ego Grossmana (dzięki wstawiennictwu Czesława Miłosza i Gleba Struvego), kierownika The Center for Slavic and East European Studies przy Berkeley University, wyjeżdża do USA.

połowa grudnia 1963–2 lipca 1965 — w Berkeley. Nawrót choroby uniemożliwia mu pracę. Z pomocą Miłosza nagrywa wspomnienia.

lipiec 1965 — w Paryżu kończy nagrywać z Miłoszem wspomnienia (razem 40 sesji) i rozpoczyna redakcję książki, znanej nam jako *Mój wiek*. Zakończy ją na siedemdziesiątej stronie II części planowanej książki.

20 maja 1967 — Wat wystosowuje apel *O solidarność z Izraelem*.

29 lipca 1967 — po czternastu latach nieprzerwanych cierpień, bez nadziei na wyzdrowienie popełnia samobójstwo w swoim mieszkaniu w Antony pod Paryżem. Pochowany 1 sierpnia na cmentarzu w Antony.

1968 — ukazuje się *Ciemne świecidło*, Paryż, Libella (tom zawiera wiersze z lat 1963–1967, ostatni z 31 maja 1967).

18 stycznia 1968 — prochy Aleksandra Wata zostają przeniesione na cmentarz Montmorency.

1972 — w „Kulturze" nr 7–8 i 1973 nr 1–2 ukazują się fragmenty zapisu nagrań Wata.

1977 — pierwsze polskie wydanie *Mojego wieku*, Londyn, Polonia Book Fund Ltd., oprac. do druku Lidia Ciołkoszowa. Miłosz wydaje w swoim tłumaczeniu i wyborze tom wierszy Wata *Mediterranean Poems*, Ann Arbor, Ardis (USA).

1981 — pierwsze wydanie Wata w obiegu niezależnym: *Ewokacja* (Kos). Wyd. II (poprawione) *Mojego wieku*, w jednym tomie, Polonia Book Fund Ltd. *Mój wiek*, wielokrotnie wznawiany w drugim obiegu, stanie się bestsellerem. Dotychczas na świecie ukazały się edycje: *My century. The odyssey of a Polish intellectual*, przeł. R. Lourie, przedmowa C. Miłosz, Berkeley, 1988 i New York, 2003; *Mon siècle*, przeł. G. Conio, J. Lajarrige, Paris–Lausanne, 1989;

Jenseits von Wahrheit und Lüge, przeł. E. Kinsky, Frankfurt am Main, 2000; *Mijn twintigste eew*, przeł. G. Rasch, Amsterdam, 2001; *Mi siglo. Confesiones de un intelectual europeo*, przeł. J. Slawomirski, A. Rubió, wstęp Adam Zagajewski, Barcelona, Acantilado, 2009. Wyd. włoskie w druku. Fragmenty w przekładzie rosyjskim: „Inostrannaja Litieratura" 2006 nr 5.

1983 — od jesieni inedita Wata drukowane są na łamach nowo powstałego w Paryżu literackiego pisma w języku polskim, „Zeszyty Literackie" (zob. wykaz s. 178).

1984 — publikacja wspomnień Oli Watowej w postaci rozmów z Jackiem Trznadlem — *Wszystko co najważniejsze...*, Londyn, Puls.

grudzień 1985 i październik 1986 — ukazują się tomy *Świat na haku i pod kluczem. Eseje* oraz *Dziennik bez samogłosek* — dwa pierwsze tomy *Pism wybranych* A. Wata, oprac. Krzysztof Rutkowski (Londyn, Polonia Book Fund Ltd.). Tom III, *Ucieczka Lotha. Proza*, oprac. K. Rutkowski, tamże, lipiec 1988.

1986 — na płycie *Litania* Jacek Kaczmarski umieszcza piosenkę pt. *Aleksander Wat* (tekst w książce *Ale źródło wciąż bije*, Warszawa, Marabut, 2002, s. 443).

październik 1986 — w ramach *Journées transeuropéennes de littérature* w teatrze du Rond-Point w Paryżu odbywa się debata na temat Aleksandra Wata z udziałem Miłosza i Oli Watowej, a także Gérarda Conio, Konstantego A. Jeleńskiego, Wojciecha Karpińskiego i Adama Zagajewskiego.

z datą 1987 — PIW ogłasza w Warszawie *Wiersze wybrane* Wata (wybór i oprac. A. Micińska i J. Zieliński, wstęp J. Zieliński, nakład 5 tys. egz.). Data druku 1988.

1988 — wiosną Ola Watowa przekazuje archiwum Aleksandra Wata do Beinecke Library, Yale University.

1988 — w Londynie ukazuje się książka Wojciecha Karpińskiego *Książki zbójeckie* (Polonia Book Fund Ltd.) o wielkich polskich pisarzach XX wieku; Wat jest jednym z jej siedmiu bohaterów. Wydanie rozszerzone i uzupełnione: Warszawa, Zeszyty Literackie, 2009.

1989 — od 20 III do 21 IV w New Haven wystawa *The Lives & Works of Milosz & Wat*.

1989 — w Nowym Jorku ukazuje się *With the Skin*, wybór wierszy Wata w przekładzie Miłosza i Leonarda Nathana, w Londynie książka Małgorzaty Łukaszuk-Piekary *...I w kołysankę już przemieniony płacz...: Obiit... Natus est w poezji Aleksandra Wata* (Kontra), zaś w Lozannie książka Gérarda Conio *Aleksander Wat et le diable dans l'histoire* (L'Âge d'homme).

1990 — ukazuje się w opracowaniu J. Zielińskiego, przygotowanym na prośbę autorki, wydanie *Wszystko co najważniejsze* jako monologu (Czytelnik), będzie ono podstawą przekładów na język francuski (*L'Ombre seconde*, przeł. Christiane Giovannoni, Paris–Lausanne, Éditions de Fallois–L'Âge d'homme, 1989) i niemiecki (*Der zweite Schatten*, przeł. Anna Leszczyńska, Frankfurt am Main, Neue Kritik, 1990). W Evaston, Ill., wychodzi angielski przekład opowieści Wata (*Lucifer Unemployed*) w przekładzie Lillian Vallee, z przedmową Miłosza (Northwetern University Press).

9 lutego 1991 — w Paryżu umiera Ola Watowa. Spoczywa obok męża na cmentarzu w Montmorency.

1991 — w Bad Honnef ukazuje się pt. *Was sagt die Nacht?* wybór twórczości Wata (wiersze i opowieść *Żyd Wieczny Tułacz*) w przekładzie niemieckim Esther Kinsky (Gildenstern), zaś w Brukseli plakietka pod red. Gérarda Conio i in., *Aleksander Wat: études* („Le Courrier du Centre international d'études poétiques", No 189).

1992 — Znak ogłasza *Poezje zebrane* Wata (oprac. A. Micińska i J. Zieliński, wstęp A. Micińska); w Krakowie ukazuje się pod red. Wojciecha Ligęzy tom *Pamięć głosów: o twórczości Aleksandra Wata. Studia* (Universitas).

1992 — paradokumentalny film Roberta Glińskiego *Wszystko co najważniejsze*, częściowo oparty na autobiograficznej opowieści Oli Watowej.

1996 — Tomas Venclova publikuje książkę *Aleksander Wat. Life and Art of an Iconoclast*, New Haven, Yale University Press; *Aleksander Wat Obrazoburca*, przeł. Jan Goślicki, Kraków, WL, 1997.

od 1997 ukazują się w Warszawie *Pisma zebrane* (Czytelnik). Dotychczas ogłoszono: T. 1: *Poezje*, oprac. A. Micińska i J. Zieliński, posłowie J. Zieliński; T. 2: *Mój wiek. Pamiętnik mówiony*, cz. 1–2, rozm. prowadził i przedm. opatrzył C. Miłosz, do druku przygot. L. Ciołkoszowa, 1998; T. 3: *Dziennik bez samogłosek*, oprac. K. i P. Pietrychowie, 2001; T. 4: *Korespondencja*, cz. 1–2, wyb. i oprac. A. Kowalczykowa, 2005; T. 5: *Publicystyka*, oprac. Piotr Pietrych, 2008.

1998 — w Lublinie ukazuje się książka Jarosława Borowskiego *„Między bluźniercą a wyznawcą": doświadczenie sacrum w poezji Aleksandra Wata* (TN KUL).

1998 — w Poznaniu ukazuje się książka Michała Januszkiewicza *Tropami egzystencjalizmu w literaturze polskiej XX wieku: o prozie Aleksandra Wata, Stanisława Dygata i Edwarda Stachury* (PSP).

1999 — w Warszawie ukazuje się pod red. Jacka Brzozowskiego i Krystyny Pietrych tom *Szkice o poezji Aleksandra Wata* (IBL) oraz monografia Krystyny Pietrych *O Wierszach śródziemnomorskich Aleksandra Wata* (tamże); w Katowicach ukazuje się książka Adama Dziadka *Rytm i podmiot w liryce Jarosława Iwaszkiewicza i Aleksandra Wata* (Wyd. UŚ) oraz książka Józefa Olejniczaka *W-Tajemniczanie — Aleksander Wat* (tamże).

5–6 maja 2000 — konferencja naukowa „Aleksander Wat — w setną rocznicę urodzin". Lublin, Instytut Filologii Polskiej i Katedra Teorii Literatury KUL; 15–17 maja konferencja „Aleksander Wat i jego XX wiek". Darmstadt, Deutsches-Polen Institut oraz Geisteswissenschaftliches Zentrum Geschichte und Kultur Ostmitteleuropas w Lipsku.

8 grudnia 2000–28 lutego 2001 — wystawa *Wiek Wata*. Warszawa, Biblioteka Narodowa. Kuratorzy: Katarzyna Raczkowska, Jan Zieliński (chronologię zestawił Jan Zieliński). Konsultacja: Andrzej Wat. Katalog wystawy: *Wiek Wata. Przewodnik po wystawie*, Warszawa, BN, 2000. Przy okazji wystawy wydano drukiem dramat Wata *Kobiety z Monte Olivetto*.

2001 — w Krakowie ukazuje się książka Edyty Molędy *Mowa cierpienia: interpretacja poezji Aleksandra Wata* (Universitas).

2002 — w Wiesbaden ukazuje się pokonferencyjny tom pod red. Matthiasa Friesego i Andreasa Lawatego, *Aleksander Wat und „sein" Jahrhundert* (Harrassowitz), zaś w Lublinie pod red. Jarosława Borowskiego i Władysława Panasa, tom *W „antykwariacie anielskich ekstrawagancji": o twórczości Aleksandra Wata* (KUL).

2004 — w Lublinie ukazuje się książka Sławomira Jacka Żurka *Synowie księżyca: zapisy poetyckie Aleksandra Wata i Henryka Grynberga w świetle tradycji i teologii żydowskiej* (WNH KUL).
2004 — w Gliwicach ukazuje się książka Tomasza Pyzika *Predestynacja w poezji Aleksandra Wata* (Gliwickie Tow. Szkolne im. Janusza Korczaka).
2005 — w Bydgoszczy ukazuje się książka Marka K. Siwca *Los, zło, tajemnica: ku twórczym źródłom poezji Aleksandra Wata i Czesława Miłosza* (Wyd. Akademii Bydgoskiej).
2006 — w Rzymie Luigi Marinelli wydaje pt. *Lumen oscuro* obszerny dwujęzyczny tom poezji Wata w przekładzie własnym oraz Massimiliano Cutrera i Francesco Groggia (Lithos Editrice); w Sztokholmie ukazuje się, pt. *Bokslut*, wybór wierszy Wata w szwedzkim przekładzie Petera Handberga (Modernista). Ukazuje się książka Marci Shore *Caviar and Ashes. A Warsaw Generation's Life and Death in Marxism, 1918–1968*, New Haven, Yale University Press (*Kawior i popiół: życie i śmierć pokolenia oczarowanych i rozczarowanych marksizmem*, przeł. Marcin Szuster, Warszawa, Świat Książki, 2008).
2007 — Jacques Dewitte czyni z Wata — obok Orwella, Dolfa Sternberga i Klemperera — jednego z bohaterów swej książki o oporze wobec języka totalitarnego *Le pouvoir de la language et la liberté de l'esprit* (Michalon).
2008 — w serii Biblioteka Narodowa (seria I nr 300) ukazuje się *Wybór wierszy* Wata w opracowaniu Adama Dziadka (Zakład Narodowy im. Ossolińskich), zaś w Gdańsku ukazuje się bibliofilskie wydanie *Ciemne świecidło. Wiersze śródziemnomorskie* w oprac. J. Zielińskiego (słowo / obraz terytoria, Biblioteka Mnemosyne).

Na podstawie cytowanych powyżej źródeł
oprac. B. T.; współpraca J. Z.

ALEKSANDER WAT
W „ZESZYTACH LITERACKICH”

„ZL” 1983 (Jesień) nr 4: *Próba genealogii (szkic do 2 pierwszych stanz)*; *1905 1920 1965*; *Sen mojego brata*; *Niania nasza Anusia Mikulak...*; *Z naszeptów magnetofonowych*; *Jeszcze ciepłe gniazdo...*; *Znaki przestankowania (Do bezgłośnego czytania)*; *Ocalić by ze snu...*; *A choć zapuszczam na oko ciężką powiekę...*; *Mądry neurolog z San Francisco...*; *Ty wiesz, że pozór to i kłamstwo...*;

„ZL” 1984 (Wiosna) nr 6: *Mała Dalila...*;

„ZL” 1984 (Jesień) nr 8: *Kartki na wietrze*;

„ZL” 1985 (Zima) nr 9: *Poemat bukoliczny*;

„ZL” 1985 (Jesień) nr 12: *Ewangelia także jako arcydzieło literatury*;

„ZL” 1986 (Zima) nr 13: *Z „Dziennika bez samogłosek”*;

„ZL” 1995 nr 2 / 50 — Dodatek: *Mała Dalila...*;

„ZL” 2001 nr 3 / 75 — Dodatek: Wypisy: *O dziele Czesława Miłosza. Głosy z lat 1937–2000*;

„ZL” 2006 nr 1 / 93: Wypisy: *Podróż do Itaki przez Wenecję, Moskwę, Sachalin, Haiti...*

„ZL” 2007 nr 3 / 99: Wiersze widzące: *Przed Bonnardem*; *Przed weimarskim autoportretem Dürera (w dwóch wariacjach)*; *Wiersze somatyczne*; *Na pewną markizę stalinowkę* (faksymile); *Poezja* (faksymile);

„ZL” 2007 nr 3 / 99: *Coś niecoś o „Piecyku...”. Brulion*;

„ZL” 2007 nr 3 / 99: *Poeta świata nowoczesnego*;

„ZL” 2007 nr 3 / 99: *St. I. Witkiewicz. Pogromca tradycyjnego teatru*;

„ZL” 2007 nr 3 / 99: *Tuwim*;

„ZL” 2007 nr 3 / 99: Wypisy: *O Craigu*;

„ZL” 2007 nr 4 / 100: *Kim nie jestem.*

O ALEKSANDRZE WACIE W „ZESZYTACH LITERACKICH"

Jacek Trznadel, *Uwagi wydawcy do „Małej Dalili..."*, „ZL" 1984 (Wiosna) nr 6;

Krzysztof Rutkowski, *Uwagi wydawcy do „Poematu bukolicznego" Aleksandra Wata*, „ZL" 1985 (Zima) nr 9;

Ola Watowa, List do Redakcji, „ZL" 1986 (Wiosna) nr 14;

Marek Tomaszewski, *Pisarz i kat*, „ZL" 1986 (Lato) nr 15;

Renata Gorczyńska, *Po latach milczenia*, „ZL" 1987 (Wiosna) nr 18;

Wojciech Karpiński, *Aleksander Wat — krajobrazy poezji*, „ZL" 1987 (Wiosna) nr 18;

Marek Zaleski, *Wat i zło*, „ZL" 1987 (Wiosna) nr 18;

Wojciech Karpiński, *Aleksander Wat — klucz i hak*, „ZL" 1987 (Lato) nr 19;

Małgorzata Smorąg, *Kapryśna, lekka, zwiewna... Ola Watowa (1903–1991)*, „ZL" 1991 (Lato) nr 35;

Adam Dziadek, *Ja, Aleksander Wat*, „ZL" 1992 nr 4 / 40;

Adam Dziadek, *Ikonoklasta*, „ZL" 1997 nr 3 / 59;

Irena Grudzińska-Gross, *Wat i Venclova: rozmowa poetów*, „ZL" 1997 nr 3 / 59;

Maria i Józef Czapscy, Konstanty A. Jeleński, Witold Nowosad, *Wspominając Aleksandra Wata* [zapis debaty], „ZL" 1998 nr 2 / 62;

Czesław Miłosz, *Krawat Aleksandra Wata*, „ZL" 1999 nr 4 / 68;

Piotr Kłoczowski, *Wystawa „Wiek Wata"*, „ZL" 2001 nr 2 / 74;

Adam Zagajewski, *Cieniowi Aleksandra Wata*, „ZL" 2002 nr 1 / 77;

Piotr Mitzner, *Nic bez męki. Nad „Korespondencją" Aleksandra Wata*, „ZL" 2006 nr 3 / 95;

Stanisław Barańczak, Józef Czapski, Konstanty A. Jeleński, Wojciech Karpiński, Leszek Kołakowski, Jan Józef Lipski, Czesław Miłosz, Stanisław Ignacy Witkiewicz, *Głosy o Aleksandrze Wacie*, „ZL" 2007 nr 3 / 99;

Adam Dziadek, *Aleksander Wat jako prekursor analizy języka totalitarnego*; *Czytając poetę nadmiaru*, „ZL" 2007 nr 3 / 99;

Rafał Habielski, *O powstawaniu „Mojego wieku"*, „ZL" 2007 nr 3 / 99;
Konstanty A. Jeleński, *Aleksander Wat*, „ZL" 2007 nr 3 / 99;
Jan Lebenstein, *List do Aleksandra Wata*, „ZL" 2007 nr 3 / 99;
Luigi Marinelli, *Mój Wat*, „ZL" 2007 nr 3 / 99;
Czesław Miłosz / Ola Watowa, *Listy o Wacie*, „ZL" 2007 nr 3 / 99;
Piotr Mitzner, *Wat i Craig*, „ZL" 2007 nr 3 / 99;
Tomas Venclova, *Wat i Brodski*, „ZL" 2007 nr 3 / 99;
Rafał Węgrzyniak, *Faktomontaż Wata i Schillera*, „ZL" 2007 nr 3 / 99;
Jan Zieliński, *Aleksander Wat poleca: „Autor doskonałej powieści"; Ekscentryczny rapsodysta; Nawrócony*; „ZL" 2007 nr 3 / 99;
Jan Zieliński, *Las ksiąg rozmaitych*, „ZL" 2007 nr 4 / 100;
Alina Kowalczykowa, *Urywki wspomnień*, „ZL" 2008 nr 1 / 101;
Czesław Miłosz, *Kim był Aleksander Wat*, „ZL" 2008 nr 3 / 103;
Jan Zieliński, *Kto był tak niesamowicie inteligentny*, „ZL" 2008 nr 3 / 103;
Adam Zagajewski, *Mój wiek czytany po latach*, „ZL" 2009 nr 1 / 105;
Jan Zieliński, *Multiinstrumentalista*, „ZL" 2009 nr 2 / 106.

MARTINI

Libella

ALEKSANDER WAT

MÓJ WIEK

CZĘŚĆ PIERWSZA

*

POLONIA BOOK FUND LTD

ALEKSANDER WAT

MÓJ WIEK

CZĘŚĆ DRUGA

* *

POLONIA BOOK FUND LTD

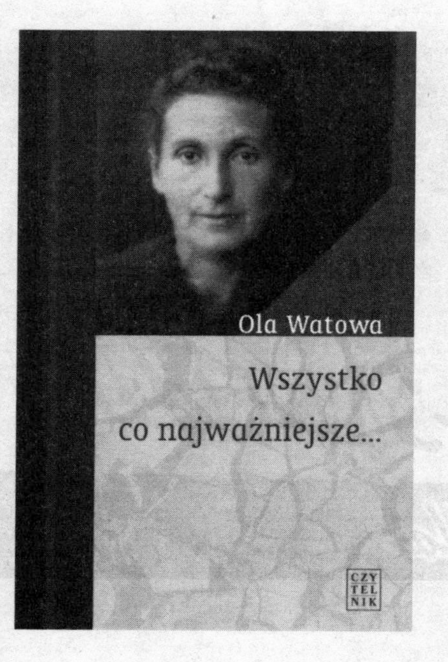

Aleksander

Wiersze wybrane

Platon kazał mnie wyświecić
w noc bez Świattych Filozofów.
Kwiaty szczęściem oddychają,
chmura ciepło deszczem pachnie,

w ciszy słyszę swoje kroki,
idę a i nie wiem dokąd?
Platon kazał mnie wyświecić
z Miasta, w którym rządzi Zmora.

Państwowy Instytut Wydawniczy

ALEKSANDER WAT
Świat na haku i pod kluczem
ESEJE
POLONIA

ALEKSANDER WAT
Ucieczka Lotha
PROZA
POLONIA

ALEKSANDER WAT
Dziennik bez samogłosek
POLONIA

Czytelnik
Aleksander
wat
Bezrobotny Lucyfer i inne opowieści

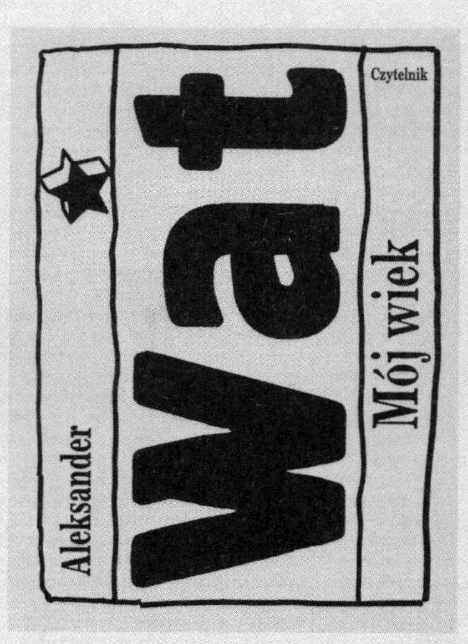
Czytelnik
Aleksander
Wat
Mój wiek

Aleksander
Wat
Świat na haku i pod kluczem
Czytelnik

Aleksander
Czytelnik
Wat
Dziennik bez samogłosek

Aleksander
Wat
Mój wiek
Czytelnik

Aleksander
WAT
Kobiety z Monte Olivetto
Biblioteka Narodowa

ALEKSANDER
WAT | Poezje

Czytelnik

ALEKSANDER
WAT | Mój wiek

Czytelnik

ALEKSANDER
WAT | Mój wiek

Czytelnik

ALEKSANDER
WAT | Dziennik bez samogłosek

Czytelnik

ALEKSANDER
WAT
Korespondencja
Czytelnik

ALEKSANDER
WAT
Korespondencja
Czytelnik

ALEKSANDER
WAT
Publicystyka
Czytelnik

ALEKSANDER
WAT
Wiersze
śródziemnomorskie
Ciemne świecidło

BIBLIOTEKA
NARODOWA
ALEKSANDER WAT
Wybór wierszy
ZAKŁAD NARODOWY IM. OSSOLIŃSKICH – WYDAWNICTWO

Oli –
to nie Ola ale
Aleksander
Józio 23 V. 62

z V 1967.

Przypisy do Korespondencji

1. Ola Watowa, 6 VII 1967. List, cztery strony zapisane odręcznie. Mylnie datowany, powinno być 6 VIII 1967.

Kiedy rano 29 lipca weszłam do pokoju Aleksandra — już nie żył — Aleksander Wat, ur. 1 V 1900, zmarł śmiercią samobójczą 29 VII 1967 w Antony pod Paryżem.

LAISSEZ MOI MOURIR — pozwólcie mi umrzeć (fr.). Ten pożegnalny list zob. Aneks, s. 126.

Wiersz zatytułowany „Wiersz ostatni" — mowa o wierszu przeznaczonym do *Ciemnego świecidła*; tom w opracowaniu Aleksandra Wata ukazał się już po jego śmierci staraniem przyjaciół (Paryż, Libella, 1968, s. 238). Zob. Aneks, s. 120.

Duży szkic prawie cały przekreślony „Coś niecoś o Piecyku" — Aleksander Wat, *Coś niecoś o „Piecyku...". Brulion.* Pierwodruk: „Zeszyty Literackie" 2007 nr 3 / 99, s. 13–24. Fragmenty ukazały się w książce: A. Wat, *Ciemne świecidło*, dz. cyt., s. 230–235. Pełniejsza wersja ogłoszona w przypisach do: A. Wat, *Pisma zebrane*, t. 1: *Poezje*, oprac. A. Micińska, J. Zieliński, Warszawa, Czytelnik, 1997.

notka z 22.5 — te i inne, poszerzone zapisy Wata, zob. Aneks, s. 126–130.

Zbyszek kochany? — chodzi o Zbigniewa Herberta (1924–1998), jego korespondencję z Watem ogłosiła częściowo Alina Kowalczykowa, A. Wat, *Pisma zebrane*, t. 4, cz. 1: *Korespondencja*, Warszawa, Czytelnik, 2005, s. 270–274, oraz A. Wat, *Pisma zebrane*, t. 4, cz. 2: *Korespondencja*, Warszawa, Czytelnik, 2005, s. 92–95.

Andrzej? — Andrzej Wat (ur. 1931), syn Oli i Aleksandra Watów, historyk sztuki, zamieszkały w Paryżu, przechował i udostępnił do druku niniejszą korespondencję ze spuścizny Oli Watowej (właśc. Paulina Watowa z domu Lew). Autor licznych wystaw, w tym rzeźbiarza Augusta Zamoyskiego w Muzeum Narodowym w Warszawie, Poznaniu i Krakowie, współautor monografii Jana Lebensteina, *Jan Lebenstein*, t. 1 i 2, Warszawa, Hotel Sztuki, 2004.

w wierszach moich od 1955 r. ryty jest głęboko i wyraźnie mój los osobisty — i pośrednio — «cierniowego krzaku naszej historii» — sformułowania tego użył w odniesieniu do poezji Wata Jarosław Iwaszkiewicz w artykule *O nagrodach literackich*, „Twórczość" 1958 nr 2.

Przed Fundacją New Land (przed p. Benzion), przed Grossmanem — Gregory Grossman, ur. w 1921 na Ukrainie, przez Harbin dotarł w 1938 do Berkeley, gdzie podjął studia i przeszedł kolejne szczeble kariery akademickiej w dziedzinie ekonomii ze specjalnością sowietologiczną; obecnie profesor emerytowany. „Moje osobiste wspomnienie A. W. i Oli przyblakło z upływem dziesięcioleci, ale niewątpliwie pozostało czułe i pełne podziwu. Moja rola była czysto administracyjna — jako ówczesnego szefa naszego Center for Slavic and East European Studies — natomiast główne moje zainteresowania koncentrowały się na czym innym, na ekonomii" (e-mail do Jana Zielińskiego z 13 IX 2000). Jako dziekan The Center for Slavic and East European Studies uniwersytetu w Berkeley, zaprosił Aleksandra Wata na stypendium (przebywał tam w latach 1963–1965). Pobyt ten był możliwy dzięki stypendium New Land Foundation, do którego kandydaturę wysunął Miłosz, wycofując swoją. Hannah Benzion — pracowała uprzednio w Rescue Committee (organizacji pomocy dla uchodźców). Miłosz pisze o niej w *Roku myśliwego*.

w okresie wyjazdu do Ameryki nastąpił krach — w trakcie pobytu Wata na stypendium na uniwersytecie w Berkeley, w lutym 1964 nastąpiło nasilenie nieuleczalnej choroby bólowej, dręczącej Wata od czasu udaru, 1953 (zob. A. Wat, *Pisma wybrane*, t. 2: *Dziennik bez samogłosek*, oprac. Krzysztof Rutkowski, Londyn, Polonia Book Fund Ltd., 1986, s. 111–112, 205–206). Zob. Aneks, s. 121.

Miłosz — słuchacz idealny — Miłosz był przyjacielem i powiernikiem Wata, z jego udziałem powstało dzieło Wata *Mój wiek* — zapis kilkudziesięciu godzin rozmów z Miłoszem. (*Mój wiek. Pamiętnik mówiony*, przedmowa Czesława Miłosza, do druku przygotowała Lidia Ciołkoszowa, cz. 1–2, Londyn, Polonia Book Fund Ltd., 1977).

I kartka znaleziona w papierach, pisana w Berkeley 29.9.63 r. — kartki takiej nie odnaleźliśmy w pismach Wata.

List pożegnalny do mnie — patrz Aneks, s. 126.

„ich bin nichts mehr, ich lebe nicht mehr gerne" — i ledwo jestem, i żyć mi niemiło (niem.); cytat z wiersza Friedricha Hölderlina, inc. ...*Das Angenehme dieser Welt*, w przekładzie Wata został włączony do jego wiersza *Hölderlin*, opublikowanego w tomie *Ciemne świecidło*, dz. cyt., s. 46–47. Zob. Aneks, s. 107.

2. Czesław Miłosz, 2 IX 1967. List, cztery strony zapisane odręcznie.

mój artykuł jest jedyny — Czesław Miłosz ogłosił w miesięczniku „Kultura" 1967 nr 9 szkic *O wierszach Aleksandra Wata* (następnie w tomie *Prywatne obowiązki*, Paryż, Instytut Literacki, 1972). Patrz Aneks, s. 131.

Bregman — Aleksander Bregman (1906–1967), dziennikarz i publicysta, od 1940 na emigracji w Wielkiej Brytanii, redaktor naczelny jednego z głównych pism emigracyjnych — „Dziennika Polskiego".

Przejmowanie się Slavic Center było zupełnie niepotrzebne — Wat był w USA od połowy grudnia 1963 do 2 lipca 1965 roku na zaproszenie Slavic Center uniwersytetu w Berkeley (zob. przypis do listu 1).

w „Wiadomościach" londyńskich [...] Redaguje je teraz Chmielowiec — Wat współpracował z „Wiadomościami", tygodnikiem zał. w roku 1946, ukazującym się w Londynie. Po założycielu i pierwszym redaktorze Mieczysławie Grydzewskim redakcję objął Michał Chmielowiec (1918–1974), poeta, eseista, dziennikarz. W latach 50. redaktor polskiego programu Głosu Ameryki, współpracownik Radia Wolna Europa. W „Wiadomościach" Wat opublikował kilkanaście wierszy i trzy utwory prozą („Wiadomości" 1967 nry: 16, 17, 24, 25, 29, 34, 36, w papierach Wata w Beinecke Library zachowały się te publikacje).

W [...] „Tri-Quarterly" ukazał się m.in. wiersz o młynku do kawy w moim przekładzie — A. Wat, *A Damned Man*, „Tri-Quarterly" 1967 nr 2 (tytuł oryginału: *Potępiony*, pierwodruk: A. Wat, *Wiersze*, Kraków, Wydawnictwo Literackie, 1957, s. 52). Zob. Aneks, s. 114.

Lourie napisał o Aleksandrze wspomnienie po angielsku — Richard Lourie (ur. 1940), student Miłosza w Berkeley za pobytu Wata, następnie tłumacz (Grynberga, Miłosza, Konwickiego, Szczypiorskiego), pisarz, filmowiec. Przełożył na angielski *Mój wiek*. Po polsku ukazała się jego *Autobiografia Stalina* (Znak, 1999). Tuż po śmierci Wata opublikował wspomnienie o nim: R. Lourie, *Obituary for a Futurist: in Memory of Alexander Wat*, „Survey" 1968 nr 66, s. 159–161.

Catherine zrobiła Masters degree, przełożyła też moją „Rodzinną Europę" na angielski — Catherine S. Leach, studentka Czesława Miłosza (jej tłumaczenie: *Native Realm. A Search for Self-Definition*, Garden City, NY, Doubleday, 1968).

Kot Jeleński przysłał mi swój przekład — Konstanty A. Jeleński (1922–1987), pisarz, eseista, krytyk sztuki; nieoficjalny i niezwykle sprawny ambasador kultury polskiej w wolnym świecie, promotor edycji dzieł Gombrowicza i Miłosza oraz poezji polskiej w świecie, a także malarstwa Leonor Fini, Czapskiego, Balthusa, Bellmera, Lebensteina, Steinberga. W Paryżu od 1951, pomagał Oli Watowej w opracowaniu do druku tomu wierszy A. Wata, *Ciemne świecidło*, dz. cyt. Autor szkiców o Wacie: *Lumen obscurum. O poezji Aleksandra Wata*, „Wiadomości" 1968 nr 45 (przedruk w tomie: *Zbiegi okoliczności*, Krakowska Oficyna Studentów, 1981; oraz „ZL" 2007 nr 3 / 99, s. 55–57), oraz innych, przedrukowanych w „ZL": Maria i Józef Czapscy, Konstanty A. Jeleński, Witold Nowosad, *Wspominając Aleksandra Wata*, zapis debaty Okrągłego Stołu RWE 16 X 1967, „ZL" 1998 nr 2 / 62, s. 111–118; *Aleksander Wat*, „ZL" 2007 nr 3 / 99, s. 117–118. Wspomniany przekład tekstu Miłosza: *O wierszach Aleksandra Wata*, dz. cyt., został opublikowany: K. A. Jeleński, *Introduction à la poésie d'Aleksander Wat*, „Preuves" 1967 nr 201, s. 24–29.

Miałem sporo rozmów z Gombrowiczem w Vence — Witold Gombrowicz (1904–1969), pisarz, pod koniec życia mieszkał w Vence, gdzie wiosną 1967 odwiedzał go Miłosz. Rozmowy z Gombrowiczem opisuje w listach do Zbigniewa Herberta (zob. Zbigniew Herbert / Czesław Miłosz. *Korespondencja*, wyb. i oprac. Barbara Toruńczyk, Warszawa, Zeszyty Literackie, 2006, list z 7 IV 1967, s. 71–72). Wrażenia Miłosza z pobytu w Vence relacjonuje Zbigniew Herbert w liście do Konstantego Jeleńskiego z 15 VI 1967 (zob. Zbigniew Herbert / Konstanty Jeleński, *Kilka listów*, „ZL" 2004 nr 1 / 85, s. 121–135).

Janka prosi, żeby Ci napisać — Janina Miłoszowa z domu Dłuska, *primo voto* Cękalska (1909–1986), od 1944 do śmierci żona Czesława Miłosza.

3. Ola Watowa, 5 IX 1967. List, dwie strony zapisane odręcznie.

4. Ola Watowa, 7 IX 1967. List, trzy strony, maszynopis.

nie pytałam o Toniego — chodzi o syna Czesława Miłosza: Anthony Miłosz (ur. 1947), spadkobierca praw autorskich ojca, projektant systemów komputerowych, mieszka w Kalifornii.

miałam wiadomości od Janka, Olgi — Jan Lebenstein (1930–1999), wybitny polski artysta malarz. Zdobywca Grand Prix na I Paryskim Biennale Młodych w 1959, od tego też roku na emigracji, w Paryżu. Przyjaciel Józefa Czapskiego, Konstantego Jeleńskiego, Czesława Miłosza i Aleksandra Wata. Zaprojektował okładkę do *Ciemnego świecidła*, dz. cyt. (zob. Aneks, s. 189), a także wykonał ilustracje do *Bezrobotnego Lucyfera* (Warszawa, Zeszyty Literackie, 2009. Jego dwutomową monografię opracował Andrzej Wat, *Jan Lebenstein*, dz. cyt.; Olga Scherer, *primo voto* Wirska, używała też nazwiska Olga Scherer-Virski, Olga Scherer-Wirska (1924–2001), profesor literaturoznawstwa, tłumaczka, pisarka, uznana piękność, należała do kręgu najbliższych paryskich przyjaciół Wata i Miłosza, w tym czasie związana z Janem Lebensteinem.

kartki z dziennika A. pisanego w Berkeley, gdzie jest duże studium o bólu — pobyt Wata w Berkeley w latach 1963–65 opisany w *Dzienniku bez samogłosek* w dużej mierze stanowi studium bólu i cierpienia, gdyż w tym okresie nasiliła się jego choroba. Oddzielne studium Wata o bólu zostało opublikowane wraz z jego szkicami o Zygmuncie Krasińskim, zob. A. Wat, *O bólu*, „Twórczość" 1983 nr 12, oprac. Jan Zieliński (przedruk w: A. Wat, *Pisma wybrane*, t. III: *Ucieczka Lotha. Proza*, oprac. Krzysztof Rutkowski, Londyn, Polonia Book Fund Ltd., 1988, s. 219–220).

Był wczoraj u mnie Zbyszek z Kasią — Zbigniew Herbert z Katarzyną z Dzieduszyckich, od marca 1968 Herbertową.

5. Czesław Miłosz, 18 IX 1967. List, dwie strony zapisane odręcznie.

Adam Ważyk (1905–1982), poeta, prozaik i tłumacz. W 1964 podpisał się pod listem 34 intelektualistów protestujących przeciwko łamaniu wolności słowa w PRL, za co zakazano mu współpracy z radiem i telewizją.

Rencontre Mondiale de Poésie — na międzynarodowej konferencji poetyckiej, zatytułowanej „*Le Poète dans la société contemporaine*" [*Poeta we współczesnym społeczeństwie*], Miłosz wygłosił w języku francuskim przemówienie, opublikowane następnie po polsku w tłumaczeniu autora: *Przemówienie Czesława Miłosza wygłoszone na „Rencontre Mondiale de Poésie" w Montrealu, wrzesień 1967, w języku francuskim*, „Oficyna Poetów" 1967 nr 4. Miłosz wspomina o tej konferencji w liście do Tomasa Venclovy (C. Miłosz / T. Venclova, *Dialog o Wilnie*, „Kultura" 1979 nr 1–2).

„Na nasze czterdziestolecie" może nie byłoby tytułem zbyt rażącym — ostatecznie wiersz ten z datą 18 I 1967 ukazał się w *Ciemnym świecidle* pt. *Poślubiona*, dz. cyt., s. 62, zob. Aneks, s. 103.

cytata z Prudhomme'a zaczyna się od tego słowa — wiersz *Poślubiona* został opatrzony mottem z utworu Prudhomme'a, *L'Épousée*, zaczynającego się słowem „*L'Épousée*" — co właściwie oznacza: panna młoda, narzeczona, dosłownie: zaślubiana (fr.). René (Sully) Prudhomme (1839–1907), francuski poeta, parnasista, pierwszy laureat literackiej Nagrody Nobla (1901).

Artur Mandel — profesor ekonomii w Berkeley, zaprzyjaźniony z Miłoszem, który wspomina go w *Roku myśliwego* i w liście do Herberta (17 VII 1967, zob. Miłosz / Herbert, *Korespondencja*, dz. cyt., s. 76–77), a także w rozmowie z ks. Józefem Sadzikiem: „O tłumaczeniu psalmów mówiłem chyba już zaraz po przyjeździe do Berkeley, gdzieś w roku 1960 czy 1961. Mówiłem o tym z Arturem Mandlem, moim przyjacielem, który też jest dziwny owad. Ale ja na ogół miałem skłonność do przyjaźnienia się z Żydami, bo jakoś byli mi bliżsi intensywnością. Oni są dziwni, na przykład Artur Mandel jest już teraz bardzo stary, schorowany, fanatycznie przywiązany do swojego żydostwa i równocześnie — trudno się wyznać — nienawidzi judaizmu. Przeszedł przez szkołę Szibbolet, nienawidzi chrześcijaństwa, nienawidzi socjalizmu". Zaś w następnej kwestii o Wacie: „To jest bardzo dziwne w żydostwie. Można być uważanym za pobożnego Żyda i być ateistą. To się inaczej układa w judaizmie. Przez jedno jest się tylko wyłączonym ze wspólnoty żydowskiej — jak się ochrzci. A mimo to Wat opowiada w swoich pamiętnikach, że wtedy jeszcze on nie był ochrzczony. Nosił krzyż, kiedy był w Azji sowieckiej, przechodził religijne, duchowe przekształcenie. A jednak Żydzi w Kazachstanie zaprosili go, żeby odmówił kadysz za duszę ojca swojego. Dziesięciu ich odmawiało ten kadysz" (*Obecność chrześcijaństwa*, „Recogito" nr 30, wrzesień–październik 2004). Rok akademicki 1967 / 68 Mandel spędził, wykładając na University of Hawaii.

wiersz „Barwy, które ja maluję" jest transpozycją żydowskiej piosenki — wiersz *Odjazd na Sycylię* (Miłosz kontaminuje pierwszą i trzecią linijkę tego wiersza: *Barwy, w których ja gustuję / [...] / Kwiaty, które ja maluję*); pierwodruk książkowy w: A. Wat, *Wiersze*, Kraków, Wydawnictwo

Literackie, 1957, s. 148, przedrukowany w *Ciemnym świecidle*, dz. cyt., s. 156 (zob. Aneks, s. 109); Miłosz przytacza ten wiersz w artykule: *O wierszach Aleksandra Wata*, dz. cyt. (zob. Aneks, s. 131). Chodzi o piosenkę *Di blum* (*Kwiat*), którą napisał Eljokum Cunzer (Eliakum Zunser, 1835–1913), żydowski śpiewak weselny z Wilna, od 1889 czynny w USA, m.in. jako drukarz. Napisał ok. 600 pieśni, z czego przetrwała jedna czwarta. *Di blum* (1860) to jedna z najbardziej znanych jego piosenek. Tytułowy kwiat (Izrael) leży przy drodze, przywiędły, i błaga, by go nie deptać, tylko odnieść tam, skąd pochodzi. Trzecia zwrotka kończy się wspomnieniem pogromu: „Palono mnie i siekano / I więcej jeszcze cierpiałem trosk / A wszystko tylko dlatego, że jestem Żyd!" (*Un nor wajl ih bin a jid!*). Pojawia się anioł, który zapewnia kwiatek, że nie odbierze mu wiary, a tylko go trochę wypoleruje i wydelikatni (*Ih wel dir noh pucn un fajnen!*). Na koniec przedstawia się jako Aleksander, car Rosji. W wierszu Wata odpowiada mu w szóstej zwrotce „anioł niosący zagładę" i Saturn-pożerca, rozsiewający woń „cywilizacyj roztartych na miazgę / czułych i delikatnych".

zbliżał się raczej do Starego Testamentu — poetyckim świadectwem tego zbliżenia są wiersze z cyklu *Przypisy do ksiąg Starego Testamentu*.

„a ja tam kończę się gdzie możliwość moja" — właśc. „Bo ja tam kończę się gdzie możność moja" — ostatni wers napisanego w Nowym Jorku wiersza Norwida inc. ...*Pierwszy list, co mnie doszedł z Europy*.

6. Ola Watowa, bez daty. List, jedna strona, maszynopis, odręczne dopiski.

Aleksander [...] znał wiele piosenek i pogaduszek, jak tę na przykład „Opowiem ci kazanie", której nauczyła go Anusia — wiersz Aleksandra Wata pt. *Jedna z przypowiastek Anusi Mikulak*, zapisany na osobnej luźnej kartce, odnalazł w pudle z maszynopisem tomu *Mój wiek* Adam Dziadek w Beinecke Library, Yale University, 2009. Pierwodruk: „ZL" 2009 nr 4 / 108. Patrz Aneks, s. 108. Wat poświęcił także swej piastunce wiersz: inc. ...*Niania nasza, Anusia* Mikulak (A. Wat, *Pisma zebrane*, t. 1: *Poezje*, dz. cyt., s. 404).

garde-meubles — skład mebli (fr.).

7. Czesław Miłosz, 5 X 1967. List, dwie strony zapisane odręcznie.

dostałem z Londynu od Łabędzia tekst mego artykułu o Aleksandrze — Leopold Łabędź (1920–1993), socjolog, dziennikarz, współredaktor czasopism „Survey" i „Encounter". W 1962 zorganizował konferencję poświęconą literaturze sowieckiej, na której Wat wygłosił referat *Quelque aperçus sur les rapports entre la littérature et la réalité sovietique* (polski przekład: *Kilka uwag o związkach między literaturą a rzeczywistością sowiecką*, przeł. Krzysztof Rutkowski, w: *Pisma wybrane*, t. 1: *Świat na haku i pod kluczem. Eseje*, oprac. Krzysztof Rutkowski, Londyn, Polonia Book Fund Ltd., 1985, s. 103–131). Wat poświęcił mu wiersz, inc. ...*Co ja na to poradzę że dla Ciebie* (A. Wat, *Ciemne świecidło*, dz. cyt., s. 59), o którym mowa w korespondencji. Patrz Aneks, s. 105.

moja antologia jest już wyczerpana — Czesław Miłosz, *Postwar Polish Poetry; an Anthology*, selected and translated by C. Miłosz, Garden City, NY, Doubleday, 1965.

Grampp dostała przesyłki — Eileen Grampp, sekretarka Francisa Whitfielda, dziekana wydziału slawistyki na uniwersytecie w Berkeley, gdzie Wat przebywał na stypendium w latach 1963–65.

8. Ola Watowa, 7 X 1967. List, dwie strony, maszynopis, odręczny dopisek.

widziałam Antoniego Słonimskiego — Antoni Słonimski (1895–1976), poeta, współtwórca grupy poetyckiej Skamander, zaprzyjaźniony od młodości z Aleksandrem Watem.

czorno-raboczyj — człowiek od czarnej roboty (ros.).

bratanica Aleksandra — Roma Herscovici, córka Moryca Chwata.

9. Ola Watowa, 8 X 1967. List, jedna strona, maszynopis, odręczny dopisek.

radząc się go co do przedmowy do tomu wierszy Aleksandra — chodzi o przygotowywany do druku tom wierszy A. Wata, *Ciemne świecidło*, dz. cyt., opracowany przez Wata. Ukazał się bez przedmowy.

10. Ola Watowa, 9 X 1967. List, jedna strona, maszynopis, odręczny dopisek.

wyrzucił wiersze następujące z tomiku „Wiersze" — chodzi o tom: *Wiersze*, Kraków, Wydawnictwo Literackie, 1957. Na wymienianych w liście stronach ukazały się następujące wiersze:

s. 14, *Widzenie*; s. 19, inc. ...*Czemu mnie z trumny wyciągasz*; s. 26, ...*Choć wiem, że to grzech* (jest to część druga wiersza *Motywy saraceńskie*); s. 36, inc. ...*Może wiemy ale co* (część *Nokturnów*); s. 44, *Necelh Ijdara*; s. 63, inc. ...*Chyba nie widział*; s. 75, inc. ...*Panienki cudne z Ofiru*; s. 76, *Hybris*; s. 78, *Na melodie hebrajskie*; s. 101, inc. ...*Pożary z tej głowy rozpalać*; s. 103, *Do domu*; s. 107, *Powrót do domu*; s. 110, *Przypomnienie*; s. 118, inc. ...*Rozkosz, którą muzyka*; s. 119, *Perły*; s. 120, *Żart*; s. 135, *We Florencji*; s. 136, *Przed ostatnią Pietą Michała Anioła*; s. 138, *Nieszpory w Notre Dame*; s. 139, *Paryż na nowo*; s. 166, inc. ...*Długo broniłem się przed Tobą*; s. 168, inc. ...*Kładąc się do snu*; s. 171, *Sąd ostateczny*; s. 174, *List*. Ostatecznie tom ten został włączony do *Ciemnego świecidła*, dz. cyt., bez wierszy: inc. ...*Czemu mnie z trumny wyciągasz*; *Hybris*; *Przed ostatnią Pietą Michała Anioła*; inc. ...*Kładąc się do snu*.

p. Romanowicz[ow]a o to pytała — Zofia Romanowiczowa (ur. 1922), pisarka i tłumaczka, laureatka nagrody Fundacji im. Kościelskich, żona księgarza i wydawcy Kazimierza Romanowicza, podczas wojny więziona w Ravensbrück.

11. Czesław Miłosz, 11 X 1967. List, dwie strony zapisane odręcznie.

Tekst o „Piecyku" jest śliczny — Aleksander Wat, *Coś niecoś o „Piecyku..."*. *Brulion*. dz. cyt. Zamieszczamy faksymile stron maszynopisu z papierów Wata w Beinecke Library, na których widnieją ostatnie uwagi Wata oraz ślady lektury Miłosza (zob. Aneks, s. 129).

Kocik — Konstanty A. Jeleński, zob. przypis do listu 2.

gościnne pokoje w Maisons-Laffitte — chodzi o siedzibę Instytutu Literackiego i redakcji miesięcznika „Kultura" ukazującego się od 1946 roku pod redakcją Jerzego Giedroycia, aż do jego śmierci w roku 2000, w Maisons-Laffitte pod Paryżem.

12. Czesław Miłosz, 14 X 1967. List, sześć stron zapisanych odręcznie z dopiskiem Janiny Miłosz.

mego tomu, który [...] smaży się u Bednarczyków — Miłosz ogłosił u Krystyny i Czesława Bednarczyków, londyńskich wydawców, właścicieli Oficyny Poetów i Malarzy, pierwszy na emigracji tom swojej poezji wybranej: C. Miłosz, *Wiersze*, 1967. Tamże wznowił *Dolinę Issy,* 1966. Bednarczykowie planowali wydawanie pisma literackiego we współpracy z Miłoszem, redaktorem naczelnym miał być Wat.

Aleksander napisał niezbyt dużo wierszy — w chwili śmierci A. Wat był autorem trzech tomów wierszy i jednego tomu opowiadań, wszystkie ukazały się w Polsce (zob. Kalendarium Wata, s. 169–173).

Różowiutki Tatarkiewicz — Władysław Tatarkiewicz (1886–1980), światowej sławy filozof i estetyk, przebywał w roku 1967 / 68 wraz z żoną Teresą w Berkeley jako *Visiting Mills Professor*.

Kott pisze swój odczyt — Jan Kott (1914–2001), znawca teatru, eseista wsławiony w świecie tomem *Szekspir współczesny* (1965), ówcześnie profesor i wykładowca UW na stypendium w USA; w tym czasie zaostrzyła się sytuacja międzynarodowa, na Bliskim Wschodzie doszło do wojny sześciodniowej w maju 1967; antyizraelska i proarabska polityka ZSRR miała swoje reperkusje w PRL: pociągnięciom rządowym o jawnie antysemickim charakterze towarzyszyła nagonka na pisarzy, naukowców, artystów; w wyniku tego Kott, wiązany z atakowanymi w kraju kręgami, zdecydował nie wracać do Polski. Tzw. wydarzenia marcowe 1968 na Uniwersytecie Warszawskim zastały go już na Zachodzie.

Podejmowałem Czaykowskiego z Vancouver — Bogdan Czaykowski (1932–2007), poeta i tłumacz, od roku 1962 wykładowca na slawistyce Uniwersytetu Kolumbii Brytyjskiej w Vancouver (Kanada).

Lednicki wrócił do Europy — Wacław Lednicki (1891–1967), historyk literatury, od 1940 w USA, profesor Harvard University (1940–44) i University of California w Berkeley (1944–62), autor *Pamiętników* (Londyn 1963–67).

13. Ola Watowa, 14 X 1967. List, cztery strony zapisane odręcznie.

Halusia Sterlingowa — Halina Sterling, żona wybitnego polskiego historyka sztuki Karola (Charlesa) Sterlinga (1901–1991), kuratora galerii malarstwa w Luwrze, znawcy malarstwa francuskiego XV w., wsławionego pracą *Martwa natura: od starożytności po wiek XX* (przeł. J. Pollakówna i W. Dłuski, Warszawa, 1998).

14. Ola Watowa, 11 XI 1967. List, dwie strony, maszynopis.

Zasmuciła mnie szczerze śmierć Lednickiego — zob. przypis do listu 12.

15. Czesław Miłosz, 2 XII 1967. List, sześć stron zapisanych odręcznie.

Ja nie Wyka i nie Pigoń — Kazimierz Wyka (1910–1975), Stanisław Pigoń (1885–1968), znani profesorowie Uniwersytetu Jagiellońskiego, wybitni historycy literatury polskiej.

Angielski przekład mego artykułu w „Kulturze" poprawiłem — po śmierci Wata Miłosz ogłosił w miesięczniku „Kultura" 1967 nr 9 szkic *O wierszach Aleksandra Wata.* Zob. Aneks, s. 131.

Jan Kott — zob. przypis do listu 12.

te miesiące to były „tylko" wiersze i terminy — „Rodzinna Europa" w przekładzie Katarzyny [...] i teraz 900 stron „Historii literatury polskiej" — Czesław Miłosz, *Rodzinna Europa*: pierwodruk w jęz. polskim: Paryż, Instytut Literacki, 1959. W USA książka ukazała się w 1968 w przekładzie Catherine S. Leach pt. *Native Realm.* dz. cyt.; Czesław Miłosz, *Historia literatury polskiej*: pierwodruk w USA: *The History of Polish Literature*, New York, Macmillan, 1969; po polsku edycja poszerzona: *Historia literatury polskiej do roku 1939*, przeł. M. Tarnowska, Kraków, Znak, 1993.

diminué — osłabiony (fr.).

Dr Owen z Kaiser zalecił mu ścisłą dietę — chodzi o klinikę, w której leczyli się profesorowie Berkeley (także A. Wat i Janina Miłoszowa).

Kathryn Feuer [...] uważa mnie za coś w rodzaju postaci biblijnej — Kathryn B. Feuer (1927–1992), profesor slawistyki, dziekan wydziałów slawistyki na uniwersytetach w Berkeley i Toronto, zaprzyjaźniona z Czesławem Miłoszem i Aleksandrem Watem. Zaangażowana w pomoc pisarzom rosyjskim prześladowanym w ZSRR, a także w publikację ich tekstów w USA.

inexorable — nieubłaganym, bezlitosnym (fr.).

16. Ola Watowa, 8 XII 1967. List, dwie strony zapisane odręcznie.

17. Ola Watowa, 13 I 1968. List, dwie strony zapisane odręcznie.

18 stycznia, a więc już za kilka dni — przeprowadzamy Aleksandra do Montmorency. I ten drugi pogrzeb jest dla mnie bardzo ciężki — Aleksander Wat został wpierw pochowany w Antony, następnie na historycznym cmentarzu polskim w Montmorency, obok Jana Ursyna Niemcewicza, Adama Mickiewicza i Cypriana Kamila Norwida. Tam też spoczywa Ola Watowa, zm. 9 II 1991.

Odnalazłam w ostatnich papierach kilka wierszy, jeszcze niewykończonych [...] Poślę chyba — do „Wiadomości". Były pisane w lipcu — w „Wiadomościach" 1968 nr 14 ukazały się w opracowaniu Oli Watowej następujące wiersze A. Wata: inc. *...Oczom moim przytomnym*, inc. *...Parobkom przedzierać się przez gąszcz*, *Najeźdźcy*, *W maju*, inc. *...W Wielki Piątek*, inc. *...Zakułem się w pancerz milczenia*, inc. *...Druga. Do brzasku długo*, *W Górach*, *Dedykacja*.

18. Czesław Miłosz, 9 II 1968. List, cztery strony zapisane odręcznie.

mieliśmy wizytę Jerzego Sity — Jerzy S. Sito (ur. 1934), poeta, tłumacz Szekspira, wieloletni prezes wydawnictwa Czytelnik.

są Najderowie — Zdzisław Najder (ur. 1930), historyk literatury, znawca Conrada, krytyk literacki, ówcześnie członek redakcji „Twórczości" w Warszawie, lata 1965–67 spędził na uniwersytetach amerykańskich Columbia, Yale, Berkeley ze swoją drugą żoną Haliną Carroll.

do Drama Department w Stanford University przyjechał właśnie Andrzej Wirth — Andrzej Wirth (ur. 1927), krytyk literacki i teatralny. Od 1966 profesor w Stanford University, od 1970 w City University of New York. Założyciel Instytutu Teatrologii Stosowanej na Uniwersytecie w Giessen (1982–92). Omówił amerykańską edycję *Historii literatury polskiej* Miłosza w „Slavic Review" 1970 nr 3, s. 561–563.

Bob Hughes żonaty z Olgą Rajewską — Robert P. Hughes, znawca literatury i kultury rosyjskiej XX wieku, *professor emeritus* uniwersytetu w Berkeley; Olga Raevsky-Hughes, znawczyni XX-wiecznej literatury rosyjskiej, ze szczególnym uwzględnieniem literatury emigracyjnej, *professor emeritus* uniwersytetu w Berkeley.

Frank Whitfield — zm. 1996, w latach gdy Wat przebywał w USA, dziekan wydziału slawistyki uniwersytetu w Berkeley. Jego żona Celina (1921–2006), znała Miłosza z wojennej Warszawy, uczestniczyła w Powstaniu Warszawskim, była więziona w niemieckim obozie. Oboje byli zaprzyjaźnieni z Miłoszem.

19. Ola Watowa, 28 II 1968. List, siedem ponumerowanych stron zapisanych odręcznie.

Tekst Aleksandra, znaleziony w ostatnim zeszycie — *Coś niecoś o „Piecyku...". Brulion*, dz. cyt.; jego fragmenty ukazały się w książce, o której mowa w niniejszym liście: A. Wat, *Ciemne świecidło*, dz. cyt., s. 230–235.

tak entuzjastycznie przyjęty przez Kocika, przez Czapskiego — Konstanty A. Jeleński uznał ten tekst za niezwykle istotny autokomentarz Wata, pisany z myślą o druku. Józef Czapski (1896–1993), malarz i eseista, współpracownik „Kultury" Jerzego Giedroycia, wielki przyjaciel Wata, wygłosił mowę nad jego grobem — zob. Aneks, s. 168.

o notce Aleksandra „n i e d a ć t e g o" — Tekst *Coś niecoś o „Piecyku...". Brulion*, dz. cyt. został poprzedzony przypiskami autora: „22.5.67 po najstraszniejszej nocy. Z tego brulionu, którego już nie jestem w stanie przejrzeć, może ktoś zrobi tekst zwięzły", oraz: „(nie dać tego, 30.5.[1967])". Zob. Aneks, s. 129.

chcę go wydrukować razem z tą wielką biografią, jaką będzie kiedyś książka berkeleyowska — chodzi o książkę: A. Wat, *Mój wiek*, dz. cyt.

„to dobre dla książki" — powiedział miły Kazio Romanowicz — Kazimierz Romanowicz (ur. 1916), twórca księgarni, galerii obrazów i wydawnictwa Libella w Paryżu na wyspie św. Ludwika, wydawca *Ciemnego świecidła*. Mąż Zofii Romanowiczowej, pisarki.

Kocik [...] martwi się ogromnie stanem swojej matki — Rena (Teresa) Jeleńska z domu Skarżyńska (1890–1969), przyjaciółka skamandrytów, Karola Szymanowskiego, spędziła wiele lat na placówkach zagranicznych jako żona dyplomaty, Konstantego Jeleńskiego; przyjaciółka włoskiego dyplomaty i ministra spraw zagranicznych Carlo Sforzy (1872–1952), po wojnie osiadła w Wenecji, następnie w Paryżu. Tłumaczka Orwella, barwna postać przedwojennego warszawskiego, a potem emigracyjnego artystycznego *beau-monde*, zmarła na wsi w letnim domu Romanowiczów, z którymi była zaprzyjaźniona. Więcej o niej zob. „ZL" 2004 nr 2 / 86 oraz jej korespondencja z Iwaszkiewiczem (Jarosław Iwaszkiewicz / Teresa Jeleńska / Konstanty A. Jeleński, *Korespondencja*, oprac. i przypisami opatrzył Radosław Romaniuk, Warszawa, Instytut Dokumentacji i Studiów nad Literaturą Polską–Więź, 2009).

Miała na sobie piękny sweter Leonor Fini — Leonor Fini (1908–1996), malarka, egeria surrealistów, przyjaciółka Jeana Geneta (1910–1986), towarzyszka życia Konstantego A. Jeleńskiego i wielka jego miłość; napisał o jej osobie i dziele szkice drukowane po polsku w poświęconym jej „ZL" 1998 nr 1 / 61, organizował niektóre z jej wystaw, redagował katalogi. Znana z pięknych, ekscentrycznych szat i ubiorów. Paryskie mieszkanie Leonor Fini i Jeleńskiego przy rue de la Vrillière 8 jest obecnie przekształcone w muzeum. Oboje pochowani w Saint Dye nad Loarą, opodal wiejskiej posiadłości malarki. Piękne strony o miłości do „czarnego słońca" i sylwetka Leonor Fini — zob. K. A. Jeleński, *Listy z Korsyki. Do Józefa Czapskiego*, oprac. W. Karpiński, Warszawa, Zeszyty Literackie, 2003.

Oglądałam film Portrait — Poème pour Leonor Fini — reż. Jean-Emile Jeannesson, Francja 1968.

A w pierwszym rzędzie siedział Jarosław — Jarosław Iwaszkiewicz (1894–1980), poeta, skamandryta, jego znajomość z Watem sięgała wspólnej służby w wojsku w Ostrowie Wielkopolskim w roku 1920; wieloletni przyjaciel Reny Jeleńskiej; włoskie podróże Iwaszkiewicza z reguły wiązały się z odwiedzinami w jej weneckim domu, co opisał w swoich dziennikach i opowiadaniach. Projektowali wspólną książkę o kotach.

Jasio choruje — Jan Lebenstein, zob. przypis do listu 4.

według Olgi skłonnej do czarnego pesymizmu — Olga Scherer, zob. przypis do listu 4.

Jej książka ostatnia obudziła we mnie sprzeciw — Olga Scherer, *W czas morowy*, Paryż, Instytut Literacki, 1967.

Znalazłam trochę wierszy nieopracowanych [...] Wysłałam je do „Wiadomości” — A. Wat, *Obrazy wierszy*, „Wiadomości” 1968 nr 14, s. 2 (zob. przypis do listu 17).

choses vues et vécues — rzeczy zobaczone i doświadczone (fr.).

20. Czesław Miłosz, 13 V 1968. List, cztery strony zapisane odręcznie na papierze University of California, Berkeley.

Slavic Center — The Center for Slavic and East European Studies przy Berkeley University; na zamówienie szefa ośrodka studiów slawistycznych prof. George'a Grossmana (zob. przypis do listu 1) Wat nagrywał swoje rozmowy z Miłoszem, które złożyły się na *Mój wiek*, dz. cyt.

efficiency — wydajność, skuteczność (ang.).

W końcu czerwca jest Festiwal Poetycki w New Yorku — Lincoln Poetry Center Festival w Nowym Jorku trwał 24–30 VI 1968 z udziałem Herberta i Miłosza; wspólny ich wieczór autorski odbył się 24 VI.

Aleksander Wat, *Pieśni wędrowca* — cykl wierszy ogłoszony w tomie A. Wat, *Wiersze śródziemnomorskie*, Warszawa, PIW, 1962. Aleksander Wat, *From Mediterranean Poems.* Translated from the Polish by Czesław Miłosz with his students David Brodsky and Stephen Grad. „Prism International” (Vancouver B.C.) 1969 nr 3. Aleksander Wat, *Mediterranean Poems.* Edited and translated by Czesław Miłosz. Ann Arbor, Ardis, 1977. Aleksander Wat, *With the Skin. Poems.* Translated and edited by Czesław Miłosz and Leonard Nathan (wersja poprawiona i poszerzona edycji Ardis), Introduction Czesław Miłosz. New York, The Ecco Press, 1989.

21. Czesław Miłosz, 5 VII 1968. List, sześć stron zapisanych odręcznie.

Eugène Guillevic (1907–1997), poeta francuski, członek partii komunistycznej w latach 1942–80.

wszystko to zbiegło się z ukazaniem się w księgarniach jego tomu wierszy — Zbigniew Herbert, *Selected Poems.* Translated by Czesław Miłosz and Peter Dale Scott. Przedmowa A. Alvarez. Hammondsworth, Penguin, 1968. Peter Dale Scott (ur. 1929), poeta i dyplomata kanadyjski, wykładał w Berkeley anglistykę.

i z wyjściem mojej „Rodzinnej Europy” po angielsku — Czesław Miłosz, *Native Realm*, dz. cyt. (zob. przypis do listu 2).

Dziękuję Ci za „Ciemne świecidło” — Aleksander Wat, *Ciemne świecidło*, dz. cyt. Książka ukazała się staraniem przyjaciół, z okładką Jana Lebensteina — zob. Aneks, s. 189, oraz z dedykacją: „Żonie mojej na nasze czterdziestolecie”.

podziękowanie mnie, Emmanuelowi i Kotowi nieco mnie razi — w książce widnieje następujący tekst podziękowania: „Dziękuję przyjaciołom

Aleksandra Wata za pomoc w wydaniu tej książki i za wszystko, co zrobili dla jego dzieła za jego życia i po jego śmierci. Niech Czesław Miłosz, Pierre Emmanuel, Konstanty Jeleński oraz inni bliscy znajdą tu wyraz mojej wdzięczności. O. W.".

Pierre Emmanuel (1916–1984) — poeta, pisarz, eseista. Aktywny w pracach Kongresu Wolności Kultury, prezes Institut National d'Audiovisuel i francuskiego Pen Clubu (1973–76), od 1968 członek Akademii Francuskiej, współpracownik i przyjaciel Konstantego A. Jeleńskiego, współtłumacz polskich poetów na francuski.

na pierwszym miejscu musiałby być Zygmunt Hertz — Zygmunt Hertz (1908–1979), współpracownik „Kultury", wielki przyjaciel Miłosza, zob. jego *Listy do Czesława Miłosza 1952–1979*, wyb. i oprac. Renata Gorczyńska, Paryż, Instytut Literacki, 1992.

Praca u Silvy i pobyt w Nervi — chodzi o pracę Wata w charakterze doradcy i redaktora działu literatur wschodnioeuropejskich i rosyjskiej w wydawnictwie włoskiego potentata Umberto Silvy, w Nervi koło Genui w latach 1960–61. Więcej o tym: zob. wspomnienie Luigi Marinellego, *Mój Wat*, „ZL" 2007 nr 3 / 99, s. 137–144.

Stypendium New Land Foundation — zob. przypis do listu 1.

za sprowadzeniem Was był też Struve — Gleb Struve (1898–1985), historyk literatury rosyjskiej, profesor University of California w Berkeley (1947–67); wykładał także w Harvard University i University of Washington.

tak Wam przyjaznych Józia i Maryni Czapskich — Marynia [Maria] Czapska (1894–1981), pisarka, siostra Józefa Czapskiego, autorka *Europy w rodzinie* (Paryż, Instytut Literacki, 1970) oraz biografii Mickiewicza (*La vie de Mickiewicz*, Paryż, Plon, 1931). Rodzeństwo artystów, zamieszkałe w domu „Kultury" w Maisons-Laffitte; o ich głębokim zrozumieniu twórczości i osoby Wata, zob. Maria i Józef Czapscy, Konstanty A. Jeleński, Witold Nowosad, *Wspominając Aleksandra Wata*, zapis debaty Okrągłego Stołu RWE 16 X 1967, druk w: „ZL" 1998 nr 2 / 68, s. 111–118. Mowa pogrzebowa Czapskiego: „Wiadomości" 1967 nr 33 (zob. Aneks, s. 168).

22. Ola Watowa, 8 VII 1968. List, dwie strony zapisane odręcznie.

Kot z Pierre'em Emmanuelem zdobyli pieniądze na wydanie tego tomu poezji — jak wynika z wyjaśnienia Oli Watowej, pieniądze na tę publikację udało się zdobyć jeszcze za życia Wata.

Do Silvy zaprotegował Aleksandra Józef Zaremba, mąż Ewy Szelburg — Ewa Szelburg-Zarembina (1899–1986), pisarka, poetka, autorka wielu książek dla dzieci. Józef Zaremba — wydawca, wieloletni kierownik działu literackiego wydawnictwa Czytelnik.

Zygmunt odszedł od nas, prawdopodobnie z powodu tych historii z „Kulturą" i Zosią — Zofia Hertz, żona Zygmunta Hertza, z domu Neudig

(1910–2003), najwierniejsza współpracownica Jerzego Giedroycia. Kryzys w stosunkach Wata z „Kulturą" narastał od wielu lat i doczeka się zapewne naświetlenia. Już w liście Herlinga-Grudzińskiego do Józefa Wittlina z 7 III 1964 roku znajdujemy jedno z wielu wyjaśnień: Wat zerwał z „Kulturą", bo Jerzy Giedroyc „nie chciał wydrukować nowej porcji jego wierszy, uważając je (moim zdaniem nie bez racji) za dziwaczenie [...] trzeba ten epizod zapisać do księgi przysłowiowej «czarnej niewdzięczności» [...] Wat przeszedł na emigrację po kładce «Kultury» prowadzony za rękę przez Giedroycia" (archiwum Wittlina w Houghton Library, podaje do druku B. Toruńczyk).

może zasugerujesz mu jakiś fragment do wydrukowania na jesieni w „Kulturze" — fragmenty *Mojego wieku* ukazały się dwukrotnie: *Aleksander Wat opowiada*, „Kultura" 1972 nr 7–8 i 1973 nr 1–2.

Czekam na przyjazd Broniszówny do Brukseli — Seweryna Broniszówna z domu Chwat (1891–1982), aktorka, siostra Aleksandra Wata.

23. Czesław Miłosz, 18 IX 1968. List, trzy strony zapisane odręcznie.

Sny sponad Morza Śródziemnego — tak brzmi właściwy tytuł poematu Wata, przeinaczany przez Miłosza w niniejszej korespondencji.

24. Ola Watowa, 21 IX 1968. Odpowiedź załączona do listu Miłosza z 18 IX 1968, dwie strony, maszynopis.

Siedzę więc i przepisuję (a bardzo to trudne i niewyraźnie pisane), i teraz znalazłam takie dwa małe teksty w Jego dzienniku — teksty odnalezione po śmierci Wata przez Olę Watową, wymienione w liście: *Szkice o Krasińskim* w: A. Wat, *Pisma wybrane*, t. III: *Ucieczka Lotha. Proza*, oprac. Krzysztof Rutkowski, Londyn, Polonia Book Fund Ltd., 1988, s. 188–221; A. Wat, *Ewangelia także jako arcydzieło literatury*. Pierwodruk: „ZL" 1985 (Jesień nr 12), oprac. Ola Watowa; *Dlaczego piszę wiersze?*, w: A. Wat, *Pisma wybrane*, t. II: *Dziennik bez samogłosek*, oprac. K. Rutkowski, s. 143–147.

Stefan Treugutt (1925–1991) — historyk literatury i krytyk teatralny.

Kocik dodał nazwisko P. E. — Pierre'a Emmanuela.

25. Czesław Miłosz, 1 XI 1968. List, osiem stron zapisanych odręcznie.

Ronald Reagan (1911–2004), późniejszy prezydent Stanów Zjednoczonych (1981–89), był w latach 1967–75 gubernatorem stanu Kalifornia.

Eldridge Cleaver (1935–1998), pisarz i radykalny działacz murzyński, w wyborach prezydenckich w roku 1968 uzyskał 32 tysiące głosów.

George Corley Wallace Jr. (1919–1998), wielokrotny gubernator Alabamy, czterokrotnie bez powodzenia startował w wyborach prezydenckich, w roku 1968 z ramienia American Independent Party, wsławił się niewybrednymi atakami na hippisów.

zdecydowali się wydać w paperbacks moją antologię — chodzi o: Czesław Miłosz, *Postwar Polish Poetry; an Anthology*. Selected and translated by C. Miłosz, II wyd., Penguin Books, 1970 (I wyd. zob. przypis do listu 7).

„Apelacja" Jerzego Andrzejewskiego — Paryż, Instytut Literacki, 1968.

Na szczęście w tym tomie esejów, jaki napisałem, nie ma nic o Polsce — chodzi zapewne o książkę C. Miłosz, *Widzenia nad Zatoką San Francisco*, Paryż, Instytut Literacki, 1969.

C. Miłosz, *Liturgia Efraima*, „Kultura" 1968 nr 8–9, oraz „ZL" 2000 nr 2 / 70 i C. Miłosz, *Historie ludzkie (Pierwodruki 1983–2006)*, Warszawa, „Zeszyty Literackie" 2007 nr 5 (poza serią), s. 20–26. Okoliczności, które skłoniły Miłosza do przedrukowania szkicu (ze skrótami) w „ZL" po tak długim czasie, zob. C. Miłosz, *Komentarz do listu Jerzego Stempowskiego [z 17 XI 1968]*, „ZL" 2000 nr 2 / 70, s. 5–8.

26. Czesław Miłosz, 17 I 1969. List, cztery strony zapisane odręcznie.

Taki młody człowiek, Zaporowski, który był asystentem Lednickiego — Marison Boyden (Bogdan Zaporowski), jego wspomnienie o Lednickim, zatytułowane *Wspomnienie o Profesorze*, ukazało się w „Kulturze" 1968 nr 8–9, s. 161–172. Wacław Lednicki, zob. przypis do listu 12.

flu — grypa (ang.).

ulceris — wrzody (łac.).

27. Ola Watowa, 28 I 1969. List, dwie strony, maszynopis, odręczny dopisek.

wiadomość o Tonim (podobno ożenił się ze śliczną dziewczyną) — Anthony Miłosz (zob. przypis do listu 4) ożenił się z Saredą Goux Ludwig (1946–2006).

Mam dwóch wnuków — François Wat (ur. 1963), obecnie bankier, i Pierre Wat (ur. 1965), obecnie historyk sztuki, profesor Uniwersytetu w Aix en Provence, synowie Andrzeja i Françoise Watów.

na wsi u Sterlingów — u Haliny i Karola Sterlingów (zob. przypis do listu 13).

usiąść z Aleksandrem w Deux Magots — kawiarnia paryska przy placu Saint-Germain-des-Près, uczęszczana przez pisarzy i intelektualistów, słynna od czasów Jeana Paula Sartre'a, modne miejsce spotkań.

28. Czesław Miłosz, bez daty. List, trzy strony zapisane odręcznie.

Tomik [...] obejmuje „Wiersze śródziemnomorskie" w całości plus [...] parę innych — Mediterranean Poems, dz. cyt. Poza tomem *Wiersze śródziemnomorskie* do zbioru weszły wiersze: *Przed Breughelem starszym*, inc. *...Być myszą, Z perskich przypowieści, Sen Flaminga, Imagerie d'Épinal, Z notatnika oborskiego, Potępiony, Przed wystawą*, inc. *...Jeżeli wyraz „istnieje", Arytmetyka, W barze, gdzieś w okolicach Sèvres-Babylone, Żółw z Oxfordu, Japońskie łucznictwo.*

29. Ola Watowa, 28 II 1969. List, trzy strony, maszynopis, odręczny dopisek.

Platon kazał nas wyświecić... — pierwszy wers tytułowego wiersza tomu *Ciemne świecidło.*

szkic pt.: Słowo wstępne do 1-go tomu „Rapsodii politycznych" — szkic planowanej przez Wata przedmowy do książki, która w niniejszej korespondencji nazywana jest pamiętnikami lub wspomnieniami, a ostatecznie przybrała postać *Mojego wieku*; konspekt ten Miłosz włączył do swojego wstępu do tej książki. Jako tekst samodzielny pt. *Szkic przedmowy do „Mojego wieku"* (zob. „ZL" 2007 nr 3 / 99, s. 28–29).

30. Czesław Miłosz, 12 IV 1969. List, cztery strony zapisane odręcznie.

mojej książki prozą o Ameryce — C. Miłosz, *Widzenia nad zatoką San Francisco*, dz. cyt.

„Stony Brook" — efemeryczne pismo, którego redaktorem był poeta i artysta George Quasha (ur. 1942).

krojonym na jakąś amerykańską „Chimerę" — „Chimera", eleganckie warszawskie czasopismo literackie, ukazujące się w latach 1901–07 pod red. Zenona Przesmyckiego.

kurs „swim-diving" — kurs pływacki z nurkowaniem bez butli.

przyjeżdża tu na kilka dni, na odczyt, Leszek Kołakowski — Leszek Kołakowski (1927–2009), słynny już wówczas w świecie czterdziestodwuletni filozof, profesor Uniwersytetu Warszawskiego, w wyniku wydarzeń marcowych utracił katedrę; Wydział Filozofii, gdzie wykładał — rozwiązano; zmuszony do wyjazdu z Polski, zanim osiadł w Oksfordzie, pojawił się w Stanach Zjednoczonych; rzecz dzieje się wkrótce potem.

O Aleksandrze rozmawiamy tutaj z Wiktą Wittlin — Wiktoria Wittlin Winnicka zaprzyjaźniona z Aleksandrem i Olą Watami, pomagała im podczas wojny po ich ucieczce z Warszawy, kiedy znaleźli się we Lwowie; bliska przyjaciółka poety Juliana Tuwima (1894–1953), przyrodnia siostra Józefa Wittlina (1896–1976), poety związanego z kręgiem skamandrytów. Zob. Ola Watowa, *Wszystko co najważniejsze*, oprac. Jan Zieliński, Warszawa, Czytelnik, 1990, s. 25.

31. Ola Watowa, 28 VII 1969. List, dwie strony zapisane odręcznie.

32. Czesław Miłosz, 28 VIII 1969. List, dwie strony zapisane odręcznie, załączony list z Indiana University Press.

bilingual — dwujęzycznego (ang.).

w poubelle'ach — w koszach na śmieci (fr.).

doszła nas wiadomość o śmierci Gombrowicza — Witold Gombrowicz zmarł 25 VII 1969 roku.

Piotruś, Toni (Anthony) — synowie Miłosza (zob. przypis do listu 4).

33. Czesław Miłosz, bez daty, data stempla pocztowego 21 X 1969. List, dwie strony zapisane odręcznie na papierze University of California, Berkeley. Załączony list z Indiana University Press.

Wydałem właśnie te 2 książki w „Kulturze" — *Widzenia nad zatoką San Francisco*, dz. cyt.; *Miasto bez imienia*, Paryż, Instytut Literacki, 1969.

uroczy młody człowiek, lingwista Schenker — Alexander Schenker (ur. 1924), obecnie *professor emeritus* Yale University. Postać opatrznościowa dla polskiej literatury emigracyjnej, znawca literatury rosyjskiej, opiekun Tomasa Venclovy w Yale University. Obdarzony talentem przyjaźni, zbliżył się z Miłoszem, Herbertem, Lebensteinem, doprowadzając do wydania wierszy wybranych Miłosza w Stanach Zjednocznych (C. Miłosz, *Utwory poetyckie. Poems*, wstęp. A. Schenker, Ann Arbor, Michigan Slavic Publications, 1976) oraz do ulokowania polskich archiwów literackich w Beinecke Library, wpierw Miłosza, następnie Gombrowicza, Jeleńskiego, Wata. Autor *The Bronze Horseman: Falconet's Monument to Peter the Great*, New Haven, Yale University Press, 2003; historię wydania wierszy zebranych Miłosza opisał w „ZL" (*Geneza „zielonego" tomu poezji Miłosza*, „ZL" 2005 nr 1 / 89, s. 78–82).

34. Czesław Miłosz, bez daty, data stempla pocztowego 22 XII 1969. Kartka świąteczna, jedna strona.

Noël — święta Bożego Narodzenia (fr.).

był przez parę dni Stryjkowski — Julian Stryjkowski (1905–1996), wielki pisarz, współtwórca żydowskiej tradycji literackiej języka polskiego, autor *Głosów w ciemności* (Warszawa, Czytelnik, 1956), *Austerii* (Warszawa, Czytelnik, 1966). Po wydarzeniach marcowych 1968 pierwszy raz na Zachodzie, po powrocie napisał książkę autobiograficzną *Wielki strach* (NOW-a 1980).

35. Ola Watowa, 27 III 1970. List, dwie strony zapisane odręcznie.

jest tu teraz córka Kazimierza Wyki — Marta Wyka (ur. 1938), literaturoznawca, profesor Uniwersytetu Jagiellońskiego.

36. Ola Watowa, 14 V 1970. List, dwie strony zapisane odręcznie.

Co robić z papierami Aleksandra? Gdzie je złożyć — w roku 1988 Ola Watowa złożyła archiwum Aleksandra Wata w Beinecke Library przy Yale University. Przedtem doprowadziła do wydania wierszy wybranych Wata (A. Wat, *Wiersze wybrane*, wyb. i oprac. A. Micińska i J. Zieliński, Warszawa, PIW, 1987), a także *Pism wybranych* w oprac. Krzysztofa Rutkowskiego (t. 1–4, Londyn, Polonia Book Fund Ltd., 1985–1988). W odnalezione przez siebie utwory Wata zasilała także „Zeszyty Literackie" (patrz Aneks, s. 178). Poza nielicznymi wyjątkami sama przepisywała na maszynie i opracowywała do druku odnalezioną twórczość męża. Przepisała również i złożyła w archiwum Wata wiele listów męża, które znajdują się obecnie w Beinecke Library (Wat słynął z niewyraźnego pisma).

Świetny reportaż Louriego z pobytu w W-wie, w „Kulturze" — Richard Lourie, *Amerykanin w Warszawie*, przeł. H. Grynberg, „Kultura" 1970 nr 5, s. 113–119.

37. Czesław Miłosz, 16 V 1970. List, pięć stron zapisanych odręcznie na papierze University of California, Berkeley.

le gauchisme — tu w znaczeniu: lewactwo (fr.).

wymieniać refleksje z Kołakowskim [...] przenosi się do Oksfordu — Leszek Kołakowski w roku 1970 został wykładowcą prestiżowego All Souls College w Oksfordzie, osiadł w Wielkiej Brytanii.

Nathaniel Tarn — (ur. 1924) amerykański poeta, antropolog, redaktor i krytyk literacki. Współpracował z czasopismami literackimi: „Conjunctions" (Nowy Jork), „Poésie" (Paryż), „Modern Poetry in Translation" (Londyn).

uczestniczyć w wielkich sprawach historii — i to z wiedzą. Nawet o taktyce Front Populaire — Front Ludowy (fr.), termin określający powstające w okresie międzywojennym koalicje partii komunistycznych z partiami socjalistycznymi. We Francji Front Ludowy doprowadził do powołania rządu Léona Bluma (1936).

National Guardsmen — członek Gwardii Narodowej, w Stanach Zjednoczonych siły porządku publicznego.

38. Ola Watowa, 9 VIII 1970. List, dwie strony zapisane odręcznie.

39. Czesław Miłosz, 28 VIII 1970. List, trzy strony zapisane odręcznie na papierze University of California, Berkeley.

„mysterium tremendum" czasu — tajemnica, napawająca drżeniem trwogi (łac.), według niemieckiego religioznawcy Rudolfa Otto (*Świętość*, 1917, wyd. pol. Wrocław, Thesaurus Press, 1993) termin ten opisuje doświadczenie obecności Boga jako budzące lęk i przyciągające zarazem (*mysterium tremendum et fascinans*).

40. Ola Watowa, 5 IX 1970. List, sześć stron zapisanych odręcznie.

I nie znajduję Księgi Pocieszeń — nawiązanie do roli, jaką dla Miłosza odgrywała lektura *O państwie bożym* (*De civitate Dei*) św. Augustyna (zob. list 39).

w czasie doprosów we Lwowie — podczas przesłuchań (ros.).

41. Czesław Miłosz, 6 X 1970. List, sześć stron zapisanych odręcznie na papierze University of California, Berkeley.

mój artykuł o literaturze rosyjskiej, w którym cytuję z pamiętników Aleksandra — C. Miłosz, *On Modern Russian Literature and the West*, „California Slavic Studies" 1970 nr 6, s. 171–175. Wersja polska: *O współczesnej literaturze rosyjskiej i Zachodzie*, „Krytyka" 1989 nr 31, s. 155–158 (C. Miłosz, Emperor of the Earth. Berkeley, University of California Press, 1977, s. 79–84).

bêtise — głupoty (fr.).

42. Ola Watowa, 14 X 1970. List, dwie strony zapisane odręcznie.

zwrócić się do Sakowskiego w Londynie — Juliusz Sakowski (1905–1977), pisarz, współtwórca i przez lata kierownik londyńskiej oficyny wydawniczej.

Marynia Czapska w związku z wydaniem [...] książki — Maria Czapska, *Europa w rodzinie*, Paryż, Libella, 1970.

Poza Twoją przedmową, [...] cieszyłabym się, gdyby można było włączyć jeszcze kilka wierszy z tomiku „Wiersze" — do amerykańskiego wydania *Wierszy śródziemnomorskich — Mediterranean Poems*, dz. cyt., włączono kilka wierszy z tomu: *Wiersze*, Kraków, Wydawnictwo Literackie, 1957.

Sołżenicyn dostał Nobla — Aleksander Sołżenicyn (1918–2008), pisarz, autor *Oddziału chorych na raka* (1968) i *Archipelagu Gułag* (1973). Laureat literackiej Nagrody Nobla, 1970.

43. Czesław Miłosz, bez daty, data stempla na kopercie: 8 XI 1970. List, cztery strony zapisane odręcznie.

o Sołowjowie — Włodzimierz Sołowjow (1853–1900), rosyjski teolog i myśliciel.

wiersz do Łabędzia — inc. ...*Co ja na to poradzę, że dla ciebie*, zob. Aneks, s. 105.

odesłana ad Calendas Graecas — odesłana w nieskończoność (łac.).

44. Ola Watowa, 10 XI 1970. List, jedna strona zapisana odręcznie.

45. Ola Watowa, 19 II 1971. List, cztery strony zapisane odręcznie.

postanowiłam spróbować opisać paszportyzację w Ili — zob. Paulina (Ola) Watowa, *Paszportyzacja*, „Zeszyty Historyczne" 1972 nr 21, s. 148–169; Aneks, s. 145.

46. Czesław Miłosz, 20 III 1971. List, cztery strony zapisane odręcznie na papierze University of California, Berkeley.

uwzględniając postacie międzynarodowo znane (Majakowski, Stiekłow, Szkłowski, Paustowski) — Włodzimierz Majakowski (1893–1930), poeta, wywarł wielki wpływ na awangardę poetycką w świecie, zmarł śmiercią samobójczą; Jurij Stiekłow (1873–1941), działacz bolszewicki, redaktor naczelny „Izwiestii", ofiara czystek stalinowskich; Wiktor Szkłowski (1893–1984), pisarz i krytyk literacki związany z awangardą; Konstantin Paustowski (1892–1968), pisarz i poeta. Wat opisuje swoją znajomość z tymi postaciami w *Moim wieku*, dz. cyt., cz. 2, rozdz. VII, IX i XII; o Stiekłowie napisał szkic *Śmierć starego bolszewika* (pierwodruk: „Kultura" 1964 nr 1–2, przedruk w: *Pisma wybrane*, t. 1: *Świat na haku i pod kluczem*, dz. cyt., s. 64–78).

artykuł Jeleńskiego, gdzie jest genealogia rodziny — chodzi o szkic: K. A. Jeleński, *Lumen Obscurum. O poezji Aleksandra Wata*, dz. cyt. (zob. przypis do listu 2).

W Yale Kosiński obiecywał — Jerzy Kosiński (1933–1991), pisarz, autor książki *Malowany ptak* (1965), która przyniosła mu rozgłos, osiadł w New Haven, gdzie wykładał na Yale University.

Artur Międzyrzecki ogromnie cierpiał przez te miesiące, tracąc już nadzieję, że Julię i córkę wypuszczą — chodzi o Artura Międzyrzeckiego (1922–1996), poetę, wieloletniego redaktora „Poezji" i prezesa Pen Clubu, jego żonę Julię Hartwig (ur. 1921), poetkę, laureatkę wielu nagród, i ich córkę Danielę (ur. 1955); opis ich pobytu w Stanach Zjednoczonych zob. Julia Hartwig, *Dziennik amerykański*, Warszawa, PIW, 1980. Zob. również duże wzmianki w korespondencji Hartwig i Międzyrzeckiego z Herbertem w książce *Głosy Herberta*, zebrała i w tom ułożyła Barbara

Toruńczyk; część IV: *Tłumaczenia mają swoje losy*, gdzie zamieszczono listy trojga poetów. Warszawa, Zeszyty Literackie, 2008, s. 97–131.

Co do Brylla — Ernest Bryll (ur. 1935), pisarz, poeta i dyplomata, związany m.in. ze „Współczesnością". W latach 1974–78 był dyrektorem Instytutu Kultury Polskiej w Londynie, w latach 1991–95 ambasadorem RP w Irlandii.

pétainistów-patriotów — w sensie: kolaborantów; określenie zapożyczone ze sfery francuskiej polityki okresu II wojny światowej, kiedy po klęsce Francji generał Philippe Pétain (1856–1951) stanął na czele rządu Vichy, współpracującego z III Rzeszą.

47. Ola Watowa, 10 VIII 1971. List, jedna strona zapisana odręcznie.

48. Ola Watowa, 4 X 1971. List, dwie strony zapisane odręcznie.

Dunka Micińska z mężem — Anna Micińska (1939–2001), polonistka o olbrzymich zasługach dla ratowania spuścizny Wata, wraz z Janem Zielińskim opracowała wybór jego poezji (A. Wat, *Wiersze wybrane*, Warszawa, PIW, 1987). Zajmowała się też Witkacym. Autorka wspomnień *Wędrówki bez powrotu*, Warszawa, Więź, 2008. Córka Bolesława Micińskiego (1911–1943), młodo zmarłego pisarza, eseisty, darzonego uznaniem zarówno przez Miłosza, jak i Wata; siostrzenica Nelly Micińskiej, serdecznie zaprzyjaźnionej z Miłoszem. Była wówczas w Paryżu z pierwszym mężem, reżyserem Grzegorzem Dubowskim (1934–1996).

49. Ola Watowa, 29 I 1972. List, dwie strony zapisane odręcznie.

z okazji korekty mojego „Sowieckiego paszportu" — tekst ukazał się pt. *Paszportyzacja*, zob. przypis do listu 45. Maszynopis innego tekstu, pióra Wata, o tym samym tytule znaleźliśmy wśród papierów Aleksandra Wata w tece *Dziennik bez samogłosek*.

Herling (nie mnie, ale Zosi) sugeruje p. Ciołkoszową — Gustaw Herling-Grudziński (1919–2000), pisarz i ówcześnie bliski współpracownik „Kultury", był zaprzyjaźniony z rodziną Ciołkoszów i ogromnie oddany Lidii Ciołkoszowej (1902–2002), historykowi, wielkiej postaci polskiego ruchu socjalistycznego i działaczce PPS na obczyźnie, a od roku 1987 przewodniczącej tej partii. Razem z mężem Adamem Ciołkoszem ogłosiła *Zarys dziejów socjalizmu polskiego*.

50. Czesław Miłosz 10 II 1972. List, siedem stron zapisanych odręcznie.

dodałem „Żyda" z „Bezrobotnego Lucyfera" — chodzi o nowelę *Żyd Wieczny Tułacz*.

Weintraub w korespondencji z Sakowskim — Wiktor Weintraub (1908–1988), profesor Harvard University, polonista, autor studiów o kulturze i literaturze staropolskiej i romantycznej. Juliusz Sakowski — wydawca (zob. przypis do listu 42).

wystąpiliśmy do Fundacji im. Jurzykowskiego — fundacja założona w Nowym Jorku, 1960, przez przemysłowca Alfreda Jurzykowskiego

(1899–1966) w celu popierania polskich instytucji kulturalnych znajdujących się poza krajem.

Wniosek [...] podpisany przez 4 profesorów: Weintraub, Brzeziński, Tarski i ja — cztery wymienione osoby cieszyły się wśród polskiej emigracji inteligenckiej najwyższym uznaniem: Zbigniew Brzeziński (ur. 1928), politolog, profesor Columbia University w Nowym Jorku, doradca ds. bezpieczeństwa prezydenta Jimmy'ego Cartera; Alfred Tarski (1901–1983), wybitny matematyk, związany z uniwersytetem w Berkeley, gdzie wykładał też Miłosz — zaliczanym do najświetniejszych uniwersytetów amerykańskich.

mógłby tekst inteligentnie przeredagować [...] Kijowski — Andrzej Kijowski (1928–1985), krytyk literacki i prozaik, ważna postać polskiego życia intelektualnego, autor *Kronik Dedala* publikowanych na łamach „Twórczości", pisał też scenariusze filmowe (m.in. do filmów Andrzeja Wajdy i Krzysztofa Zanussiego), w latach 70. współpracował z Towarzystwem Kursów Naukowych, publikował w prasie opozycyjnej.

51. Ola Watowa, 7 VI 1972. List, cztery strony zapisane odręcznie.

Może Cię speszyłam Posnerówną? — Anna Posner (1917–2001), tłumaczka o wykształceniu filozoficznym, tłumaczyła m.in. Bronisława Geremka, Jana Kotta, Leszka Kołakowskiego.

Byłam u [...] prof. Langroda — Jerzy Stefan Langrod (1903–1990), prawnik, przed wojną profesor UJ, od roku 1948 we Francji, profesor Sorbony, dyrektor Centre National de la Recherche Scientifique.

52. Ola Watowa, 20 VI 1972. List, dwie strony zapisane odręcznie.

powinnam mieć „devis" z drukarni — kosztorys (fr.).

53. Czesław Miłosz, 29 VI 1972. List, sześć stron zapisanych odręcznie.

Krystyna Pomorska (Jakobsonowa) — Krystyna Pomorska-Jakobson, slawistka, profesor Harvard University i Massachusetts Institute of Technology, żona Romana Jakobsona (1896–1982), słynnego lingwisty i krytyka, pioniera lingwistycznej analizy literackiej, profesora Harvard University i Massachusetts Institute of Technology. W trakcie pobytu na Harvardzie poznali Nabokova, bardzo cenili jego twórczość. Na łamach „ZL" ukazało się jego wspomnienie o Pradze (*Moja Praga*, „ZL" 1995 nr 4 / 52, s. 122–123).

54. Ola Watowa, 27 VIII 1972. List, trzy strony zapisane odręcznie.

jeden tom u Stypułkowskiego — Andrzej Stypułkowski (1928–1981), szef wydawnictwa Polonia Book Fund Ltd. w Londynie.

po przeczytaniu urywków w „Kulturze" — fragment *Mojego wieku* pt. *Aleksander Wat opowiada (Czesławowi Miłoszowi)* ukazał się w „Kulturze" 1972 nr 7–8. Kolejny pt. *Aleksander Wat opowiada. (Z nagrania na taśmę opracował Czesław Miłosz)* — w „Kulturze" 1973 nr 1–2.

i Twojej przedmowy — Miłosz opatrzył publikacje powyższych fragmentów kilkuzdaniowym wstępem.

zdanie Witkacego z listu do Czerwijowskiej — Helena Czerwijowska, narzeczona Witkacego w roku 1912, potem żona zarządcy Belwederu, Leona Protasewicza. Listy Witkacego do niej opublikowała Bożena Danek-Wojnowska w „Twórczości" 1971 nr 9. Jedna z bohaterek książki Grażyny Kubicy *Siostry Malinowskiego, czyli kobiety nowoczesne na początku XX wieku*, Kraków, Wydawnictwo Literackie, 2006.

55. Czesław Miłosz, 23 IX 1972. List, sześć stron zapisanych odręcznie na papierze University of California, Berkeley.

Z kilku stron (nie mówiąc o liściku Jarosława do Kota) — chodzi o list Jarosława Iwaszkiewicza z 3 IX 1972 (zob. Jarosław Iwaszkiewicz / Teresa Jeleńska / Konstanty A. Jeleński, *Korespondencja*, dz. cyt., s. 216–217).

To załatwiała Krystyna Pomorska-Jakobson, no, żona tego sławnego profesora Romana Jakobsona — zob. przypis do listu 53.

56. Ola Watowa, 9 XI 1972. List, siedem ponumerowanych stron zapisanych odręcznie.

usłyszałam go mówiącego w Konserwatorium o „Pani Elizie" — Iwaszkiewicz przed wojną kilkakrotnie wygłaszał odczyty o Orzeszkowej (m.in. *Orzeszkowa jako pisarka i człowiek*, 18 maja 1938 w Grodnie).

tłomaczkę z francuskiego i angielskiego na rosyjski — Ritę Rajt-Kowaliową (właśc. Raisa Czernomordik, 1898–1988), pisarka i tłumaczka rosyjska, przed wojną tłumaczyła Chlebnikowa i Majakowskiego na niemiecki, po wojnie, prócz wymienionych przez Olę Watową pisarzy, także Bölla, Annę Frank, Kafkę, Schillera, Vonneguta. Autorka biografii Roberta Burnsa, wspomnień o Achmatowej, Chlebnikowie, Majakowskim, Pasternaku.

Znała [...] Siniawskiego, Daniela — chodzi o znanych dysydentów, Andrieja Siniawskiego (1925–1997), który zasłynął pod pseudonimem Abram Terc opowiadaniami *Sąd idzie* oraz *Co to jest realizm socjalistyczny?* (wyd. polskie Paryż 1959), skazanego za to na 7 lat łagrów; emigrował z ZSRR w 1971, w Paryżu założył czasopismo „Sintaksis", 1978, które prowadził z żoną Marią z domu Rozanow; Julij Daniel (1925–1988), dysydent, pisarz, więzień polityczny, autor powieści *Mówi Moskwa* (Waszyngton 1963); Aleksander Wat pod pseud. Stefan Bergholz napisał wstęp do *Opowieści fantastycznych* Siniawskiego (Paryż, Instytut Literacki, 1961). Zob. A. Wat, *Czytając Terca* w: *Pisma wybrane*, t. 1: *Świat na haku i pod kluczem*, dz. cyt., s. 53–102.

n i e n a w i d z i „gniłoj inteligencji" — nienawidzi zgniłej inteligencji (ros.).

intelektualistów, którzy demonstrują na placu Czerwonym przeciwko najazdowi na Czechosłowację — 25 VIII 1968 odbyła się demonstracja w Moskwie przeciwko wejściu armii Układu Warszawskiego do Czechosłowacji, wszyscy uczestnicy zostali uwięzieni i poddani represjom.

W demonstracji uczestniczyli: Konstantin Babicki, Tatiana Bajewa, Larysa Bogoraz, Natalia Gorbaniewska, Wadim Delone, Władimir Dremluga, Paweł Litwinow i Wiktor Fajnberg.

ma jeszcze przed oczyma [...] ciała leningradzkich nielicznych uchodźców z piekła tamtejszego oblężenia — chodzi o oblężenie Leningradu przez Niemców podczas II wojny światowej, trwające blisko 900 dni, od 8 września 1941 do 18 stycznia 1944 roku, które pochłonęło około miliona osób.

„A ja wasze BBC postawiła na szkafie" — A ja pani BBC postawiłam na szafie (ros.).

A o Chruszczowie — Nikita Siergiejewicz Chruszczow (1894–1971), I sekretarz KC KPZR (1953–1964), następnie premier ZSRR (1958–1964). 1 grudnia 1962 roku Chruszczow pojawił się na wystawie sztuki awangardowej w Maneżu, zatytułowanej „Nowaja realnost" (Nowa rzeczywistość). Ernstowi Nieizwiestnemu (ur. 1925) zarzucił tam, że tworzy „sztukę zdegenerowaną". Później Nieizwiestny wykonał pomnik nagrobny Chruszczowa na moskiewskim Cmentarzu Nowodziewiczym (wedle syna polityka był to pomysł scenarzysty Wadima Tronina). W roku 1976 artysta wyjechał do Szwajcarii, obecnie mieszka w Nowym Jorku. Ma swoje muzeum w Uttersbergu (Szwecja).

Wot russkaja dusza. Nie razbieroszsa — Oto rosyjska dusza. Nie do pojęcia (ros.).

świetne „Duże cienie" — Czesław Miłosz, *Duże cienie*, „Kultura" 1972 nr 10 (szkic na temat powieści Tomasza Stalińskiego [Stefana Kisielewskiego], *Cienie w pieczarze*, Paryż, Instytut Literacki, 1971).

57. Czesław Miłosz, 20 XII 1972. List, dwie strony zapisane odręcznie na papierze University of California, Berkeley.

napisałem po angielsku krótki wstęp do tego, co ma się ukazać w „Modern Occasions" („Żyd" z „Bezrobotnego Lucyfera", fragment o Bablu i 2 wiersze) — C. Miłosz, *Aleksander Wat — „The Wandering Jew"*, w: „Modern Occasions New Fiction, Criticism, Poetry" No 2, New York, Kennikat Press, 1974.

był Josif Brodski — Josif Brodski (1940–1996), wielki poeta języka rosyjskiego i angielskiego, laureat literackiej Nagrody Nobla, 1987, zmuszony do opuszczenia ZSRR w roku 1972, po krótkim pobycie w Europie osiadł w USA, Miłosz powitał go listem, który zapoczątkował ich dozgonną przyjaźń (zob. „ZL" 1999 nr 1 / 65).

mamy miłych gości, Jasia Lebensteina i Ankę — Jan Lebenstein (zob. przypis do listu 4); Wat opisuje swoją znajomość z nim w *Dzienniku bez samogłosek*, gdzie zamieszcza też istotne uwagi o jego malarstwie; zadedykował mu wiersz *Skóra i śmierć* (faksymile: „ZL" 2007 nr 3 / 99, s. 12); Lebenstein ofiarował mu własnoręcznie wykonany egzemplarz *Bezdom-*

nego Lucyfera (bibliofilskie wydanie nakładem Zeszytów Literackich i Wydawnictwa Austeria, 2009). Anka — Hanna Patkowska, tłumaczka, przyjaciółka Jana Lebensteina.

58. Ola Watowa, 8 I 1973. List, dwie strony zapisane odręcznie.

Czytam „Drugą książkę" Nadieżdy Mandelsztam — Nadieżda Mandelsztam (1899–1980), mowa o książce *Vtoraia kniga* (Paryż, YMCA Press, 1972); wydanie polskie ukazało się po latach pt. *Nadzieja w beznadziejności*, Londyn, Polonia Book Fund Ltd., 1976. Jej książki wywarły olbrzymi wpływ na dysydentów wschodnioeuropejskich i stosunek wolnego świata do komunizmu i ZSRR.

59. Czesław Miłosz, 6 I 1973. List, cztery strony zapisane odręcznie na papierze University of California, Berkeley. Mylnie datowany, uściślamy datę według stempla pocztowego na kopercie, 6 II 1973. Załączony list Daniela Weissborta z „Modern Poetry in Translation", Londyn, 28 I 1973, jedna strona, maszynopis.

Leopold Łabędź (zob. przypis do listu 7) dopomógł w przekazaniu z USA do Europy zdobytej przez Miłosza subwencji Fundacji im. Jurzykowskiego, przyznanej na druk w Londynie *Mojego wieku* (konkretnie chodziło o uzyskanie zwolnienia z płacenia podatku od kwoty 3 tys. dol.).

Carcanet Press — oficyna specjalizująca się w wydawaniu poezji, powstała wokół istniejacego od roku 1962 pisma literackiego „Carcanet", książki wydaje od roku 1969. W roku 1996 bomba IRA zniszczyła siedzibę Carcanet Press.

mortus finansowy — bieda, brak pieniędzy (gwara warsz.).

60. Ola Watowa, 12 II 1973. List, cztery strony zapisane odręcznie.

poszłam na „Requiem" Mozarta do kościoła St. Gervais — kościół pod wezwaniem św. Gerwazego i Protazego w paryskiej dzielnicy Marais, z którym związani byli członkowie muzycznej dynastii Couperinów (ich organy, jedne z najlepszych w Paryżu, do dziś znajdują się w świątyni).

61. Czesław Miłosz, 8 V 1973. List, cztery strony zapisane odręcznie na papierze University of California, Berkeley.

62. Ola Watowa, 17 V 1973. List, cztery strony, maszynopis z odręcznymi dopiskami.

adres pani Alicji Fiszman, żony prof. Samuela Fiszmana (znanego rusycysty) — Alicja Zadrożna-Fiszman, literaturoznawczyni, członkini Instytutu Józefa Piłsudskiego w Ameryce i Kościuszko Foundation; Samuel Fiszman (1914–1999), znawca literatury rosyjskiej i polskiej, profesor Indiana University.

63. Czesław Miłosz, 30 V 1973. List, trzy strony zapisane odręcznie na papierze University of California, Berkeley.

64. Czesław Miłosz, 9 VIII 1973. List, trzy strony zapisane odręcznie na papierze University of California, Berkeley. Załączony list od Daniela

Weissborta z „Modern Poetry in Translation" z 21 VI 1973, jedna strona, maszynopis.

Dałem skrypt do czytania [...] prof. Baumanowi — Zygmunt Bauman (ur. 1925), pozbawiony katedry na rozwiązanym w wyniku wydarzeń marcowych wydziale socjologii Uniwersytetu Warszawskiego, wyemigrował do Izraela, a następnie przeniósł się do Wielkiej Brytanii, obecnie *professor emeritus* Uniwersytetu w Leeds, autor wielu poczytnych książek.

i prof. Chodakowi — Szymon Chodak (zm. 2006), docent socjologii UW, wraz z Zygmuntem Baumanem pozbawiony pracy w wyniku wydarzeń marcowych, emigrował do Kanady, wykładał na Concordia University w Montrealu.

to jak „Doktor Żiwago" i pamiętniki Nadieżdy Mandelsztam razem — chodzi o książki rosyjskich autorów: Borysa Pasternaka (1890–1960), *Doktor Żiwago*, nagrodzoną w 1958 roku Nagrodą Nobla (pol. wydanie w tłum. Jerzego Stempowskiego — pod pseud. Paweł Hostowiec — Paryż, Instytut Literacki, 1959), i Nadieżdy Mandelsztam, *Vospominaniia: kniga piervaia* (Paryż, YMCA Press, 1970), i wzmiankowany powyżej tom drugi tych wspomnień, *Nadzieja w beznadziejności*.

65. Ola Watowa, 24 VIII 1973. List, pięć stron zapisanych odręcznie.

nourriture terrestre — ziemski pokarm (fr.), cytat z *Pieśni nad Pieśniami*, również tytuł książki André Gide'a.

Roger Callois (1913–1978) — francuski krytyk literacki, filozof i socjolog, od 1948 pracował dla UNESCO, gdzie m.in. wydawał interdyscyplinarne pismo „Diogenes", od 1971 członek Akademii Francuskiej.

66. Ola Watowa, 15 X 1973. List, sześć stron zapisanych odręcznie.

„C'est l'âge aussi qui vient peut-être, le traître, et nous menace du pire. On n'a plus beaucoup de musique en soi pour faire danser la vie, voilà. Toute la jeunesse est allée mourir déjà au baut du monde dans le silence de vérité. Et où aller dehors, je vous le demande, dès qu'on n'a plus en soi la somme suffisante de délire? La vérité, c'est une agonie qui n'en finit pas. La verité de ce monde c'est la mort. Il faut choisir, mourir ou mentir" — „To może też wiek, ten zdrajca, który nam grozi najgorszym. Nie mamy już dość muzyki w sobie, żeby życie tańczyło. Cała młodzież poszła umrzeć na koniec świata w milczeniu prawdy. Gdzie iść, pytam się, skoro człowiek nie ma już w sobie dość szaleństwa? Prawda to niekończąca się agonia. Prawdą tego świata jest śmierć. Trzeba wybierać: albo umrzeć, albo kłamać" (fr.). Cytat z *Podróży do kresu nocy* Louisa Ferdinanda Céline'a (1894–1961).

myślę o Sacharowie i Sołżenicynie — Andriej Sacharow (1921–1989), wybitny naukowiec, fizyk jądrowy. Laureat Pokojowej Nagrody Nobla (1975), założyciel Moskiewskiego Komitetu Praw Człowieka, w 1980 protestował przeciw inwazji ZSRR na Afganistan, za swoją postawę został zesłany do miasta Gorki; Aleksander Sołżenicyn (zob. przypis do listu 42).

Dzwonił [...] p. Stypułkowski, jeden z ewent.[ualnych] wydawców — Andrzej Stypułkowski, zob. przypis do listu 54.

Sakowski zamierza je wydać — Juliusz Sakowski (zob. przypis do listu 42).

Céleste [...] Prousta — chodzi o gosposię Marcela Prousta, Céleste Albaret (1891–1984). Georges Belmont przeprowadził z nią rozmowy, które zostały opublikowane w tomie: *Pan Proust*, przeł. E. Szczepańska-Węgrzecka, Warszawa, Czytelnik, 1976. Wkrótce przed śmiercią odznaczona orderem za zasługi dla sztuki i literatury.

w artykule o alchemii (zięcia Sterlinga) — Michel Binda, mąż Catherine Sterling, historyk sztuki i znawca alchemii, wydał *La „Vierge alchimique" de Reims*, Paris, Éd. la Table d'émeraude, 1995.

„La connaissance alchimique ne va pas de l'obscurité à la «clarté» du sens, mais de la p e u r d u n o i r à la vie des ténèbres" — „Wiedza alchemiczna nie prowadzi od niejasności do «jasności» sensu, tylko od lęku ciemności do życia w mroku".

Claude Mauriac (1914–1996), pisarz francuski.

67. Czesław Miłosz, 20 X 1973. List, cztery strony zapisane odręcznie na papierze University of California, Berkeley.

napisz do Kazimierza Vincenza, do Fundacji im. Godlewskich — Kazimierz F. Vincenz, brat Stanisława (pisarza), w czasie wojny internowany w Szwajcarii, gdzie pozostał, wraz z żoną Halszką Vincenz-Poniatowską. Prowadził *Kiermasz Książki Polskiej* w Solurze. Nagroda im. Anny Godlewskiej, ufundowana przez jej syna, Juliana Godlewskiego, darczyńcę m.in.: Muzeum Polskiego w Rapperswilu, przyznawana jest od roku 1963, jej laureatami byli m.in.: Józef i Maria Czapscy, Marian Hemar, Andrzej Kijowski, Józef Mackiewicz, Jerzy Stempowski, Wit Tarnawski; nagrodę publicystyczną otrzymali Giedroyc i Grydzewski. Kazimierz Vincenz kierował pracami komitetu nagrody.

przełożyłem na angielski książki Oskara Miłosza „Ars Magna" i „Les Arcanes" — chodzi o książki Oscara V. de L. Milosza (1877–1939), poety, prozaika i mistyka, dyplomaty litewskiego mieszkającego w Paryżu, krewnego Czesława Miłosza: *Ars Magna* (Paris, PUF, 1924) i *Les Arcanes* (Paris, Teillon, 1926).

„il faut choisir, mourir ou mentir" — trzeba wybrać: umrzeć lub kłamać (fr.).

argument ad hominem — argument pozamerytoryczny, subiektywny, odnoszący się bezpośrednio do danej osoby (łac.).

68. Ola Watowa, 5 XI 1973. List, dwie strony zapisane odręcznie.

69. Ola Watowa, 11 I 1974. List, jedna strona zapisana odręcznie. Do listu załączony list Alicji Fiszmanowej. Jedna strona zapisana odręcznie.

Przypisy i objaśnienia do Aneksu

Aleksander Wat, Wiersze / 103

Wiersze przytaczamy za: *Pisma zebrane*, t. 1: *Poezje*, oprac. A. Micińska, J. Zieliński, posłowie J. Zieliński, Warszawa, Czytelnik, 1997. Poniżej wykaz pierwodruków książkowych:

Poślubiona, w: *Ciemne świecidło*, Paryż, Libella, 1968, s. 62;

Pieśni wędrowca XI, w: *Wiersze śródziemnomorskie*, Warszawa, PIW, 1962, s. 33;

inc. ...Co ja na to poradzę, w: *Ciemne świecidło*, dz. cyt., s. 59;

Hölderlin, w: *Ciemne świecidło*, dz. cyt., s. 46;

inc. ...Opowiem Ci kazanie, wiersz, odnaleziony przez Adama Dziadka w Archiwum Aleksandra Wata (Beinecke Library, Yale University). Pierwodruk: „Zeszyty Literackie" 2009 nr 4 / 108;

Odjazd na Sycylię, w: *Wiersze*, Kraków, Wydawnictwo Literackie, 1957, s. 148;

Necelh ijdara, w: *Wiersze*, dz. cyt., s. 44;

Japońskie łucznictwo, w: *Wiersze*, dz. cyt., s. 117;

Potępiony, w: *Wiersze*, dz. cyt., s. 52;

W barze, gdzieś w okolicach Sèvres-Babylone (z kiczów paryskich), w: *Wiersze*, dz. cyt., s. 141;

Przed wystawą, w: *Wiersze*, dz. cyt., s. 92;

Z perskich przypowieści, w: *Wiersze*, dz. cyt., s. 82;

Wiersz ostatni, w: *Ciemne świecidło*, dz. cyt., s. 237.

Aleksander Wat, *Nastąpił krach...* Wypisy / 121

Dziennik bez samogłosek, [Berkeley], 30 V 1964, w: *Pisma wybrane*, t. 2: *Dziennik bez samogłosek*, oprac. K. Rutkowski, Londyn, Polonia Book Fund Ltd., 1986, s. 111–112.

Kartki na wietrze, b.d., w: *Pisma wybrane*, t. 2: *Dziennik bez samogłosek*, dz. cyt., s. 205–206.

Aleksander Wat, *Moja żona* / 124

Pisma wybrane, t. 2: *Dziennik bez samogłosek*, dz. cyt., s. 206–208.

Aleksander Wat, *List ostatni* / 126

Ostatni list Wata do żony i syna, bez nagłówka, bez daty przytaczamy za: A. Wat, *Pisma zebrane*, t. 4: *Korespondencja*, cz. 1, oprac. A. Kowalczykowa, Warszawa, Czytelnik, 2005, s. 693–695.

Przypisy i objaśnienia do Ilustracji

Fotografie (wszystkie pochodzą z archiwum Andrzeja Wata):
s. 181, Ola Watowa, Warszawa, 1929;
s. 182, Ola i Aleksander Watowie, Sycylia, 1959; Ola i Aleksander Watowie, Nieborów, 1954;
s. 183, Ola Watowa, Herling-Grudziński, Aleksander Wat, Stanisław Baliński, Sorrento, 1956; Ola i Aleksander Watowie, Nieborów, 1954;
s. 184, Ola i Aleksander Watowie, Wenecja, 1956; Ola Watowa, Aleksander Wat, Czesław Miłosz, Anthony Miłosz, Piotr Miłosz, Andrzej Wat na tarasie mieszkania Watów w Berkeley, 1964;
s. 185, Ola i Aleksander Watowie, Berkeley, 1964;
s. 186, Czesław Miłosz i Aleksander Wat, Portofino, 1959;
s. 187, Aleksander Wat i Czesław Miłosz, Berkeley, 1964.

Pośmiertne publikacje Aleksandra Wata (okładki książek)
s. 189, *Ciemne świecidło*, Paryż, Libella, 1968, okładka wg projektu Jana Lebensteina;
s. 190, *Mój wiek*, cz. 1 i 2, oprac. L. Ciołkoszowa, przedmowa C. Miłosz, Londyn, Polonia Book Fund Ltd., 1977; Ola Watowa, *Wszystko co najważniejsze...* Warszawa, Czytelnik, 2000 (wyd. II); *Wiersze wybrane*, wyb. i oprac. A. Micińska, J. Zieliński, wstęp J. Zieliński, Warszawa, PIW, 1987;
s. 191, *Pisma wybrane*, t. 1–3, oprac. K. Rutkowski, Londyn, Polonia Book Fund Ltd., 1985–1988;
s. 192–193, książki Aleksandra Wata w opracowaniu K. Rutkowskiego, J. Zielińskiego, W. Boleckiego, L. Ciołkoszowej (Warszawa, Czytelnik, 1990–1995); *Kobiety z Monte Olivetto*, oprac. J. Zieliński, Warszawa, BN, 2000;
s. 194–195, *Pisma zebrane* w pieczy edytorskiej Aliny Kowalczykowej, oprac. Anna Micińska i Jan Zieliński, Czesław Miłosz i Lidia Ciołkoszowa, Krystyna i Piotr Pietrychowie, Alina Kowalczykowa, Piotr Pietrych (Warszawa, Czytelnik, 1996–2008);
s. 196, *Wiersze śródziemnomorskie*, *Ciemne świecidło*, Gdańsk, słowo / obraz terytoria, 2008; *Wybór wierszy*, oprac. Adam Dziadek, Wrocław–Warszawa–Kraków, Zakład Narodowy im. Ossolińskich, Biblioteka Narodowa, 2008;
s. 197, *Bezrobotny Lucyfer*, wydanie bibliofilskie z ilustracjami Jana Lebensteina, Warszawa–Kraków, Zeszyty Literackie–Austeria, 2009.

Rysunki

s. 199, Jan Lebenstein, rysunek przedstawiający Wata jako Charliego Chaplina, z: *Bezrobotny Lucyfer*, wydanie bibliofilskie, dz. cyt.;

s. 200–203, Aleksander Wat, rys. Józef Czapski. Odnalezione przez Barbarę Toruńczyk w Archiwum Aleksandra Wata (Beinecke Library, Yale University);

s. 204, Aleksander Wat, rys. Józef Czapski (1967);

s. 205, Ola Watowa, rys. Józef Czapski.

Zamiast posłowia

CZESŁAW MIŁOSZ, LEONARD NATHAN

ROZMOWA O ALEKSANDRZE WACIE*

CZESŁAW MIŁOSZ: Chciałbym zacząć od tego, że gdybyśmy sobie wyobrazili, że pan Sammler, bohater powieści Saula Bellowa, pisze wiersze, jego poezja mogłaby przypominać poezję Wata, jako że na życie Wata nałożyły się niezwykłe i dramatyczne wydarzenia w Europie. Miał rozległe doświadczenie. Element autobiograficzny tej poezji ściśle wiąże się z fazami XX-wiecznej historii europejskiej, począwszy od zakończenia I wojny światowej: Wat prowadził wówczas życie warszawskiego intelektualisty, przyjaźnił się z kilkoma wybitnymi pisarzami europejskimi, był redaktorem pisma komunistycznego, w roku 1928 mieszkał w Berlinie i Paryżu itd. Potem w Związku Radzieckim. Jego doświadczenie było więc zarazem osobiste i historyczne. Znalazłbyś jakieś analogiczne przykłady w Ameryce, przykłady poetów piszących z doświadczenia?

LEONARD NATHAN: Nie, nie sądzę. Myślę, że gdyby chcieć szukać paraleli czy analogii, trzeba by się cofnąć do Eliota i Pounda, z których żaden nie brał udziału w wojnie (choć Pound był przez jakiś czas osadzony w więzieniu); jednak daty mniej więcej się zgadzają i pod niektórymi względami podobny jest ich sposób pisania. Sądzę, że czytelnicy amerykańscy będą zadawać sobie pytanie: W jakim sensie twórczość Wata jest inna? Czy jest to poeta modernistyczny? Przywykliśmy do czytania wierszy, które są pełne dysjunkcji, przeskoków, łączenia historii z głosem lirycznym, weźmy na przykład *Ziemię jałową* czy *Pieśni*. Ale czytając Wata, widzimy, że to nie jest to samo. Dlaczego? Kiedy już znaleźliśmy paralele, pora wprowadzić istotne rozróżnienia, i moim zdaniem od tego właśnie możemy zacząć. Jak Amerykanin, czy czytelnik poezji anglojęzycznej, ma czytać Wata, żeby nie zmienić go w Wata *à la* Pound, *à la* Eliot czy *à la* Apollinaire?

* Rozmowa zamieszczona w książce *With the Skin. Poems of Aleksander Wat*. Translated and edited by C. Miłosz and L. Nathan. New York, The Ecco Press, 1989.

C. M.: W okresie I wojny światowej przyszła fala modernizmu, a jeszcze wcześniej ruch futurystyczny we Włoszech. Wat przywiązywał wielką wagę do programu Marinettiego. Właściwie nie do całego programu, tylko do jednego z jego postulatów, mianowicie sloganu Marinettiego i futuryzmu w ogóle: „Uwolnić słowa". Uwolnić słowa z militarnego szyku syntaktycznego. Jako młody człowiek Wat włączył się w ruch futurystyczny w Polsce, choć później określał go raczej ruchem dadaistycznym, nie futurystycznym. Majakowski zapisał w swoich notatkach: „Wat to urodzony futurysta". Zgadzam się z oceną Wata, że we wczesnej twórczości był bardzo śmiałym dadaistą i posuwał się w uwalnianiu słów dalej niż futuryści. Zatem należy on do tej fali modernizmu. Oczywiście modernizm europejski okres triumfu ma dawno za sobą. Moim zdaniem szczytowe osiągnięcia poezji modernistycznej we Francji to Apollinaire i Cendrars. W Polsce mieliśmy analogiczny okres na początku lat dwudziestych. Ale wrócę do twojego pytania. Wata trudno jest sklasyfikować, ponieważ na długo zaprzestał pisania wierszy, a na starość wrócił do poezji. Prawdziwą wielkość osiągnął jako stary człowiek, kiedy odnosił się do poezji z dużym dystansem. Oczywiście to, że w młodości przeżył modernistyczny bunt, nie pozostało bez śladu. W jego wierszach rzadko pojawia się rytm i rym, jest dużo irracjonalnego humoru, swego rodzaju błazenady, czasami błazenady chaplinowskiej. Ktoś powiedział, że jego poezja jest często slapstickowa, jak humor braci Marx. To więc wyróżnia jego poezję na tle rewolucji modernistycznej. W pewnym sensie w swojej twórczości jest postmodernistą, w tym znaczeniu, że zachowało się wiele jego wypowiedzi, w których wykpiwa ludzi głęboko przejętych rewolucjami estetycznymi i traktujących je poważnie.

L. N.: Ale, Czesławie, chyba możemy nazwać go modernistą, jeżeli pod tym pojęciem rozumiemy poetę, który pragnie uwolnić słowa z krępującego je kaftana bezpieczeństwa konwencjonalnej składni, chce przebić się przez banalną powierzchnię zwyczajności, by dotrzeć do głębszej prawdy. Pod tym względem Wat przypomina Pounda czy, to może jeszcze lepsze porównanie, Apollinaire'a i surrealistów. Ale może tkwi tu sprzeczność — w swojej późnej poezji używa normalnej składni i często trzyma się tradycyjnego porządku, na przykład silnego wątku narracyjnego. Dadaistyczne przeskoki zdarzają się wprawdzie, lecz jakby służyły potężniejszemu, mniej negatywnemu celowi. Czyżby Wat wyrósł ponad ograniczenia dadaizmu?

C. M.: Tak, ale zostawił on ślady w jego poezji; na przykład za każdym razem, kiedy Wat opowiada sen, rekonstruuje go brawurowo ze wszystkimi przeskokami między jedną rzeczywistością a drugą. Ale zgadzam się, że jego wiersze to w większości opowieści, tak naprawdę są to opowiadania. Pasują do twojej definicji poezji lirycznej jako marginesu biografii.

L. N.: Owszem.

C. M.: To jest wyjątkowo ciekawe. Moim zdaniem poezja czytana pod tym kątem jest ciekawsza od powieści. Weźmy na przykład ten słynny poemat Cendrarsa, jeden z pierwszych utworów modernistycznych w poezji francuskiej, *Wielkanoc w Nowym Jorku*, napisany w 1912 roku. Nawet jeśli nie wiemy, w jakim stopniu prawdziwe są elementy autobiograficzne, wyobrażamy sobie młodego Europejczyka w Nowym Jorku w roku 1912 i przez to poemat jest bardziej przejmujący.

L. N.: Moglibyśmy powiedzieć, że nieważne, czy historia jest prawdziwa, czy nie, ważne, że wydaje się prawdziwa.

C. M.: Tak jest.

L. N.: Bardzo trudno jest mi sobie wyobrazić, żeby któryś z pisarzy amerykańskich przeszedł przez to wszystko, przez co przeszedł Wat, i pisał takie wiersze jak on. Nawet gdyby mieli prawie identyczne doświadczenia, moim zdaniem w naturze Amerykanów nie leży reagowanie w taki sposób. Dodałbym jeszcze, że w naturze Amerykanów nie leży też pisanie poezji filozoficznej. Kiedy się przegląda antologię poezji polskiej, uderza ta dziwnie nieamerykańska tendencja do brania na warsztat idei. Myślę teraz o Miłoszu, Herbercie, z młodszych o Zagajewskim. U Wata znajdujemy to samo. Co sprawia, że taki poeta jak Wat traktuje poezję jako poważną dyscyplinę intelektualną?

C. M.: Na to pytanie nie potrafię udzielić satysfakcjonującej odpowiedzi. Wydaje mi się, że sami poeci najmniej są świadomi tego, co przesądza o *differentia specifica* w poezji danego kraju. Istnieje jakiś wspólny mianownik, który dla nich jest równie naturalny jak powietrze, którym oddychają, i tylko ludzie z zewnątrz zwracają na niego uwagę. Zastanawiam się, czy jest to cecha charakterystyczna polskiej poezji XX-wiecznej, czy też europejskiej poezji XX-wiecznej. Bardzo trudno stwierdzić, jak wiesz, dlaczego, jeśli chodzi o sztukę, *Zeitgeist*, duch czasu, nawiedza ten kraj, a nie inny. To niezwykle kapryśny duch. Do jednego kraju przybywa, inny opuszcza. Dla Polski był chyba w tym stuleciu łaskawy, ale prawdopodobnie ten pociąg do idei jakoś łączy się z poczuciem ruchu historii, ruchu, który przyspieszył w XX wieku. Pamiętasz, że nawet Annę Świrszczyńską, która pisała bardzo osobiste wiersze, pociąga obiektywizm, nadaje ona swojemu doświadczeniu kształt, który nie jest czysto subiektywny, obiektywizuje to doświadczenie. Wat wydaje się poetą bardzo emocjonalnym. Jego wiersze to w większości skargi. Jest w nich dużo żalu nad sobą. Ale zaprawionego błazenadą. Na przykład w tym wierszu, w którym wylicza, w ilu więzieniach, szpitalach i hotelach przebywał w swoim życiu. Nie wiem więc, to stale obecna tendencja do transpozycji doświadczenia osobistego i subiektywnego na ogólną refleksję nad ludzkim losem.

L. N.: Czy ta wesołkowatość, na którą zwracasz uwagę, to nastawienie komiczne, jest sposobem radzenia sobie z czymś, co inaczej byłoby nie do zniesienia? Historia nie potoczyła się bynajmniej tak, jak żywił nadzieję Wat.

C. M.: Jako młody człowiek zaczytywał się Kierkegaardem, Nietzschem, Schopenhauerem. Był umysłem filozoficznym. Jego opowiadania napisane w latach dwudziestych, *Bezrobotny Lucyfer*, to zbiór tak zwanych opowiastek dialektycznych, które wszystko stawiają na głowie, każdy temat. A jego pierwszy tom wierszy, opublikowany koło roku 1920, *Ja z jednej strony i Ja z drugiej strony mego mopsożelaznego piecyka*, to najczystsze dadaistyczne uwalnianie słów. Próba, jak mówił później, przełożenia skóry na słowa. Czyli mówienia za pomocą skóry, nie języka. Ten element humoru pojawia się więc u Wata bardzo wcześnie, a później łączy się z jego doświadczeniami więzień, licznych więzień, choroby i tak dalej. Pobyty w więzieniu stanowiły ważną część jego edukacji.

L. N.: Mówiliśmy o silnym wyczuciu opowieści w twórczości Wata. Poeci mają zazwyczaj jedną–dwie opowieści, które służą im, choć często tylko w sposób ukryty, za kanwę wierszy. Jaką opowieść — czy opowieści — możemy wysnuć z wierszy Wata?

C. M.: Chciałbym wspomnieć o wątku, który wydaje się bardzo ważny. Życie Wata jest naznaczone miłością do jednej kobiety. Ona jest osią całej jego biografii, napisał dla niej wiele wierszy. Kiedy się z nią żenił przed wojną, była bardzo piękna. Urodziło im się dziecko, a później, w roku 1940, kiedy on został aresztowany we Lwowie, w strefie radzieckiej, stracił żonę i dziecko z oczu. Zostali deportowani gdzieś do Azji. I tak rozpoczęły się ich poszukiwania siebie nawzajem. Wat siedział w kilku więzieniach, potem wyszedł na wolność i zamieszkał w Ałma Acie, w Kazachstanie, i cały czas prowadził poszukiwania żony. Jej historia wyglądała inaczej. Była bardzo delikatną młodą dziewczyną wychowaną w kulturalnej żydowskiej rodzinie w Warszawie, ale udało jej się przeżyć na nagim stepie, gdzie pracowała przy żarnach napędzanych siłą mięśni ogromnych wołów. Ocaliła siebie i dziecko i wszyscy troje spotkali się ponownie w sowieckiej Azji. Kiedy wrócili do Polski, już nigdy więcej się nie rozstawali. Jest to więc wzruszająca nuta osobista: trwałość tego bardzo głębokiego uczucia, a teraz działalność Oli jako redaktorki jego pism.

I drugi ważny wątek, filozofia. Wat stale poszukiwał — to taka typowo męska cecha — i po Schopenhauerze, i Nietzschem odkrył marksizm. Absolutna fascynacja. Szczególnie w latach 1929–1930 działał energicznie jako redaktor komunistycznego czasopisma. Po tej fazie nastąpiła samokrytyka i autentyczna obsesja na punkcie komunizmu — Wat postrzegał radziecki komunizm jako zjawisko, które na Zachodzie jest zupełnie nierozumiane lub co najwyżej powierzchownie. Pod koniec życia żył pragnieniem, by ludzi przed nim ostrzec, jak Orwell. Starał się zrozumieć to zjawisko, które dla niego było przede wszystkim zjawiskiem językowym. Dokonał mianowicie fantastycznego odkrycia, że języka można używać jako narzędzia dominacji poprzez zmianę znaczenia wyrazów. To jest więc kolejny wymiar, fakt, że przez moment był marksistą i sympatyzował z sowieckim komunizmem, a później zżerało go poczucie winy, że wodził ludzi na pokuszenie. Dodajmy tu jeszcze jeden element. Wat był Żydem, którego nie wychowano w tradycji judaistycznej i w pewien sposób ciągnęło go do chrześcijaństwa. Bardzo silnie odczuwał jednak swoje żydowskie dziedzictwo: miał poczucie, że odpowiada przed Bogiem, i dręczyło go poczucie winy.

L. N.: Dlaczego wrócił do pisania poezji? I dlaczego właśnie poezji? Czy przedstawia ona ostatecznie dla niego jakąś szczególną wartość? Wszystko inne go zawiodło — ideały, nadzieje polityczne i osobiste. Dlaczego więc zwrócił się do poezji? Co takiego poezja — którą często kojarzymy z młodością, pasją i możliwościami — mogła pozwolić mu wyrazić, czego nie mogła proza?

C. M.: Muszę przyznać, że jego zwrot ku poezji i rozkwit jako poety był dla nas wszystkich zaskoczeniem. Znaliśmy Wata — „my" to znaczy środowisko literackie — i szanowaliśmy go jako intelektualistę, ale czegoś takiego się nie spodziewaliśmy, jego odrodzenia jako poety. Bo wiesz, kiedy wrócił do poezji, był już po udarze, który zostawił po sobie ślad, straszliwe bóle głowy. Wat pisywał w krótkich przerwach między atakami bólu. Mimo że miał wiele pomysłów, nie sądzę, by mógł podołać długiemu dziełu prozą. To jedno z możliwych wyjaśnień. Inne jest takie, że podzielał zdanie wielu literatów tego wieku, którzy formę powieści traktują nieufnie, i dał fory poezji jako bardziej elastycznemu narzędziu.

L. N.: No i jest jeszcze oczywiście ta kwestia, że są to często utwory o wysokim stopniu intensywności, a intensywność to jedna z cech, które przypisujemy liryce. Jego wiersze ostatnie są przesycone witalnością, dziwną w przypadku człowieka, który powinien był czuć się zmiażdżony, powinien zamilknąć albo najwyżej pisać wspomnienia, a on się zabrał, że ośmielę się tak powiedzieć, za gatunek młodych i świetnie się w nim odnalazł. Zastanawiam się, czy widział w poezji coś, co go nie opuści, tak jak opuściły go inne ważne dla niego sprawy.

C. M.: Mnie z kolei poezja Wata interesuje z tego samego powodu, co poezja w ogóle: szukam poezji, która poszerza granice języka i stara się objąć możliwie dużą część rzeczywistości. Po okresie postu narzuconego przez dążenie liryki do czystości powstaje kwestia, jak poszerzyć sferę poezji tak, by znów ujmowała szeroki zakres ludzkiego doświadczenia. Nie znaczy to, że koniecznie musiałby powstać kolejny *Raj utracony* czy *Boska komedia*, ale o dążenie w tym kierunku, czyli w kierunku rzeczywistości.

L. N.: Czesławie, podajesz przykład tych dwóch poematów, a one opierają się przecież na założeniu takiego porządku świata, do którego dzisiejszy poeta nie ma dostępu. *Raj utracony* zakłada hierarchię, strukturę wszechświata, w której cierpienie pod wieloma względami ma sens. To samo można powiedzieć o dziele Dantego. Lecz jak taki poeta jak Wat może liczyć na to, że poszerzy — chciałem powiedzieć, obejmie — rzeczywistość?

C. M.: No właśnie. Innymi słowy, nasze doświadczenie i poezja Wata zasadzają się na braku.

L. N.: Zgadzam się.

C. M.: Pamiętasz, jest taki wiersz Wata *Sen flaminga*. Jest tam tylko woda; nie ma ani skrawka ziemi, ale możliwe, że taki właśnie czeka nas los. Musimy nazwać swoje położenie, z którego wielu ludzi nie zdaje sobie sprawy, a jeżeli zdają sobie z niego sprawę, to bez wyczucia dramatyzmu. Uważają je za całkiem normalne. Wat nie uważał sytuacji człowieka współczesnego za normalną. W tym sensie jako poeta porusza taki sam zakres zagadnień, jakie poruszone są w *Raju utraconym* czy *Boskiej komedii*.

L. N.: Ale przypuśćmy, że poeta — co jest w naszych czasach oczywistością, było oczywistością już ze czterdzieści czy sześćdziesiąt lat temu — przypuśćmy, że poeta mówi tylko własnym głosem, nie stoi za nim żaden autorytet. Przypuśćmy, że jest to głos człowieka, którego doświadczenie jest w ostatecznym rachunku niezrozumiałe. Cóż taki człowiek może z siebie wydawać poza liryką, protestami w formie lirycznej? Czy twoim zdaniem Wat widział w liryce coś, czego zwykle nie widać?

C. M.: Nie brońmy Wata, udając, że stać go było na więcej niż to, czego dokonał. Domyślam się, że zdobycie pewnej perspektywy na wydarzenia, perspektywy, nazwijmy to, wyzwolenia — w tym przypadku nie chodzi o uwalnianie słów, lecz wyzwalanie ludzi z iluzji XX wieku — to już jest coś. Może nie jest to bardzo budujące, ale pokaż mi poetów, którzy byliby autentycznie budujący. Jest ich garstka. Nie mówmy więc, że Wat jest światłem, że niczym przewodnik z latarnią pokazuje nam drogę w labiryncie XX wieku. Ale jest jedna interesująca rzecz — wrócę tu do mojego konika, czyli do przeszłości, do wieków historii naszego gatunku. Jako punkt odniesienia i swego rodzaju perspektywa historyczna, która sprawia, że nasze położenie w XX wieku stanowi część doświadczenia znacznie większego, powiedzmy doświadczenia kilku tysiącleci, jest to może instynktowny sposób poszukiwania odrobiny nadziei. W polskiej poezji Herbert stale odwołuje się do klasycyzmu greckiego i rzymskiego. Wat bardzo często powraca do znacznie starszych cywilizacji. Opowiada na przykład historię żółwia tak wiekowego, że był świadkiem miłości króla Salomona i królowej Saby; powraca też do swoich wizji Babilonu, Chaldei. Widzę w tym staranie o zachowanie ciągłości, ponieważ ta faza naszej cywilizacji później traci swoją nieskończoną dziwność.

L. N.: *À propos* Watowskiego żółwia — czy nie jest to temat, który odsyła nas do warstw starszych niż cywilizacja, starszych niż człowiek? Wydaje mi się, że tę tendencję „ku dołowi" widać jeszcze wyraźniej w *Pieśniach wędrowca*, w których Wat wyobraża sobie siebie w rzeczywistości kamienia. Tę próbę wykroczenia poza to, co ludzkie, można porównać z podejściem Herberta do tego samego tematu, jakie przedstawia w wierszu *Kamyk*.

C. M.: Tak, też o tym pomyślałem. W obu wierszach wyczuwa się swego rodzaju zazdrość, ponieważ kamień się nie zmienia; jest jak gdyby niezależny od czasu, od stawania się. Kamień jest, że tak powiem, bytem bardzo antyheglowskim. No i kamień nie cierpi. Mam jednak poczucie, że podejście Herberta jest znacznie bardziej estetyczne. Jest tam sporo uczuć estetycznych, jaki ten kamyk jest piękny.

L. N.: Herbert go kontempluje.

C. M.: Kontempluje. Tak.

L. N.: Nie wchodzi w niego tak, jak robi to Wat.

C. M.: Owszem. Między Watem a kamieniem naprawdę zawiązuje się swego rodzaju symbioza. Przez chwilę ma się poczucie, że on dotarł do wnętrza kamienia i się nim stał.

L. N.: Czy na tym polega różnica między nimi jako poetami? Że Herbert jest kontemplacyjny, dystansuje się od swoich tematów, a Wat należy do tradycji bardziej romantycznej, ma znacznie bliższy stosunek do swojego materiału?

C. M.: To jest kwestia dwóch różnych temperamentów poetyckich. Wat to same uczucia i emocje, cierpienie. Herbert z kolei jest poetą kaligraficznym, znacznie bardziej kaligraficznym, w znacznie większym stopniu jest oczami — oczami i ręką, które stwarzają rysunek.

L. N.: Czy humor Wata — już o tym mówiliśmy, ale chciałbym jeszcze wrócić do tej kwestii — to coś więcej niż psychologiczny mechanizm obronny? Czy jest swego rodzaju komentarzem do stanu rzeczy? Jest tak wszechobecny. W przypadku tak inteligentnego poety jak Wat nadmiernym uproszczeniem byłoby stwierdzenie, że niczym Pierrot śmieje się, ale wewnątrz płacze.

C. M.: Cóż, nakreśliłem już początki jego życia. Tendencja do błazenady pojawia się bardzo wcześnie i moim zdaniem ma głębokie znaczenie. W młodości Wat miał poczucie, że cywilizacja jest ruiną. To był okres I wojny światowej. Ale, jak mawiał, była to wesoła ruina. Taniec na ruinach był więc już bardzo wcześnie elementem programu Wata. Podobnie jest z opowiadaniami. Jego opowiadania zapewne można by zestawiać z wierszami i używać ich jako komentarza do jego poezji, ponieważ bez wyjątku opierają się na zasadzie paradoksu. Najwyraźniej śmiech najlepiej oddaje jego stosunek do świata, który jest zarazem przerażający i bardzo śmieszny.

Wrócę do mojego tematu naczelnego, czyli do poezji, która miałaby ogarniać jak największą część rzeczywistości. Myśląc o takich wierszach jak wiersze Wata, dochodzę do wniosku, że praktycznie nie istnieją takie problemy filozoficzne, choćby najbardziej skomplikowane, którym poezja XX-wieczna by nie podołała.

L. N.: Myślę, że polska poezja mniej więcej coś takiego udowodniła. Każdy z poetów, których wymieniliśmy wcześniej, podejmuje prędzej czy później jakąś podstawową kwestię filozoficzną w wierszu, czasami na poważnie, czasami w sposób ironiczny czy komiczny. W końcu Karol Marks nie bez kozery nosi takie samo nazwisko jak bracia Marx.

A co z Wata tracimy w przekładzie? Wiadomo, że nie przekazujemy w naszym tłumaczeniu stu procent, to oczywiste, ale czy tracimy coś, co polski czytelnik by natychmiast wychwycił?

C. M.: Tracimy sporo lekkości i zabawy językiem, swobody Wata w tworzeniu nowych czasowników, zwykle takich, które brzmią naturalnie, ale na co dzień się ich nie używa, chociaż są bez zarzutu, bardzo dobrze wkomponowują się w materię języka. Czyli takie zabawy eksdadaisty.

L. N.: No tak. Oczywiście, dadaizm był rodzajem zabawy. Był umyślnie niepoważny, by przekłuć balon konwencji. Surrealizm, kiedy tylko nie jest strasznie groźny, też jest komiczny. W końcu surrealizm to komedia, która odmawia rozwiązania swoich supłów.

C. M.: Wprowadziłbym tu w związku z tym, o czym mówisz, nową postać, Stanisława Ignacego Witkiewicza — dramaturga, filozofa, malarza, autora kilku powieści. Tu, w Stanach, na uniwersyteckich kampusach często wystawia się jego sztuki. Witkiewicz i Wat tworzyli mniej więcej w tym samym czasie, należeli do tego samego środowiska, znali się. Nawet niektóre szczegóły biografii świadczą o pewnej aurze, atmosferze tamtych czasów, lat dwudziestych i trzydziestych XX wieku. Witkiewicz stale błaznował. Wykrzywiał na przykład twarz w straszliwe grymasy, bawił się w przebieranki, sporządzał listy nazwisk przyjaciół, których skazywał na dwa tygodnie, miesiąc czy rok niepoznawania. Taka atmosfera wygłupu. A Witkiewiczowski świat literacki w prozie w pewnym sensie stanowi odpowiednik poezji Wata, ponieważ jego sztuki są ekwiwalentami uwolnionych słów. Jego ambicją było uwolnienie akcji w teatrze. Pytał, po co ta logika, przecież to więzienie. Akcja powinna być nieskrępowana, czysta. To jest oczywiście niedościgły ideał, osiągnięcie czystej formy poprzez akcję. Niemniej Witkiewicz mógł w ten sposób wprowadzić większą swobodę.

L. N.: Przybliżyłeś nam postać Witkiewicza. Porównałeś go do Wata. A pod jakimi względami ci dwaj twórcy się różnią?

C. M.: To bardzo trudne pytanie. Pozwól, że nie odpowiem od razu. Witkiewicz przez całe swoje życie miał silne poczucie powinności. Pracował nad własnym systemem filozoficznym, nad własną ontologią. Poza tym stale grał, chcąc ostrzec ludzkość, zanim zginie ona we wszechogarniającej szarzyźnie i w mrowisku systemów totalitarnych. Wat jednak też miał poczucie powinności. Chciał, żeby ludzie zrozumieli to, co on odkrył, siedząc w więzieniu i rozmyślając o mechanizmie działania nieludzkiego systemu politycznego. Z całą pewnością wyszedł poza myślenie ściśle socjopolityczne i niewątpliwie miał bardzo silne poczucie, że na świecie działają złe moce. Jak mawiał, człowiekowi XX wieku bardzo trudno jest wierzyć w Boga, ale niemożliwością jest dla niego niewiara w diabła. Wat jednak nigdy nie objawiał rozpaczy Witkiewicza.

L. N.: Czy moglibyśmy to ująć w kategoriach bardziej pozytywnych? Czy to nadmierny sentymentalizm, czy doszukiwanie się czegoś, czego w tych wierszach po prostu nie ma, kiedy myślę, że odwaga Wata co jakiś czas przejawia się w formie swoistej radości z możliwości pisania, możliwości przekazania tego, co ma się do przekazania? Wat był odważnym człowiekiem i ta odwaga właśnie ocala tę poezję od zaprawionych ironią nieskończonych pokładów jego cierpienia, które ostatecznie zapewne nie mogło interesować nikogo poza nim samym. Wydaje mi się, że jego wiersze ucieleśniają odwagę, która nie tylko staje twarzą w twarz z najgorszym, ale i widzi więcej niż to, co najgorsze.

C. M.: Tak. Zgadzam się z tobą. Wat był odważny i możliwe, że ta cnota przebija przez jego wersy, ponieważ jest kilka takich wierszy, w których osobiste cierpienie włączone zostaje w szerszy obraz świata, który jest piękny. Szczególnie kiedy Wat mówi o pejzażach Francji, kiedy mówi o Paryżu, towarzyszy temu głębokie poczucie obiektywnej urody świata. Cytuje z książki Andrew Langa o Homerze, której nie znam: „W naturze największej sztuki obiektywnej leży czystość. Muzy są dziewicami". Sztuka Wata jest właśnie czysta, w pewien sposób wykracza poza jego subiektywne cierpienie. Dostrzegam związek między tym a fascynacją niezmiennym światem minerałów. Jest też kilka wierszy Wata, które są utworami pochwalnymi.

tłum. Agnieszka Pokojska

JAN ZIELIŃSKI

WSPÓLNE ZMAGANIA

Za wcześnie może na ocenę tej książki, skoro nie znamy całości, ale na pewno nie za wcześnie na docenienie rangi korespondencji Oli Watowej z Czesławem Miłoszem. Chwalić literackie walory Miłosza byłoby truizmem, ale jego korespondentka okazuje się w tych listach równym partnerem, pod każdym względem: stylu, formy, zaangażowania uczuciowego we wspólną sprawę, zajmującej narracji. Aleksander Wat napisał kiedyś, że czuje, iż w jego żonie drzemie talent literacki. To przeczucie spełniło się w książce mówionej, jaką jest *Wszystko co najważniejsze*, a teraz potwierdza się w listach.

Na temat okoliczności powstawania *Mojego wieku* wiemy sporo z przedmowy Miłosza i ze wspomnień Oli Watowej. Wiadomo zatem, że Watowie przybyli do Ameryki w połowie grudnia 1963 roku na zaproszenie The Center for Slavic and East European Studies w Berkeley. Rosyjski poeta i historyk literatury Gleb Struve (1898–1985), który poznał Wata i zachwycił się jego erudycją i niezależnością myślenia na sympozjum sowietologicznym w Oksfordzie, wystąpił z inicjatywą; pomysł podchwycił Miłosz; razem przekonali ówczesnego dyrektora centrum, a był nim Gregory Grossman (obecnie emerytowany profesor ekonomii uniwersytetu w Berkeley). Celem stypendium było zapewnienie polskiemu pisarzowi i świeżemu emigrantowi cierpiącemu na psychosomatyczną chorobę bólową spokojnych warunków do pracy. Wat planował napisanie swego *Hauptwerku*, wychodzącej z własnego wieloletniego doświadczenia i życia w różnych krajach, w różnych warunkach syntezy wszystkiego, podsumowania XX wieku, przede wszystkim zaś tego, co uważał za największe tego stulecia zło, a mianowicie systemu komunistycznego.

Szybko okazało się, że po początkowej euforii spowodowanej nowym klimatem i Nowym Światem stan zdrowia Wata znów się pogorszył i że nie ma mowy o pisaniu, a zwłaszcza o napisaniu grubej, zasadniczej książki. I wtedy Grossman wpadł na szczęśliwy pomysł: skoro Wat „ożywia się, kiedy tylko zaczyna mówić, tak że zapomina o bólu, może dałoby się go jakoś odblokować? Na przykład rozmawiając z nim i nagrywając treść rozmów na taśmę?". Miłosz podjął wyzwanie i w ten sposób doszło do czterdziestu sesji nagraniowych, najpierw w Kalifornii, a po powrocie Watów do Europy — w Paryżu, dokąd Miłosz przyjechał w lipcu roku 1965.

Ola Watowa zaczęła przepisywać taśmy jeszcze za życia męża. On sam wszedł kiedyś do pokoju w trakcie przepisywania, posłuchał swego głosu, zmienionego przez magnetofon (własny głos słyszymy przecież jako obcy), i wyszedł, zatykając sobie uszy i mówiąc: „Jakież to okropne, okropne". Ale nie przeszkadzał żonie przepisywać, sam nawet nagrywał na taśmę niektóre listy (choć zwierzał się Zygmuntowi Hertzowi: „mam ogromne trudności z nagrywaniem bez słuchacza; to jak pić do lustra"), a nocami „naszeptywał" do mikrofonu Grundiga TK-41 krótkie wiersze. Na podstawie sporządzonego przez żonę maszynopisu zredagował fragment wspomnień z więzienia kijowskiego. Na więcej nie starczyło mu sił.

Prezentowane obecnie listy pokazują kulisy drugiego etapu, zabiegów o wydanie tej monumentalnej księgi i pracy nad jej kształtem edytorskim po 29 lipca 1967 roku, po śmierci Aleksandra Wata. A także inne starania — o sfinalizowanie przygotowanego jeszcze przez Wata do druku tomu *Ciemne świecidło*, o utrwalenie jego pamięci, o przekłady na inne języki.

Dla Wata istotnym punktem odniesienia do własnych zmagań z losem było wyobrażenie walki Jakuba z Aniołem, zakończonej jak wiadomo wywichnięciem stawu biodrowego, czyli zmaganie bolesne, dotkliwe. W Paryżu lubił zachodzić do Saint-Sulpice, gdzie jest fresk Delacroix przedstawiający ten motyw; własną wariację na ten temat zrobił specjalnie dla niego Marek Żuławski. Kiedy jednak myślę o sytuacji, w jakiej po śmierci Aleksandra Wata znaleźli się wdowa po nim oraz współuczestnik czterdziestu sesji nagraniowych Czesław Miłosz, nasuwa się raczej obraz inny, choć kompozycyjnie do tamtych przedstawień podobny: *Św. Mateusz z Aniołem* Caravaggia. I tu, i tam rzuca się w oczy muskularność postaci, a także nienaturalna sztywność jednej nogi Jakuba i Mateusza. Dlatego ucieszyłem się, kiedy Barbara Toruńczyk zaproponowała ten właśnie obraz na okładkę pierwszego tomu *Listów o tym, co najważniejsze*. Przedstawiona na obrazie Caravaggia sytuacja jest bowiem zarazem współpracą i walką. Widać, że Anioł stara się Mateusza przy spisywaniu *Ewangelii* natchnąć, ale czyni to bardzo fizycznie, wręcz wbijając mu palce w toporną dłoń — między nimi toczy się rodzaj walki, jakieś wręcz fizyczne zmaganie.

Gdy się czyta *Wszystko co najważniejsze*, uderza w opisie ostatnich chwil Aleksandra Wata motyw nogi. Piekące bóle, na które cierpiał poeta, odczuwalne były szczególnie w lewej części twarzy i w prawej stopie. On sam tak to lekarzom opisywał: „Jakby mnie przypiekano rozpalonym żelazem, wyrywano obcęgami mięsień policzka. Oko, jakby pocierano mi je szarym mydłem, stopę posiekano i kazano chodzić po rozpalonych żużlach". A jego żona wspomina: „Aż przyszedł dzień poprzedzający ową noc, rano zajrzałam do kąpielowego, stał w wannie z nogą opartą o jej brzeg i obcierał ją z wody". I potem ta chwila, kiedy rano nie zabrzmiał jak zwykle dzwoneczek z pokoju, w którym spał mąż: „Była już prawie dziesiąta. Weszłam więc po cichutku. Leżał uśpiony, z pochyloną na poduszce głową. Wyraz twarzy miał pogodny, spokojny. Poprawiłam kołdrę, bo nie nakrywała mu jednej nogi. Zdziwiło mnie, że nie poruszył się, miał bowiem sen bardzo lekki, budził go byle szmer".

Odsłonięta, znieruchomiała noga Aleksandra Wata jest jak ta wysunięta do widza bosa stopa Mateusza. Przypomnę, że obraz Caravaggia, zamówiony do kaplicy Contarellich w rzymskim kościele San Luigi dei Francesi, został odrzucony. Jak pisze Bellori, „księża go zdjęli, mówiąc, że ta postać ze skrzyżowanymi nogami i stopami nieprzystojnie wystawionymi na widok publiczny ani nie odpowiada wymogom przyzwoitości, ani nie przypomina świętego". Zdaniem Helen Langdon księża byli tak naprawdę oburzeni tym, że duży palec lewej stopy Mateusza wystawał akurat nad tym miejscem przed ołtarzem, w którym kapłan unosi Hostię podczas Podniesienia. Tak czy siak, obraz nie został przyjęty (Caravaggio namalował w jego miejsce przecudne *Natchnienie św. Mateusza*), trafił potem do Niemiec i został zniszczony w roku 1945 w Berlinie, w ostatniej fazie wojny.

Podobne zmaganie jak między Aniołem a Mateuszem toczy się w korespondencji Oli Watowej z Czesławem Miłoszem. Nie o to „czy", tylko o to „jak". Jaki kształt ma przyjąć dzieło życia Aleksandra Wata, wypowiedziane przez niego, ale nie zapisane, „pamiętnik mówiony", nagrany i tylko fragmentarycznie przez głównego autora zredagowany, nad którym jednak pracowały potem kolejne osoby. Prezentowany obecnie tom dokumentuje współudział albo przymiarki do współuczestnictwa konkretnych osób. Pojawiają się nazwiska Bogdana Zaporowskiego, Andrzeja Kijowskiego, Marty Wyki, Anny Micińskiej, Lidii Ciołkoszowej, Alicji Fiszmanowej. Ale nad całością przez cały czas czuwają dwa duchy: Czesław Miłosz jako Ewangelista i Ola Watowa w charakterze Anioła.

Przyjęło się bowiem, od Nobla, patrzeć na Miłosza jako na Wielkiego Poetę, XX-wiecznego Wieszcza. Tymczasem na przełomie lat sześćdziesiątych i siedemdziesiątych jego pozycja była zupełnie inna. Owszem, funkcjonowała pamięć przedwojennych *Trzech zim*, żywe było wspomnienie tużpowojennego *Ocalenia*, ale z nich dwóch to Wat był poetą cenionym, opromienionym sukcesami *Wierszy*, potem renomą *Wierszy śródziemnomorskich* i pamięcią o przedwojennej pozycji jako jednego z najaktywniejszych poetów futurystycznych i autora rewelacyjnego tomu prozy (*Bezrobotny Lucyfer*). Stosunek Miłosza do Wata jest stosunkiem ucznia do mistrza, młodszego kolegi do starszego pisarza, czynnego w literaturze już wtedy, kiedy Miłosz był dopiero dzieckiem. Godna podziwu jest ta postawa wyznawcza, swego rodzaju poświęcenie: tyle godzin cierpliwie wysłuchiwanych zwierzeń, wszystkie te zabiegi wokół przygotowania książki do druku, wokół jej wydania. Owszem, Miłosz w przedmowie do *Mojego wieku* powiada żartobliwie: „Nie przesadzajmy jednak z miłością bliźniego, bo gdyby Wat był nudziarzem, za słabe okazałyby się zapewne moje dobre chęci". Ale zaraz dopowiada, że było w tych seansach coś z magii, że słuchał jak zaczarowany, że z każdą chwilą umacniało się w nim przekonanie o niezwykłości, niepowtarzalności tej sytuacji, kiedy to pisarz o bardzo bogatym życiu, nie tylko intelektualnym, znajduje w młodszym koledze partnera, któremu nie trzeba wszystkiego tłumaczyć *ab ovo*, że między rozmówcami przebiega jakiś trudny do nazwania prąd i że w ten sposób powstaje niepowtarzalny materiał dla przyszłych historyków. I dla przyszłych czytelników. Listy taki obraz potwierdzają, są świadectwem swoistej spłaty zaciągniętego podczas sesji nagraniowych długu.

To Miłosz. A Ola Watowa wyłania się z tych listów jako wdowa, która kontynuuje swą rolę muzy i natchnienia poety, pełnioną od pierwszego spotkania, że przypomnę futurystyczny tekst Wata *Moje serce*, dedykowany „Oli":

„Było to nie pamiętam którego kwietnia 1923 roku między Żurawią 26 a Marszałkowską. Spojrzawszy wówczas na serce przez oko, jak przez dziurkę od klucza

zobaczyłem:

serce moje jest kompasem, który wszędzie wskazuje na O".

Przepisuje zatem niestrudzenie, odcyfrowywuje trudno czytelne rękopisy męża, zabiega o dobre kontakty z wydawcami, szuka sponsorów, słowem, poświęca się pamięci Aleksandra Wata, a ściślej rzecz biorąc, poświęca się celowi nadrzędnemu, jakim jest utrwalenie i upublicznienie jego dzieła.

A przy tym, jak wspomniałem na początku, okazuje się świetną pisarką. Od pierwszego listu po śmierci męża, w którym od razu cytuje jego wstrząsające zapiski z *Ostatniego zeszytu*, wyznaczając sobie cel na przyszłość i apelując do Miłosza o pomoc: „Praca zarejestrowana na magnetofonie, której Ty byłeś «idealnym słuchaczem» n i e m o ż e n i e p o w i n n a zginąć.

To cel teraz mego życia.

P o m o ż e s z m i, mój Czesławie?".

Albo w liście z 14 października 1967 roku, kiedy opisuje, jak musiała opuścić wspólne mieszkanie: „Winda nagle popsuła się. Tragarze staszczali z piątego piętra nasze stare meble, książki itd. Zdawało mi się, że wynoszą trumny".

Albo poruszający, cienką kreską narysowany portrecik Teresy Jeleńskiej w liście z 28 i 29 lutego 1968 roku.

Albo wreszcie perełka, jaką jest — w liście z 9 listopada 1972 roku — relacja z wizyty, jaką Oli Watowej złożyła rosyjska tłumaczka Rita Rajt-Kowaliowa, przywożąc najnowsze wieści i plotki ze świata literatury i polityki. Trudno cytować wyrwane fragmenty, trzeba przeczytać ten list w całości, by odczuć i swoisty dystans, i wielką subtelność autorki w przedstawianiu skomplikowanych spraw, które widziała z innej, szerszej perspektywy niż jej skądinąd ciekawa rozmówczyni.

A przy tym wszystkim publikowane listy są przede wszystkim zapisem wspólnej walki o dzieło poetyckie i wspomnieniowe Wata. Walki niepozbawionej zwątpień („Doszłam już do tego, że kochał on mnie chyba przez pomyłkę, że nie jestem tą osobą wartą takiego kochania", pisze w pewnej chwili Ola Watowa), niepozbawionej drobnych nieporozumień między obojgiem korespondentów, ale opartej na przyjaźni, zaufaniu i wierności temu samemu celowi, jakim było przekazanie światu Słowa Aleksandra Wata.

Nota wydawcy

Pierwszy list korespondencji Czesława Miłosza i Oli Watowej z lat 1967–73, którą oddajemy do rąk Czytelnika, zawiera wiadomość o śmierci Aleksandra Wata 29 lipca 1967. Pisany osiem dni później rozpoczyna wieloletnie starania obojga protagonistów niniejszej książki o ogłoszenie drukiem pozostawionych przez Wata wierszy, wspomnień, szkiców, o zaistnienie jego dzieła i zapewnienie mu należnego miejsca w literaturze. Tylko oni dwoje wiedzą o istnieniu tej wielkiej spuścizny, tylko oni nie wątpią w jej znaczenie dla współczesnych i potomnych. Czytelnik tej korespondencji dowiaduje się więc, na jakie przeszkody natrafia dzieło nowe i epokowe — bo za takie autorzy listów uznają tak poezję, jak i nieopracowaną jeszcze do druku księgę, zbierającą przemyślenia o naturze doświadczeń historycznych XX wieku. W wyniku ich starań świat pozna *Mój wiek*, fundamentalne dzieło minionego stulecia, i pamiętne wiersze ostatnie Poety.

Aleksander Wat w chwili samobójczej śmierci był znany z trzech tomów wierszy i jednego zbioru opowiadań. Zapis wieloletnich, wytrwałych, niekiedy beznadziejnych starań o pośmiertny druk jego utworów — zarówno w języku polskim, na emigracji, jak i w Stanach Zjednoczonych — przynosi poruszające świadectwo oddania, przyjaźni i wspólnej troski dwojga ludzi świadomych roli literatury w życiu współczesnych.

Czesław Miłosz ukazuje najmocniejsze strony dzieła Wata: wyobraźnię poetycką, zanurzenie w metafizyce i w historii; swoiste użycie języka, łączącego giętkość i poetycki liryzm gawędy z wymogami dyskursu intelektualnego; wielokulturowy rodowód; nowatorstwo; powagę myśli. Sam jeszcze niedoceniony, wiedziony podziwem i poetycką solidarnością, poświęca autorowi *Mojego wieku* godziny codziennego trudu — redaguje tysiące stron nagranych wspomnień, tłumaczy jego wiersze na angielski, uczy o nim studentów, recytuje jego wiersze na własnych wieczorach poetyckich, poszukuje wydawców, redaktorów, funduszy, tłumaczy, maszynistek. Poznajemy krąg przyjaciół Wata i Miłosza — Konstantego A. Jeleńskiego, Jana Lebensteina, Olgę Scherer, Aleksandra Schenkera, Zygmunta Hertza, a z upływem czasu także Josifa Brodskiego, Krystynę Pomorską-Jakobson, Richarda Louriego, Leopolda Łabędzia, Alfreda Tarskiego, Zbigniewa Brzezińskiego, a wraz z nimi świat wydawniczy Stanów Zjednoczonych i polskiej emigracji, który Miłosz usiłuje zarazić podziwem dla dzieła Wata.

Wyboru z dotychczas udostępnionej korespondencji dokonała Barbara Toruńczyk. Dalszy jej ciąg zostanie opracowany w miarę postępu prac w archiwach przechowujących papiery Aleksandra i Oli Watów. Zasady pisowni i interpunkcji w listach Oli Watowej uwspółcześniono; w listach Czesława Miłosza — jedynie wtedy, gdy było to konieczne.

Listy Oli Watowej znajdują się w Beinecke Rare Book and Manuscript Library (Czeslaw Milosz Papers, 1930–81; stan na rok 2008). Przepisała je do druku Anna Piotrowska, zebrała Barbara Toruńczyk. Listy Czesława Miłosza znajdują się w zbiorach Zakładu Rękopisów Biblioteki Narodowej (Akc. 17541). Przepisała je do druku Barbara Toruńczyk.

Korespondencja przytoczona w niniejszej książce została wzbogacona o wiersze Aleksandra Wata, o których mowa w listach. W Aneksie oprócz portretu Oli Watowej przytaczamy też świadectwa rzucające światło na ostatni okres życia Aleksandra Wata — naznaczony bólem, zwątpieniem i spotęgowaną wolą twórczą. Publikujemy również szkic Czesława Miłosza o wierszach Wata napisany tuż po jego śmierci oraz mowę wygłoszoną na jego pogrzebie przez Józefa Czapskiego. W kalendarium życia i twórczości Wata wskazujemy edytorów, bez których poświęcenia i wytrwałej pracy jego spuścizna nie ujrzałaby światła druku.

Wydawca dziękuje pracownikom i dyrekcji Beinecke Rare Book and Manuscript Library, w szczególności Lisie Conathan, za pomoc w kompletowaniu dzieła Aleksandra Wata. Kierownikowi Zakładu Rękopisów Biblioteki Narodowej w Warszawie Henrykowi Citko i kustoszowi Annie Milewicz jesteśmy wdzięczni za stworzenie doskonałych warunków do pracy. Papiery i dokumenty dotyczące twórczości Aleksandra Wata ze spuścizny Oli Watowej umieścił w zbiorach BN Andrzej Wat, syn bez reszty oddany utrwaleniu dzieła swoich wielkich Rodziców. On też powierzył nam wykonanie tej pracy.

Dziękujemy Antoniemu Miłoszowi za zgodę na publikację listów Czesława Miłosza.

Jan Zieliński, wybitny znawca i edytor Wata, służył nam niezawodną pomocą, stając się kuratorem tej książki. Adam Dziadek odnalazł w Beinecke Library potrzebne nam materiały. Mikołaj Nowak-Rogoziński zechce przyjąć słowo podziękowania za harmonijną współpracę redakcyjną.

Spis rzeczy

wydawca / Fundacja Zeszytów Literackich

projekt okładki / Emilia Bojańczyk

korekta / Bartosz Choroszewski
skład i łamanie / Agencja Poligraficzna Sławomir Zych

druk i oprawa Przedsiębiorstwo Wydawniczo-Poligraficzne
„Gryf" S.A., Ciechanów

zamówione książki, zeszyty i kwartalnik „Zeszyty Literackie"
wysyłamy za zaliczeniem pocztowym (w prenumeracie — gratis)
Zamówienia prosimy składać:
„Zeszyty Literackie", ul. Foksal 16, p. 422, 00-372 Warszawa
tel. / faks: (+48) 22.826.38.22
e-mail: **biuro@zeszytyliterackie.pl**
lub w sklepie internetowym: **www.zeszytyliterackie.pl**
Akceptujemy karty płatnicze